Les joueurs
du Ã

Éditions J'ai Lu

ALFRED E. VAN VOGT

Postface inédite de l'auteur

Les joueurs
du Ā

Traduit de l'américain
par Boris VIAN

Ce roman a paru sous le titre original :

THE PLAYERS OF Ā

1

Non-axiomes.

Un système nerveux humain normal est potentiellement supérieur à celui de tout animal. En vue d'acquérir la santé mentale et un développement équilibré, chaque individu doit apprendre à s'adapter au monde réel qui l'entoure. Il existe des méthodes d'entraînement qui permettent de réaliser cette adaptation.

Ombres. Un mouvement sur la colline où s'était dressée jadis la Machine des Jeux, où tout n'était plus que désolation. Deux silhouettes, dont l'une curieusement difforme, cheminaient lentement parmi les arbres. Lorsqu'elles émergèrent de l'obscurité dans la lumière d'un réverbère, sentinelle isolée sur cette hauteur d'où l'on pouvait embrasser la ville, une des silhouettes se révéla celle d'un bipède ordinaire.

L'autre était une ombre, faite d'ombre, d'obscurité à travers laquelle on distinguait un réverbère.

Un homme, et une ombre, qui avait les gestes d'un homme, sans en être un. Une ombre-homme, qui s'arrêta lorsqu'elle atteignit la barrière protectrice de la crête de la colline, désigna, de son bras d'ombre, la ville, en bas, et parla soudain d'une voix non plus d'ombre, mais fort humaine.

— Répétez vos instructions, Janasen.

Si l'homme avait peur de son étrange compagnon, il ne le montra pas. Il bâilla légèrement.

— Suis un peu endormi, dit-il.

— Vos instructions.

L'homme eut un geste irrité.

— Ecoutez, m'sieu le Disciple, dit-il d'une voix lasse, ne me parlez pas comme ça. Votre petite mise en scène ne me fait pas peur du tout. Vous me connaissez. Je ferai le boulot.

— Votre insolence, dit le Disciple, finira par user ma patience. Vous savez que certaines énergies temporelles sont mises en jeu dans mes propres mouvements. Vos tergiversations sont calculées pour blesser, et je vous dis ceci : s'il arrive que je sois obligé de prendre une position déplaisante en raison de cette tendance de votre part, ce sera la fin de nos relations.

Il y avait une telle note de sauvagerie dans la voix du Disciple que l'homme ne dit plus rien. Il se prit à se demander pourquoi il défiait cet individu immensément dangereux, et la seule explication fut l'oppression que faisait peser sur son esprit la conscience d'exister en tant qu'agent stipendié d'un être qui le dominait à tous points de vue.

— Maintenant, vite, dit le Disciple, répétez vos instructions.

Réticent, l'homme commença. Pour la brise qui soufflait derrière eux, ces mots-là ne voulaient rien dire ; ils volaient dans l'air de la nuit comme les phantasmes d'un rêve, comme les ombres qui font le soleil. On parlait de tirer avantage des combats de rue qui, maintenant, se termineraient bientôt. Il y aurait une situation libre à l'Institut d'émigration. « Les faux papiers que je possède m'obtiendront l'emploi pendant le temps nécessaire. »

Le but de la manœuvre était d'empêcher un certain Gilbert Gosseyn de parvenir à Vénus, avant qu'il soit trop tard. L'homme ne savait qui était Gosseyn ni pourquoi ce serait trop tard — mais le procédé était parfaitement clair.

— J'utiliserai toute l'autorité de l'Institut, et jeudi en quinze, lorsque le *Président-Hardie* partira pour Vénus, je ferai en sorte qu'un accident se produise à un instant donné, et vous-même veillerez que Gosseyn se trouve en situation de le subir.

— Je ne veille à rien de la sorte, dit le Disciple d'une voix lointaine, je prévois simplement qu'il sera là à l'instant voulu. Et maintenant, quelle est l'heure dc l'accident ?

— 9 h 28 du matin, heure de la zone dix.

Il y eut un temps d'arrêt. Le Disciple paraissait méditer.

— Je dois vous avertir, dit-il enfin, que Gosseyn est un individu peu commun. Que ceci affecte les événements ou non, je l'ignore. Il ne semble pas qu'il y ait de raisons pour cela, mais il reste une possibilité. Faites attention.

L'homme haussa les épaules :

— Je ne puis que faire de mon mieux. Ça ne me tracasse pas.

— Vous serez éloigné en temps voulu de la façon habituelle. Vous pourrez attendre ici ou sur Vénus.

— Vénus, dit l'homme.

— Parfait.

Il y eut un silence. Le Disciple se déplaça légèrement, comme pour se libérer de la contrainte due à la présence de l'autre. Sa silhouette d'ombre parut soudain moins matérielle. Le réverbère luisait d'un vif éclat à travers la substance noire qu'était son corps, mais tout le temps que cette forme brumeuse s'estompa, se fit plus vague, moins nettement définie, clle resta entière et garda sa forme. Elle s'évanouit d'une pièce et disparut comme si elle n'avait jamais existé.

Janasen attendit. C'était un homme pratique et

assez curieux. Il avait déjà vu des illusions et n'était que partiellement convaincu qu'il s'agît d'une de celles-ci. Trois minutes plus tard, le sol se mit à rougir. Janasen battit en retraite avec circonspection.

Le feu fit rage, mais pas si violemment qu'il n'aperçût la structure interne d'une machine à éléments complexes dont la flamme blanche et sifflante fondit les pièces en une masse informe. Il n'attendit pas la fin, mais descendit le sentier en direction de la station de robocars.

★

La transformation de l'énergie-temps se poursuivit selon son rythme indéterminable jusqu'à 8 h 43 du matin, le premier jeudi de mars 2561. L'accident de Gilbert Gosseyn devait avoir lieu à 9 h 28.

8 h 43. — Sur l'astroport de la montagne qui dominait la ville, le *Président-Hardie*, à destination de Vénus, flotta jusqu'à sa position de départ. Celui-ci était prévu pour 1 heure de l'après-midi.

Deux semaines avaient passé depuis le jour où le Disciple et son homme de main contemplaient la ville du haut du monde baigné d'ombre. Deux semaines et un jour depuis qu'un éclair électrique jailli d'un réflecteur d'énergie à l'Institut de Sémantique Générale faisait sauter la tête sanglante de Thorson (1), avec pour résultat la cessation trois jours plus tard des combats dans la ville proprement dite.

Partout, des roboutils ronflaient, bourdonnaient, sifflaient et travaillaient sous le contrôle de leurs cerveaux électroniques. En onze jours, une ville géante revenait à la vie, non sans labeur, non sans que les hommes fussent obligés de se courber aux

(1) Voir *Le Monde des Å*, du même auteur, dans la même collection, 362**.

côtés des machines. Mais les résultats étaient déjà colossaux. Le ravitaillement redevenu normal, la plupart des traces de la bataille disparues. Et, chose d'une importance capitale, la terreur des forces inconnues qui venaient d'attaquer, depuis les étoiles, le système solaire, s'affaiblissait avec chaque bribe d'information en provenance de Vénus, chaque jour qui passait.

★

8 h 30 du matin, sur Vénus, dans la fosse, un temps la base galactique secrète du Plus Grand Empire sur le système solaire. Patricia Hardie, assise dans son arbre-appartement, étudiait un guide général abrégé. Elle était vêtue d'un trois-jours ordinaire qu'elle ne porterait qu'un jour avant de le détruire. Une mince jeune femme dont la beauté s'effaçait un peu devant une caractéristique plus curieuse : un air d'autorité. L'homme qui ouvrit la porte et entra à ce moment s'arrêta pour la regarder ; mais si elle l'avait entendu, elle ne le manifesta pas.

Eldred Crang attendit, un peu amusé, mais non vexé. Il respectait, il admirait Patricia Hardie, mais elle n'avait pas encore reçu tout l'entraînement philosophique non-A et, en conséquence, elle possédait encore des techniques fixes de réaction dont elle ne se rendait sans doute pas compte. Comme il l'observait, elle dut franchir le processus inconscient d'acceptation de son intrusion, car elle se retourna et le regarda.

— Alors, dit-elle.

Elancé, Eldred s'avança.

— Marche pas, dit-il.

— Combien de messages ?

— Dix-sept.

Il secoua la tête :

— J'ai peur que nous n'ayons tardé. Nous avons

sous-entendu que Gosseyn réussirait à revenir ici. Maintenant, notre seul espoir est qu'il soit sur le transport qui quitte aujourd'hui la Terre pour Vénus.

Il y eut un moment de silence. La femme fit quelques marques dans le guide avec un instrument acéré. Chaque fois qu'elle touchait la page, la matière luisait d'une douce lueur bleuâtre. Elle haussa enfin les épaules :

— Nous n'y pouvons rien. Qui aurait pensé que Enro découvrirait si vite ce que vous faisiez ? Heureusement, vous avez été vite, et ses soldats de ce secteur sont déjà disséminés dans une douzaine de bases et employés à d'autres desseins.

Elle sourit, admirative.

— C'était très astucieux, mon ami, de confier ces soldats aux tendres soins des commandants des bases. Ils ont tous tellement envie d'avoir plus d'hommes dans leurs secteurs que quand un officier responsable leur en donne quelques millions, ils les cacheraient presque. Il y a des années, Enro a été obligé de concevoir un système compliqué pour arriver à retrouver des armées perdues de cette façon-là.

Elle s'interrompit :

— Avez-vous déterminé combien de temps nous pouvons rester encore ?

— Mauvaises nouvelles de ce côté-là, dit Crang. Ils ont reçu des ordres, sur Géla 30, de débrancher Vénus du secteur des « matrices » individuelles au moment où vous et moi serons à Géla. Ils laissent la possibilité aux transports, et c'est quelque chose ; mais on m'a dit que tous les distorseurs personnels seront débranchés d'ici vingt-quatre heures, que nous allions à Géla ou non.

Debout, il fronça les sourcils.

— Si seulement Gosseyn se dépêchait ! Je pense que je pourrai les faire patienter un jour ou deux de plus sans révéler votre identité. Je crois que nous devrions courir le risque. A mon avis, Gosseyn est plus important que nous.

— Vous, vous savez quelque chose, dit brièvement Patricia. Qu'est-il arrivé ? C'est la guerre ?

Crang hésita, puis :

— Au moment où j'envoyais le message, il y a cinq minutes, j'ai capté un tas d'appels confus de quelque part au centre de la galaxie. Neuf cent mille vaisseaux de guerre, à peu près, ont attaqué la capitale de la Ligue, dans le sixième décan.

La jeune femme resta silencieuse un long moment. Enfin, elle parla, et il y avait des larmes dans ses yeux.

— Ainsi, Enro a fait le saut !

Elle secoua la tête, rageuse, et essuya ses pleurs.

— Ça règle la situation. J'en ai fini avec lui. Vous pouvez lui faire ce que vous voulez si jamais vous en avez l'occasion.

Crang, guère ému, répondit :

— C'était inévitable. C'est la rapidité de tout ça qui m'embête. On a été pris au dépourvu. Rendez-vous compte, attendre jusqu'à hier pour envoyer le Dr Kair sur terre à la recherche de Gosseyn !

— Quand y sera-t-il ?

Elle agita la main.

— Peu importe. Vous me l'avez déjà dit, non ? Après demain. Eldred, nous ne pouvons attendre.

Elle se dressa et vint à lui, les yeux étrécis par la réflexion tandis qu'elle étudiait son visage.

— Vous n'allez pas nous faire prendre des risques impossibles, j'espère ?

— Si nous n'attendons pas, dit Crang, Gosseyn reste isolé ici à neuf cent soixante et onze années-lumière du transport interstellaire le plus proche.

Patricia répondit très vite :

— A tout moment, Enro peut « similariser » une bombe atomique dans la fosse.

— Je ne pense pas qu'il détruise la base. Elle a été trop longue à organiser. En outre, j'ai idée qu'il sait que vous êtes là.

Elle le regarda durement.

— Où a-t-il pu savoir ça ?

Crang sourit.

— Par moi, dit-il. Après tout, il a bien fallu que je dise à Thorson qui vous étiez pour vous sauver la vie. Je l'ai dit également à un agent de renseignement d'Enro.

— Malgré tout, dit Patricia, tout ça reste fondé sur des désirs. Si nous partons sains et saufs, nous pourrons revenir chercher Gosseyn.

Crang la regarda, pensif.

— Tout ça va plus loin que ça n'en a l'air. Vous oubliez que Gosseyn a toujours été persuadé qu'au-delà de lui, ou derrière lui, se trouve un être qu'il appelle, faute de nom plus juste, un joueur d'échecs cosmique. Naturellement, c'est une comparaison aventurée ; mais si ça a le moindre sens, cela nous oblige à supposer un second joueur. Les échecs, ce n'est pas un jeu de solitaire. Autre chose : Gosseyn se considérait à peu près comme un pion sur la septième rangée. Eh bien, je crois qu'il est devenu reine quand il a tué Thorson. Je vous le dis, Reesha, c'est dangereux de laisser une reine dans une position dont elle ne peut bouger. Il faut qu'il soit à l'air libre, parmi les étoiles, là où il ait la plus grande mobilité possible. Selon moi, aussi longtemps les joueurs resteront cachés et en position de mouvoir leurs pièces sans être pris ni observés, aussi longtemps Gosseyn sera en danger mortel. Je crois que même un délai de quelques mois pourrait être fatal.

Patricia, silencieuse un instant, dit :

— Et où allons-nous ?

— Eh bien, nous devons utiliser les communications normales. Mais je projette de nous arrêter quelque part pour avoir des nouvelles. Si c'est ce

12

que je crois, il n'y a qu'un endroit où nous puissions aller.

— Oh ! dit la femme d'une voix neutre. Combien de temps avez-vous l'intention d'attendre ?

Crang, sombre, la regarda et respira profondément.

— Si le nom de Gosseyn, dit-il, est sur la liste des passagers du *Président-Hardie* — et j'aurai cette liste quelques minutes après son départ de la Terre — nous attendrons ici jusqu'à ce qu'il arrive, dans trois jours et deux nuits.

— Et si son nom n'est pas sur la liste ?

— Alors nous partirons dès que nous en serons certains.

Le nom de Gilbert Gosseyn, ainsi qu'il apparut, ne se trouvait pas sur la liste des passagers du *Président-Hardie*.

★

8 h 43 du matin. Gosseyn s'éveilla en sursaut et, presque simultanément, prit conscience de trois choses. De l'heure. Du soleil qui brillait par la fenêtre de sa chambre d'hôtel. Et du vidéophone, près du lit, qui bourdonnait avec douceur, mais insistance.

En s'asseyant, il acheva de sortir du sommeil et se rappela brusquement que, le jour même, le *Président-Hardie* partait pour Vénus. Cette idée le galvanisa. La guerre avait réduit les communications entre les deux planètes à un échange hebdomadaire, et il lui fallait encore obtenir l'autorisation de s'embarquer aujourd'hui. Il se pencha et manœuvra le récepteur. Mais comme il était encore en pyjama, il laissa éteinte la plaque du vidéo.

— Ici, Gosseyn, dit-il.

— Monsieur Gosseyn, dit une voix d'homme, ici l'Institut d'émigration.

Gosseyn se raidit. Il savait que ça devait se décider aujourd'hui, et une nuance de cette voix ne lui plaisait pas.

— Qui est à l'appareil ? demanda-t-il sèchement.

— Janasen.

— Ah !

Gosseyn se rembrunit. C'était l'homme qui avait accumulé tant d'obstacles sur sa route, insistant pour qu'il fournît un acte de naissance et d'autres pièces, refusant d'enregistrer un test favorable au détecteur de mensonge. Janasen, un fonctionnaire dont la situation était surprenante étant donné son refus presque pathologique de faire quoi que ce soit de sa propre initiative. Pas le type à qui parler le jour où un vaisseau aérien devait partir pour Vénus.

Gosseyn tendit le bras et enclencha la plaque du vidéo. Il attendit que l'image du visage aigu de l'autre fût claire, puis il dit :

— Ecoutez, Janasen, je veux parler à Yorke.

— J'ai reçu mes instructions de M. Yorke.

Janasen restait imperturbable. Son visage paraissait étrangement lisse en dépit de sa minceur.

— Passez-moi Yorke, dit Gosseyn.

Janasen ignora l'interruption.

— Il a été décidé, continua-t-il, que, en raison de la situation troublée de Vénus...

— Quittez la ligne ! dit Gosseyn d'une voix menaçante. Je parlerai à Yorke et à personne d'autre.

— ... en raison de la situation pendante sur Vénus, votre demande d'entrée est refusée, dit Janasen.

Gosseyn était furieux. Depuis quatorze jours, cet individu le lanternait, et, maintenant, le matin du départ, telle était la décision.

— Ce refus, dit l'imperturbable Janasen, ne vous interdit en aucune façon de représenter votre demande lorsque la situation de Vénus sera éclaircie, tenant compte des directives du Conseil vénusien d'immigration.

Gosseyn répliqua :

— Dites à Yorke que je passerai le voir sitôt après le petit déjeuner.

Ses doigts manœuvrèrent l'interrupteur et il rompit le contact.

Gosseyn s'habilla rapidement et il s'arrêta pour une dernière inspection devant la glace en pied de sa chambre d'hôtel. Il vit un grand type jeune à la figure décidée. Sa perception était trop déliée pour ne pas repérer les caractéristiques peu communes de cette image. A première vue, il semblait tout à fait normal, mais à ses propres yeux, sa tête était visiblement trop grosse pour son corps. Seul le développement de ses épaules, de ses bras et de ses pectoraux rendait tolérable le développement de sa tête. En gros, il imaginait qu'il devait tomber dans la catégorie « léonine ». Il mit son chapeau. Maintenant, il avait l'air d'un grand costaud avec une figure musclée, ce qui était satisfaisant. Autant que possible il voulait éviter de se faire remarquer. Le second cerveau, qui faisait sa tête d'un sixième plus volumineuse que celle d'un homme ordinaire, possédait ses limitations. Durant les deux semaines écoulées depuis la mort du puissant Thorson, libre pour la première fois d'étudier son pouvoir terrifiant, il avait dû fortement modifier sa conviction précédente d'invincibilité.

Un peu plus de vingt-six heures, telle était la durée maximum pendant laquelle son souvenir « mémorisé » d'une portion de sol restait utile. Le souvenir pouvait ne pas se modifier visiblement, mais en quelque sorte il s'altérait, et il n'était plus en mesure de s'y retrancher par le procédé instantané de similarisation.

Cela signifiait qu'il devait littéralement recons-

15

truire ses défenses chaque matin, chaque soir, sans arrêt, de façon à ne jamais être pris sans quelques points-clefs où échapper en cas d'urgence. Les limites temporelles impliquées présentaient plusieurs aspects troublants. Mais il aurait le temps d'étudier ça sur Vénus.

Un moment plus tard, il monta dans l'ascenseur, et regarda sa montre : 9 h 27.

Une minute plus tard, à 9 h 28, temps prévu pour l'accident, l'ascenseur s'écrasa au fond de sa cage.

Non-axiomes.

La sémantique générale permet à l'individu de s'adapter à la vie de la façon suivante :
1) Il peut logiquement anticiper l'avenir ;
2) Il peut réaliser en fonction de ses capacités ;
3) Son comportement est ajusté à son milieu.

Gosseyn parvint au lieu du départ sur la montagne quelques minutes avant 11 heures. A cette hauteur, l'air était frais et vif et produisait un effet exhilarant. Un moment, il resta debout près de la haute barrière par-delà laquelle le transport reposait sur son berceau.

— Le premier pas, pensa-t-il, c'est de passer la barrière.

Ceci était simple à la Base. L'endroit fourmillait de monde ; on remarquerait à peine un homme de plus. Le problème consistait à entrer sans que personne le vît se matérialiser.

Pas de regrets, maintenant qu'il avait pris sa décision. Le léger retard provoqué par son accident — il s'était échappé de l'ascenseur par le simple procédé de similarisation vers sa chambre d'hôtel — lui faisait percevoir avec acuité à quel point il lui restait peu de temps. Il se représenta en train d'essayer d'obtenir un certificat d'admission à l'Institut d'émigration, en ce jour ultime, et cette vision lui suffit. Passé, le temps de la légalité.

Il repéra un point de l'autre côté de la barrière, derrière quelques valises, le mémorisa, se glissa derrière un camion — et un instant plus tard sortit de derrière les valises et se dirigea vers le transport. Personne n'essaya de l'arrêter. Personne ne lui accorda d'autre attention que passagère. Le fait qu'il se trouvât de l'autre côté de la barrière était une créance suffisante, apparemment.

Il monta à bord et passa ses dix premières minutes à mémoriser une douzaine de portions de sol avec son cerveau second — et ce fut tout. Pendant le départ, il s'étendit confortablement sur le lit de l'un des meilleurs appartements du transport. Environ une heure plus tard, une clef tourna dans la serrure. Vite, Gosseyn s'accorda sur une zone mémorisée, et, vite, il s'y trouva transporté.

Il avait choisi habilement ses positions de matérialisation. Les trois hommes qui le virent émerger de derrière un lourd étançon supposèrent visiblement qu'il s'y trouvait depuis plusieurs minutes, car ils le regardèrent à peine. Il alla d'un pas aisé jusqu'à l'arrière du vaisseau et, debout devant le grand hublot de plexiglas, regarda la Terre.

La planète s'étendait, très vaste au-dessous de lui, monde immense encore un peu coloré. Tandis qu'il l'observait, elle tourna lentement au gris foncé, s'arrondit de minute en minute.

Elle se mit à rétrécir fortement, et, pour la première fois, il la vit, grande balle de brume flottant dans l'espace obscur.

Cela paraissait un peu irréel.

★

Il passa cette première nuit dans l'une des nombreuses cabines inoccupées. Le sommeil vint lentement, car ses pensées roulaient sans trêve. Deux semaines, depuis la mort de Thorson, et pas un mot d'Eldred Crang ni de Patricia Hardie. Tous ses efforts pour les contacter par l'intermédiaire de l'Institut d'émigration avaient rencontré la réponse invariable : notre bureau de Vénus déclare votre message non acheminable. Il avait pensé une ou deux fois que Janasen, le fonctionnaire de l'Institut, éprouvait une satisfaction personnelle à lui donner de mauvaises nouvelles, mais cela paraissait peu croyable.

Il ne faisait pas de doute, pour Gosseyn, que Crang eût pris le contrôle de l'armée galactique le jour même de la mort de Thorson. Les journaux avaient été pleins des nouvelles du retrait des troupes d'invasion des villes de Vénus. Une certaine confusion régnait sur les motifs de cette retraite massive et les éditoriaux restaient peu clairs sur les événements actuels. Pour lui seul qui savait les causes de cette énorme défaite, la situation était compréhensible. Crang tenait les rênes. Crang renvoyait les soldats galactiques du système solaire aussi vite que ses transports de trois kilomètres de long, mus par similarité, pouvaient les emmener — avant que Enro le Rouge, empereur militaire du Plus Grand Empire, ne découvrît que l'on sabotait son invasion.

Mais cela n'expliquait pas pourquoi Crang n'avait pas délégué quelqu'un pour prendre contact avec Gilbert Gosseyn qui, en assassinant Thorson, avait rendu tout ceci possible.

A cette pensée, Gosseyn dormit mal à l'aise. Car bien que le danger imminent de l'invasion fût temporairement détourné, son propre problème restait non résolu : Gilbert Gosseyn, qui possédait un second cerveau, bien qu'étant mort, revivait cependant dans un corps presque identique au premier. Son propre dessein devait être de découvrir tout ce qui le concernait, lui comme son étrange et terrible méthode d'immortalité. Quel que fût le jeu que l'on jouait autour de lui, il paraissait en être une des pièces importantes et puissantes. Il avait dû rester sous l'effet de la longue tension subie et du combat ignoble avec la garde blindée de Thorson, sinon il se fût rendu compte plus tôt que, bon gré mal gré, pour le meilleur et pour le pire, il se trouvait au-dessus des lois. Jamais il n'aurait dû gaspiller son temps avec l'Institut d'émigration...

Personne ne le questionna. Lorsque les officiers venaient vers lui, il s'éloignait, hors de vue, et s'évanouissait vers une de ses zones mémorisées. Trois jours et deux nuits après le départ, le transport traversa le ciel brumeux de Vénus. Il entrevit les arbres colossaux, puis une ville grandit à l'horizon. Gosseyn descendit la passerelle avec les quatre cents autres passagers. De sa place dans la file, il observa le processus du débarquement. Chaque personne passait devant un détecteur de mensonge, parlait, recevait l'accord et franchissait un tourniquet avant d'arriver dans la salle principale du hall d'immigration.

L'image nette dans son esprit, Gosseyn mémorisa un point derrière un pilier, au-delà du tourniquet. Puis, comme s'il avait oublié quelque chose, il remonta à bord et se dissimula jusqu'à la nuit. Lorsque les ombres noircirent et s'allongèrent sur la campagne, il se matérialisa derrière le pilier et alla tranquillement jusqu'à la porte la plus proche. Un instant après, il longeait un trottoir pavé et contemplait une rue brillant d'un million de lumières.

Il avait le sentiment aigu de se trouver au début et non à la fin de son aventure, ce Gilbert Gosseyn qui savait de lui-même juste de quoi n'être pas satisfait.

20

La fosse était gardée par une division de Vénusiens $\bar{A}$, mais rien n'arrêtait le flot réduit, mais régulier, de nouveaux arrivants. Gosseyn erra, morose, le long des couloirs brillamment illuminés de la cité souterraine. L'immensité de ce qui avait été la base secrète du Plus Grand Empire sur le système solaire le déconcertait. Des ascenseurs silencieux du type distorseur l'emmenèrent aux niveaux supérieurs, à travers des salles aux machines luisantes dont certaines fonctionnaient encore. De temps à autre, il s'arrêtait pour regarder des ingénieurs vénusiens, seuls ou en équipes, examiner des instruments et des engins mécaniques. Un communicateur fixa l'attention de Gosseyn et une idée soudaine le fit s'arrêter et mettre le contact. Il y eut une pause, et la voix du robopérateur répondit d'un ton calme :

— Quelle étoile demandez-vous ?

Gosseyn respira profondément.

— Je voudrais, dit-il, parler à Eldred Crang ou à Patricia Hardie.

Il attendit, avec une excitation croissante. L'idée lui était venue en un éclair et il avait du mal à imaginer qu'elle réussît. Mais même s'il n'arrivait pas à établir un contact, ce fait lui serait une information. Au bout de plusieurs secondes, le robot répondit :

— Eldred Crang a laissé le message suivant : « A quiconque essaierait de me trouver ; je regrette, mais toute communication est impossible. »

C'était tout. Pas d'explication.

— Pas d'autre appel, monsieur ?

Gosseyn hésita. Il était désappointé, mais la situation n'était pas entièrement défavorable. Crang avait laissé le système solaire connecté à la vaste organisation vidéophonique interstellaire. Merveilleuse occasion pour les Vénusiens ; Gosseyn éprouva personnellement un frémissement de plaisir en pensant à ce qu'ils pourraient en faire. Une autre question se forma dans son esprit. La réponse du robopérateur jaillit aussitôt.

— Il faut à un transport environ quatre heures pour arriver ici de Géla 30, la base la plus proche.

C'était un point plein d'intérêt pour Gosseyn.

— Je pensais que le transport par distorseur était virtuellement instantané ?

— Il y a une marge d'erreur dans le transport de la matière, bien que le voyageur n'en ait pas la conscience physique. Pour lui, le processus semble instantané.

Gosseyn hocha la tête. Il comprenait ça dans une certaine mesure. Une approximation de vingt décimales n'est pas parfaite. Il continua :

— Supposez que j'appelle Géla. Faudrait-il huit heures pour avoir la réponse ?

— Oh ! non. La marge d'erreur sur le plan électronique est infinitésimale. L'erreur pour Géla serait d'environ un cinquième de seconde. Seule la matière est lente.

— Je vois, dit Gosseyn. On peut parler d'un bout à l'autre de la galaxie presque sans délai ?

— C'est exact.

— Mais supposez que je désire parler à quelqu'un qui ne parle pas ma langue ?

— Il n'y a pas de problème. Un robot traduit phrase par phrase de façon aussi cursive que possible.

Gosseyn n'était pas sûr que ce transfert verbal ne posât point de problème. Une part du système Ā d'approche de la réalité reposait sur l'importance des relations entre mots. Les mots, subtils, avaient souvent peu de rapports avec les faits qu'ils étaient supposés traduire. Il se représentait d'innombrables confusions entre citoyens galactiques ne parlant pas la même langue. Comme les empires galactiques n'enseignaient pas le non-A ni ne le pratiquaient, ils n'étaient apparemment pas au fait des dangers d'incompréhension impliqués par le procédé de communication au moyen de robots.

L'important, c'était de percevoir le problème à chaque instant.

Gosseyn dit : « C'est tout, merci », et coupa le contact.

Il arrivait à l'arbre-appartement partagé avec Patricia Hardie tandis qu'ils étaient tous deux prisonniers de Thorson. Il chercha un message éventuel, un compte rendu plus complet et plus personnel de ce que l'on pouvait confier au service du vidéo. Il trouva la transcription de plusieurs conversations entre Patricia et Crang — et il apprit ce qu'il voulait.

Les allusions à l'identité de Patricia ne le surprirent point. Il avait toujours hésité à accepter ses affirmations la concernant bien qu'elle fût digne de confiance dans la lutte contre Thorson. La nouvelle du déclenchement de la grande guerre de l'espace le secoua. Il hocha la tête à la suggestion selon laquelle ils reviendraient le chercher dans « quelques mois ». Bien trop long. Mais la certitude peu à peu acquise qu'il était coupé de tout dans un système solaire isolé le rendit durement attentif au compte rendu plutôt complet des efforts faits par Crang pour prendre contact avec lui sur Terre.

C'était Janasen le responsable, naturellement. Gosseyn comprit et soupira. Mais quelle raison pouvait pousser cet homme à prendre sur lui de faire tort à un inconnu ? Antipathie personnelle ? Possible. Il arrive des choses plus drôles. En y pensant, Gosseyn estima pourtant que là n'était pas l'explication.

Plus profondément, il laissa errer sa pensée sur la réflexion de Crang concernant les joueurs d'échecs possibles et le danger que Gosseyn courait de leur fait. C'était bizarrement convaincant, et cela ramena son esprit à Janasen comme le faisceau d'un phare.

Cet homme était le point de départ. Quelqu'un l'avait placé sur l'« échiquier », peut-être pour un moment infinitésimal du temps universel, simple pion dans une immense partie — mais des pions aussi l'on prend soin. Les pions venaient de quelque part, s'ils étaient humains, retourneraient d'où ils venaient. Il n'y avait probablement pas de temps à perdre.

Mais à l'instant même qu'il percevait la logique de tout cela, une autre décision grandit dans l'esprit de Gosseyn. Il considéra quelques-unes des possibilités, puis s'assit devant le communicateur de l'appartement et fit un appel. Lorsque le robopérateur lui demanda quelle étoile il désirait, il dit :

— Donnez-moi le plus haut fonctionnaire disponible au bureau gouvernemental de la Ligue galactique.

— De la part de qui ?

Gosseyn indiqua son nom, et se cala pour attendre. Son plan était simple. Ni Crang ni Patricia Hardie n'avaient pu informer la Ligue de ce qui se passait dans le système solaire. C'était un risque impossible à prendre par l'un ou par l'autre sans grave danger. Mais la Ligue, ou, tout le moins, une infime portion de celle-ci, avait joué de sa faible influence pour tenter de sauver Vénus d'Enro, et Patricia Hardie affirmait que ses fonctionnaires permanents s'intéressaient à Ā d'un point de vue éducatif. Gosseyn voyait de nombreux avantages à cette prise de contact. Le robopérateur interrompit ses réflexions :

— Madrisol, le secrétaire de la Ligue, va vous parler.

A peine ces mots avaient-ils été prononcés, que l'image d'un visage mince, intense, se dessina sur l'écran du vidéo. L'homme paraissait quarante-cinq ans et des passions multiples s'inscrivaient sur ses traits. Ses yeux bleus avaient un éclat brûlant. Son regard se fixa sur le regard de Gosseyn. A la fin, apparemment satisfait, il ouvrit la bouche et parla. Il y eut un bref temps muet, puis :

— Gilbert Gosseyn ?

Le ton du robot traducteur impliquait une interrogation. S'il y avait là une reproduction raisonnablement exacte de l'original, c'était un remarquable travail. Qui, suggérait le ton, est Gilbert Gosseyn ?

Ce fut un point dont Gosseyn n'aborda le détail en aucune façon. Il borna son exposé à celui d'événements survenus dans le système solaire « auxquels j'ai des raisons de croire que la Ligue s'est intéressée elle-même ». Mais tandis qu'il parlait, il éprouvait un sentiment de désillusion. Il avait espéré trouver un certain degré de non-A chez le secrétaire général de la Ligue, mais le visage de l'homme trahissait la personnalité d'un thalamique. Les émotions le gouvernaient. La plupart de ses actions, de ses décisions, seraient des réactions à base de « fixations » émotionnelles et non de processus cortico-thalamiques non-A.

Tandis qu'il était en train de décrire la possibilité d'une utilisation des Vénusiens dans la bataille contre Enro, Madrisol interrompit le fil de ses pensées et de son récit...

— Vous êtes en train de suggérer, dit-il, d'un ton aigu, que les Etats de la Ligue établissent un réseau de transport en direction du système solaire et confient à des non-A la direction de la guerre côté Ligue.

Gosseyn se mordit la lèvre. Il était bien entendu que les Vénusiens atteindraient en très peu de temps les positions les plus hautes, mais les thalamiques ne devaient pas s'en douter. Une fois les choses commencées, ils seraient assez surpris de voir la vitesse à laquelle les hommes de non-A, originaires de la Terre, obtiendraient les plus hautes places s'ils les estimaient nécessaires. Pour l'instant, il eut un sourire neutre et sans humour et dit :

— Naturellement, les non-A joueraient un rôle d'assistants sur le plan technique.

Madrisol se rembrunit.

— Ça serait difficile, dit-il. Le système solaire est entouré de systèmes stellaires dominés par le Plus Grand Empire. Si nous tentions d'y pénétrer, cela pourrait signifier que nous attachons une importance spéciale à Vénus, auquel cas Enro pourrait détruire vos planètes. Cependant, je soumettrai le cas aux fonctionnaires adéquats, et vous pouvez être sûr que tout ce qui peut être fait le sera. Maintenant, si cela ne vous fait rien...

C'était un congé. Rapidement, Gosseyn répondit :

— Votre Excellence, on pourrait sans doute réaliser certains arrangements astucieux. Des transports légers pourraient amener quelques milliers des hommes les plus qualifiés aux points où ils seraient utiles.

— C'est possible, c'est possible. (Madrisol paraissait s'impatienter, et le traducteur mécanique donnait une intonation correspondante à sa voix :) Mais je soumettrai ceci à...

— Ici, sur Vénus, insista Gosseyn, nous possédons un distorseur intact pour le transport de vaisseaux stellaires de plusieurs milliers de mètres de long. Peut-être que vous pourriez l'utiliser. Peut-être pourriez-vous m'indiquer la durée pendant laquelle un transmetteur de cette espèce reste similarisé à d'autres transmetteurs sur d'autres étoiles.

— Je transmettrai toutes ces questions, dit Madrisol, aux experts qualifiés, et des décisions seront prises en conséquence. Je présume que nous pourrons trouver une personne autorisée pour discuter la chose chez nous !

— Je vais m'arranger pour que le robopérateur fasse en sorte que vous puissiez parler aux... euh...

autorités constituées de l'endroit, dit Gosseyn en réprimant un sourire.

Il n'y avait pas d'« autorités » sur Vénus, mais ce n'était guère le moment de s'embarquer dans le vaste problème de la démocratie volontaire non-A.

— Au revoir et bonne chance.

Il y eut un déclic et l'image intense s'effaça de l'écran, Gosseyn donna l'ordre au robopérateur de passer tous les appels stellaires futurs à l'Institut de sémantique de la ville la plus proche et débrancha. Il était raisonnablement satisfait. Il avait mis en route un autre dispositif et, bien qu'il n'eût pas l'intention d'attendre, au moins, il faisait ce qu'il pouvait.

Et maintenant, à Janasen — même si ça signifiait un retour sur Terre...

3

Non-axiomes.

Pour être sain d'esprit et adapté, il faut qu'un individu se rende compte qu'il ne peut connaître tout ce qu'il y a à connaître. Il n'est pas suffisant de comprendre cette limitation sur le plan intellectuel. Cette compréhension doit être un processus ordonné et conditionné sur le plan inconscient comme sur le plan conscient. Un tel conditionnement est essentiel à une recherche équilibrée de la connaissance.

L'heure paraissait tardive, et Janasen ne s'était pas encore remis de sa surprise d'avoir été escamoté dans les bureaux de l'Institut d'émigration. Il ne soupçonnait pas la présence d'une machine de transport dans son propre bureau. Le Disciple devait avoir d'autres agents dans ce système planétaire. Il regarda prudemment autour de lui. Il était dans un parc faiblement éclairé. Une cascade dégringolait d'une hauteur invisible par-delà un bosquet. La lame d'eau scintillait dans la lumière vague.

La silhouette du Disciple se découpait en partie sur la cascade, mais son corps sans forme paraissait se fondre, de part et d'autre, avec l'ombre plus noire. Le silence dura, et Janasen passait d'un pied sur l'autre ; il savait qu'il valait mieux ne pas parler le premier. A la fin, le Disciple remua et s'approcha de quelques pas.

— J'avais des difficultés à m'adapter moi-même, dit-il. Ces problèmes d'énergie complexes m'ont toujours importuné, d'autant que je n'ai pas l'esprit mécanique.

Janasen demeura silencieux. Il n'avait pas attendu d'explication et ne se sentait pas qualifié pour interpréter celle qu'il recevait. Il attendit.

— Nous devons prendre un risque, dit le Disciple. J'ai suivi la présente voie parce que je veux isoler Gosseyn de ceux qui pourraient l'aider, et je désire l'amener de force à une position telle que je puisse l'étudier, et, si nécessaire, le détruire. Le plan que j'ai accepté de respecter en vue d'assister Enro le Rouge ne peut être entravé par une personne dont les possibilités sont inconnues.

Dans l'ombre, Janasen haussa les épaules. Un moment, il s'étonna de sa propre indifférence. Un moment, il eut la pensée lumineuse qu'il y avait quelque chose de supra-normal dans un homme comme lui-même. La pensée s'évanouit. Peu importaient le risque qu'il courait, les possibilités inconnues de ses adversaires. Il s'en fichait. « Je suis un outil, se dit-il avec orgueil. Je sers un maître d'ombre. » Il rit sauvagement. Car il s'était intoxiqué de son propre *ego*, de ses actes, de ses sensations et de ses pensées propres. Janasen, c'est sous ce nom qu'il s'était fait connaître, parce que c'était le nom le plus voisin qu'il puisse donner de son vrai nom, David Janasen.

Le Disciple reprit :

— Il y a des flous curieux, dit-il, dans l'avenir de Gosseyn, mais des images surgissent, bien que nul Prédicteur ne puisse les saisir clairement. Pourtant, je suis sûr qu'il vous cherchera. N'essayez pas de l'en empêcher. Il découvrira que votre nom est sur la liste des passagers du *Président-Hardie*. Il s'étonnera de ne pas vous y avoir vu, mais au moins cela prouvera que vous êtes actuellement sur Vénus. En ce moment même, nous nous trouvons dans un parc, en bas de la ville de New Chicago.

— Hein !

Janasen regarda autour de lui, stupéfait. Il n'y avait que les arbres, des buissons d'ombre, et le chuintement de la cascade. Çà et là, dans l'ombre, de faibles lueurs jetaient un éclat pâle, mais pas de trace de ville.

— Ces cités vénusiennes, dit le Disciple, n'ont pas d'équivalent dans la galaxie. Elles sont disposées autrement, organisées autrement. Tout est gratuit, nourriture, transport, logement, *tout*.

— Ça rend les choses plutôt simples.

— Pas tout à fait. Les Vénusiens ont pris conscience de l'existence d'autres humains, sur les planètes d'autres étoiles. Ayant été envahis une fois, ils prendront sans doute des précautions. Cependant, vous aurez au moins une semaine, pendant laquelle Gosseyn devrait vous trouver.

Janasen était intéressé.

— Et quand il l'aura fait ?

— Faites-le venir chez nous et donnez-lui ceci.

Jaillie de l'ombre, la chose, en tombant, brillait comme une flamme blanche et palpitante. Elle s'abattit sur l'herbe luisante comme un miroir au soleil.

— Ça ne paraîtra pas si lumineux en plein jour, dit le Disciple. Souvenez-vous que vous devez le lui donner dans votre chambre. Pas de questions ?

Leste, Janasen se pencha et ramassa l'objet brillant. Ça paraissait un genre de plastique. C'était doux et satiné. Il y avait quelque chose imprimé dessus, trop petit pour qu'on pût le lire à l'œil nu.

— Qu'est-ce qu'il est censé faire de ça ?

— Lire le message.

Janasen fronça le sourcil.

— Et qu'est-ce qui arrivera ?

— Il vous est inutile de le savoir. Exécutez simplement mes instructions.

Janasen soupesa la chose, et protesta.

— Vous avez dit tout à l'heure que « nous » devions courir des risques. J'ai l'impression que je suis le seul à en prendre.

— Mon ami, dit le Disciple d'une voix d'acier, je vous l'assure, vous faites erreur. Mais ne discutons pas. Plus de questions ?

En fait, se dit Janasen à lui-même, jamais il ne s'était inquiété le moins du monde ; et il répondit :

— Non.

Le silence. Et puis le Disciple commença à disparaître. Impossible à Janasen de définir le moment où l'évanouissement fut complet. Mais maintenant, il savait qu'il était seul.

★

Gosseyn baissa les yeux sur la « carte », et les releva sur Janasen. Le calme de l'homme l'intéressait parce qu'il lui ouvrait une fenêtre sur le caractère de l'autre. Janasen était un solipsiste arrivé à équilibrer sa névrose en construisant une attitude compensatrice d'immense culot. Equilibre peu stable dans le temps, car à chaque instant, il dépendait de la tolérance d'autrui à l'égard de l'insolence ainsi affectée.

Le cadre de leur rencontre était plein de couleur vénusienne. Ils se trouvaient dans une pièce donnant sur un patio et, tout près de là, sur des massifs frais éclos. La pièce comportait tout le confort, y compris livraison automatique de nourriture, et cuiseurs de table qui dispensaient de la nécessité d'une cuisine.

Gosseyn, le regard hostile, examina l'homme aux joues creuses. La découverte de Janasen n'avait pas été très compliquée. Quelques messages interplanétaires — sans obstruction cette fois —, un contrôle rapide des roboregistres d'hôtels — il arrivait au terme de la piste. C'est Janasen qui parla le premier.

— Le système de cette planète est, certes, intéressant, mais je ne peux pas me faire à cette idée de nourriture gratuite.

Gosseyn répondit sèchement :

— Si vous commenciez à parler ? Ce que je ferai de vous dépendra entièrement de ce que vous allez me dire.

Les yeux bleus, clairs, impavides, le dévisagèrent pensivement.

— Je vous dirai tout ce que je sais, fit enfin Janasen en haussant les épaules, mais pas à cause de vos menaces. Il est vrai qu'il m'est absolument égal de garder mes secrets ou ceux des autres.

Gosseyn était disposé à le croire. Cet agent du Disciple aurait de la veine s'il vivait cinq ans de plus, mais toute sa vie il conserverait sa dignité. Cependant, il ne fit aucune remarque et Janasen se mit à parler. Il décrivit ses relations avec le Disciple. Il paraissait tout à fait franc. Il faisait partie du service secret du Plus Grand Empire et, d'une façon quelconque, avait dû attirer l'attention de la forme d'ombre. Il se mit en devoir de donner un compte rendu mot pour mot de ses conversations avec le Disciple concernant Gosseyn. Enfin, il s'interrompit et revint à sa première affirmation.

— La galaxie, dit-il, est pleine d'idées anarchiques, mais je n'avais jamais entendu dire que ces idées puissent marcher. J'ai essayé de me représenter comment ces non-artisto... non-artos... télé...

— Dites non-A, suggéra Gosseyn.

— Comment ces trucs non-A fonctionnent ; mais cela paraît impliquer que les gens soient raisonnables, et ça, je refuse de le croire.

Gosseyn n'ajouta rien. C'était de la santé mentale elle-même qu'il fallait discuter et cela ne pouvait se faire seulement avec des mots. Si cette question intéressait Janasen, qu'il aille à l'école primaire. L'autre dut comprendre sa réaction, car il eut un nouveau haussement d'épaules.

— Pas encore lu la carte ? demanda-t-il.

Gosseyn ne répondit pas immédiatement. Il avait déjà laissé son second cerveau « palper » l'objet. C'était chimiquement actif, mais pas dangereusement. Il pressentait qu'il s'agissait d'un matériau absorbant. En tout cas, c'était une chose étrange, visiblement un produit de la science galactique, et il n'était aucunement désireux de prendre ça à la légère.

— Ce Disciple, dit-il enfin, a effectivement prédit que je monterais dans l'ascenseur à 9 h 28 du matin ?

Difficile à croire. Car le Disciple ne venait pas de la Terre, ni du système solaire. Quelque part, aux confins lointains de la galaxie, ce... cet être avait dirigé son attention sur Gilbert Gosseyn. Et se l'était représenté en train d'accomplir un acte déterminé à un instant déterminé. C'est ce qu'impliquait la relation de Janasen.

La complexité impliquée par cette prédiction le troublait. Ça rendait la carte valable. De sa place, il vit que c'était imprimé, mais les mots restaient illisibles. Il se pencha plus près : les lettres étaient trop petites pour qu'on pût les déchiffrer à l'œil nu.

Janasen poussa vers lui une loupe.

— Il a fallu que je trouve ça pour pouvoir le lire moi-même, dit-il.

Gosseyn hésita, puis il prit la carte et l'examina. Il tenta d'y penser comme à un déclencheur capable d'actionner un mécanisme plus important. Mais lequel ?

Il regarda la pièce. Dès son entrée, il avait mémorisé les prises de courant les plus proches et repéré les câbles en charge. Certains desservaient la table à laquelle il était assis et fournissaient du courant à la compacte machine cuiseuse électronique incorporée. Gosseyn releva enfin les yeux.

— Vous et moi, on va rester ensemble quelque temps, monsieur Janasen, dit-il. J'ai idée qu'on vous fera quitter Vénus soit par distorseur, soit par transport stellaire. J'ai l'intention d'aller avec vous.

Le regard de Janasen se chargea de curiosité.

— Vous ne croyez pas que ça risque d'être dangereux ?

— Si, dit Gosseyn avec un sourire. Si, ça se pourrait.

Il y eut un silence.

Gosseyn accorda la carte sur une de ses zones mémorisées, et, simultanément il choisit comme circuit acteur une émotion simple crainte-doute. Si les émotions de la crainte ou du doute venaient à pénétrer son esprit, la carte, instantanément, serait similarisée hors de la chambre.

La précaution n'était pas parfaitement adéquate, mais il lui parut qu'il fallait courir la chance.

Il mit au point la loupe et lut :

Gosseyn,

Un distorseur possède une propriété fascinante. Il a une source de puissance électrique, mais ne présente pas de caractéristiques anormales, même en marche. Un de ces instruments est encastré dans la table à laquelle vous êtes assis. Si vous avez lu ceci, vous êtes actuellement pris au piège le plus complexe qui ait jamais été imaginé pour un individu.

Si l'émotion de la peur surgit, il ne se le rappela ni à ce moment ni par la suite.

Car ce fut le noir.

4

Non-axiomes.

L'esprit d'un enfant, faute d'un cortex développé, est virtuellement incapable de discrimination. L'enfant, inévitablement, fait maintes erreurs dans l'évaluation du monde. Beaucoup de ces jugements faux de fait sont intégrés par le système nerveux sur le plan du « non-conscient » et peuvent perdurer jusqu'à l'âge adulte. Par suite, il peut se trouver qu'un adulte, mâle ou femelle, réagisse de façon infantile.

La roue étincelait en tournant. Gosseyn, étendu dans la charrette, la regardait paresseusement. Son regard quitta enfin le cercle de métal brillant et se fixa sur l'horizon proche où s'étendaient les bâtiments. Une vaste construction qui s'arrondissait à partir du sol comme une immense balle dont seule une faible portion se fût trouvée visible.

Gosseyn laissa l'image s'inscrire dans son conscient et, tout d'abord, il ne se sentit ni troublé ni concerné. Il se trouva en train de faire une comparaison entre ce qu'il avait devant les yeux et la chambre d'hôtel où il s'entretenait avec Janasen.

A ce moment, il pensa : « Je suis Ashargin. »

C'était une idée non verbale, une prise de conscience automatique de soi-même, une simple identification émanée des organes et des glandes de son corps et prise pour argent comptant par son système nerveux. Pas tout à fait, pourtant. Gilbert Gosseyn rejetait cette identification avec une stupéfaction qui aboutit à un frisson d'alarme et un sentiment de confusion.

Une brise d'été balaya son visage. Il y avait d'autres édifices près du grand bâtiment, des communs éparpillés çà et là dans un réseau d'arbres. Les arbres paraissaient une sorte de barrière. Au-delà des arbres, toile de fond d'une splendeur inégalée, s'élevait une montagne majestueuse, capuchonnée de neige.

— Ashargin !

Gosseyn bondit au moment où cet appel retentit à moins de trente centimètres de son oreille. Il fit demi-tour, mais en cette action, il entrevit ses doigts. Ceci l'immobilisa. Il oublia l'homme, il oublia même de regarder l'homme. Foudroyé, il examina ses mains. Elles étaient fines, délicates, différentes de celles, plus fortes, plus dures, plus grandes, de Gilbert Gosseyn. Il regarda son corps. C'était celui d'un adolescent mince.

Brusquement, il perçut la différence *interne*, une sensation de faiblesse, un flux vital moindre, une confusion d'autres pensées. Non, pas de pensées. De sentiments. Exprimés par des organes contrôlés jadis par un esprit différent.

Son esprit propre recula, désemparé, et encore une fois, sur un plan non verbal, surgit ce renseignement fantastique : « Je suis Ashargin. »

Pas Gosseyn ? Sa raison chancela, car il se rappelait ce qu'avait écrit le Disciple sur la carte. « Vous êtes actuellement... pris au piège le plus complexe... jamais imaginé... » La sensation de désastre qui surgit ne ressemblait à rien qu'il ait jamais éprouvé.

— Aschargin, espèce de fainéant bon à rien, descends et va arranger le harnais de ce drull.

Il jaillit de la carriole en un éclair. De ses doigts impatients, il assujettit la courroie détendue au collier de la bête massive, semblable à un bœuf. Tout ça avant de pouvoir penser. Ce travail fait, il regrimpa dans la charrette. Le conducteur, un prêtre en tenue de travail, fit claquer son fouet. La voiture oscilla et, au même moment, tourna dans la cour.

Gosseyn luttait pour comprendre l'obéissance servile qui l'avait envoyé s'activer comme un automate. C'était difficile de penser. Tant de confusion ! Mais en fin de compte naquit une certaine compréhension.

Ce corps était précédemment sous le contrôle d'un autre esprit. L'esprit d'Aschargin. Un esprit non intégré. Dominé par des craintes, par des émotions incontrôlables, incrustées dans le système nerveux et les muscles du corps. Le côté mortel de cette domination, c'est que la chair vivante d'Aschargin réagirait à tout ce déséquilibre interne sur un plan non conscient. Même Gilbert Gosseyn, au courant du vrai et du faux, n'aurait qu'une influence minime sur ces violentes impulsions physiques — jusqu'à ce qu'il réussisse à mener le corps d'Aschargin au niveau de santé mentale cortico-thalamique $\bar{A}$.

Jusqu'à ce qu'il réussisse. « Est-ce donc cela ? se demanda Gilbert Gosseyn à lui-même. Est-ce pour cela que je suis ici ? Pour éduquer ce corps ? »

Plus rapide que ses propres impulsions, un flux de « pensée » organique parcourut son cerveau — les souvenirs de l'autre conscience. Aschargin. Aschargin. L'héritier. L'immense signification lui parvint lentement, vaguement, à peine esquissée, car il était arrivé tant de choses ! A quatorze ans, lui, Aschargin, avait vu l'école qu'il fréquentait envahie par les forces d'Enro. En ce jour d'inquiétude, il attendait la mort de la main des hommes de l'usurpateur. Mais au lieu de le tuer, ils l'emmenaient sur la planète natale d'Enro, Gorgzid, et le confiaient aux soins des prêtres du Dieu Endormi.

Là, il travaillait aux champs, il avait faim. On le nourrissait le matin comme un animal. Chaque nuit, il dormait dans un malaise frissonnant, impatient du matin qui lui apporterait son seul repas du jour. Il n'oubliait pas qu'il était Ashargin l'héritier, mais on soulignait que les vieilles familles régnantes avaient tendance à l'amincissement, à l'affaiblissement, à la décadence. Dans de telles périodes, les plus grands empires tombaient d'ordinaire entre les mains de maîtres gaillards comme Enro le Rouge.

La charrette contourna un bouquet d'arbres qui habillait une partie centrale des jardins, et brusquement ils furent en vue d'un bus aérien. Plusieurs hommes en uniformes noirs de prêtres et un individu somptueusement vêtu, debout dans l'herbe à côté de l'avion, attendaient la charrette.

Le prêtre travailleur se pencha, agité, et poussa Ashargin, du bout émoussé de son fouet, en un geste impatiemment brutal. Il dit en hâte :

— Prosterne-toi. C'est Yeladji lui-même, le gardien de la crypte du Dieu Endormi.

Gosseyn sentit une violente impulsion. Il se retourna et s'aplatit au fond de la carriole. Il attendait là, étonné, et se rendit compte peu à peu que les muscles d'Ashargin avaient répondu au commandement avec une rapidité automatique. Le choc résultant durait encore lorsqu'une voix forte et sonore annonça :

— Koorn, faites monter le prince Ashargin dans l'avion et considérez-vous comme relevé. Le prince ne retournera pas au camp de travail.

Une fois de plus, l'obéissance d'Ashargin fut totale. Son entendement se brouilla. Ses membres s'agitèrent impulsivement. Gosseyn se souvint qu'il s'effondrait dans un fauteuil. Et l'engin se mit en mouvement.

Ce fut aussi rapide que cela.

★

Où l'emmenait-on ? Première pensée qui lui vint lorsqu'il put de nouveau réfléchir. Graduellement, le fait d'être assis détendit les muscles contractés d'Ashargin. Gosseyn fit la pause cortico-thalamique Ā et sentit « son » corps se détendre encore plus. Ses yeux accommodèrent et il vit que l'avion déjà haut montait vers le pic neigeux, au-delà du temple du Dieu Endormi.

A ce mot, son esprit s'arrêta comme un oiseau touché en plein vol. Dieu Endormi ? Il avait un souvenir vague d'autres « faits » entendus par Ashargin. Apparemment, le Dieu Endormi reposait dans un coffre translucide, dans la salle intérieure du dôme. Seuls les prêtres avaient jamais eu le droit de regarder le corps dans le coffre, et ceci uniquement pendant l'initiation, une fois seulement dans la vie de chacun.

Les souvenirs d'Ashargin s'arrêtaient là mais Gosseyn avait ce qu'il lui fallait. Variante typique d'une religion païenne. La Terre en avait connu de nombreuses, et les détails importaient peu. Son esprit bondit à la rencontre de la réalité, beaucoup plus essentielle, de sa situation.

Visiblement, il s'agissait là d'un tournant dans la carrière d'Ashargin. Gosseyn regarda autour de lui avec une conscience grandissante des possibilités de tout cela. Trois prêtres en uniforme noir, l'un d'eux aux commandes, et Yeladji. Le gardien de la crypte était un homme grassouillet. Ses vêtements, si surprenants dès l'abord, n'étaient, à les regarder de plus près, qu'un uniforme noir sur lequel était drapée une cape d'or et d'argent.

Son examen prit fin. Yeladji, prêtre n° 2 dans la hiérarchie de Gorgzid, ne le cédait qu'à Secoh, maître religieux de la planète natale d'Enro. Mais son rang ni son rôle en l'occurrence ne signifiaient rien pour Gilbert Gosseyn. Il semblait un personnage définitivement mineur dans les affaires galactiques.

Gosseyn regarda par la fenêtre : toujours les montagnes. Dans son geste, il se rendit compte pour la première fois qu'il portait des vêtements anormaux pour Ashargin, le garçon de ferme : une grande tenue d'officier du Plus Grand Empire — pantalon à galon d'or, veste collante à revers de joaillerie — réservée exclusivement aux plus hauts dignitaires de l'état-major général, une tenue comme Ashargin n'en avait jamais vu depuis l'âge de quatorze ans, et cela faisait onze ans écoulés.

Général ! L'importance de son rang surprit Gosseyn. Ses pensées s'éclaircirent, s'aiguisèrent. Il devait y avoir un motif très important pour que le Disciple l'eût amené ici en ce point décisif de la carrière d'Ashargin l'héritier — mais sans son cerveau second, et désemparé dans un corps contrôlé par un système nerveux non intégré.

S'il s'agissait d'un état temporaire, c'était une occasion magnifique d'observer un aspect de la vie galactique telle qu'elle aurait pu ne jamais surgir normalement. Si, d'autre part, son évasion de ce « piège » dépendait de ses efforts personnels, son rôle devenait encore plus clair : cultiver Ashargin. L'entraîner à toute vitesse selon des méthodes Ā. De cette façon seule, il pourrait jamais espérer dominer cette situation unique — se trouver en possession d'un corps qui n'était pas le sien.

Gosseyn poussa un profond soupir. Il se sentait étonnamment mieux. Il avait pris sa décision. Avec détermination, et avec une connaissance suffisante des limites de sa position. Le temps, les événements pouvaient ajouter d'autres aspects à son dessein, mais aussi longtemps qu'il était « emprisonné » dans le système nerveux d'Ashargin, l'entraînement devait passer au premier plan. Ça ne devait pas être si dur...

La façon passive dont Ashargin acceptait le voyage lui joua un tour. Il se pencha dans le passage vers Yeladji.

— Très noble seigneur gardien, où m'emmène-t-on ?

Le grand prêtre en second se retourna, surpris.

— Eh bien, chez Enro. Où serait-ce ? dit-il.

Gosseyn avait eu l'intention d'observer durant tout le voyage, mais il n'en eut pas la possibilité. Le corps d'Ashargin parut se fondre en une gelée sans forme. Sa vision se brouilla dans l'aveuglement de la terreur.

L'impact de l'avion à l'atterrissage le secoua pour le ramener à un semblant d'état normal. Les jambes tremblantes, il s'extirpa de l'avion et vit que l'on avait atterri sur le toit d'un édifice.

Curieux, il regarda autour de lui. Il paraissait important de conserver une image de son cadre. Il se rendit compte qu'il ne lui restait aucune chance. Le bord le plus proche du toit était encore trop loin. Réticent, il laissa les trois jeunes prêtres le conduire vers un escalier descendant. Il entrevit une montagne, loin sur sa gauche — à soixante, soixante-dix kilomètres. Etait-ce la montagne par-delà laquelle s'élevait le Temple ? Sans doute, car il n'apercevait nulle part d'autre élévation correspondante.

Il descendit trois étages avec son escorte, et suivit un couloir clair. On s'arrêta devant une porte somptueuse. Les prêtres de rang inférieur reculèrent. Yeladji s'avança lentement, ses yeux bleus étincelaient.

— Vous entrerez seul, Ashargin, dit-il. Vos devoirs sont simples. Chaque matin, à cette heure exactement

— 8 heures, heure de la ville de Gorgzid — vous vous présenterez à cette porte et vous entrerez sans frapper.

Il hésita, parut peser la suite de son discours, et reprit, d'un ton précis :

— En aucun cas vous ne devrez tenir compte de ce que fait Son Excellence lorsque vous entrez, et ceci même s'il se trouve une dame dans la pièce. A de tels incidents vous ne prêterez littéralement aucune attention. Une fois entré, vous devez vous placer entièrement à sa disposition. Ceci ne signifie pas que l'on vous demandera nécessairement d'exécuter un travail ancillaire, mais si l'honneur de rendre un service personnel à Son Excellence vous est offert, vous l'accomplirez immédiatement.

Le ton de commandement s'effaça. Il grimaça péniblement, puis eut un gracieux sourire. C'était un acte de condescendance seigneuriale entremêlé de légère inquiétude, comme si tout ce qui arrivait se trouvait inattendu. On sentait même que le gardien de la crypte regrettait certaines des mesures disciplinaires qu'il avait dû prendre autrefois à l'égard d'Ashargin. Il dit :

— Si je comprends bien, Ashargin, vous et moi nous nous séparons maintenant. Vous avez été élevé dans le strict respect dû à votre rang et au grand rôle qui vous est maintenant dévolu. Il fait partie de notre dogme que le premier devoir de l'homme à l'égard du Dieu Endormi est d'apprendre l'humilité. Par moments, vous avez pu vous demander si, peut-être, votre fardeau n'était pas trop lourd, mais vous pouvez maintenant vous rendre compte que tout ceci était dans votre intérêt. A titre de dernière recommandation, je vous prie de vous rappeler une chose : de tout temps les princes récents comme Enro ont eu l'habitude d'exterminer les maisons royales rivales, parents, enfants et alliés. Vous êtes encore vivant. Cela seul devrait vous rendre reconnaissant envers le grand homme qui gouverne le plus vaste empire du temps et de l'espace.

De nouveau, un arrêt. Gosseyn eut le temps de se demander pourquoi Enro avait laissé vivre Ashargin ; le temps de se rendre compte que ce prêtre cynique était bel et bien en train de tenter d'éveiller en lui la gratitude ; puis l'autre conclut :

— C'est tout ! Et maintenant, entrez.

C'était un ordre, et Ashargin obéit de la façon abjecte à laquelle Gosseyn ne pouvait résister. Sa main se tendit. Ses doigts saisirent la poignée, la tournèrent, et poussèrent la porte. Il franchit le seuil.

La porte se referma derrière lui...

Sur la planète d'un soleil lointain, une ombre s'épaissit au milieu d'une pièce grise. Elle finit par flotter au-dessus du sol. Il y avait, dans cette chambre étroite, deux autres personnes conscientes séparées l'une de l'autre et séparées du Disciple par de minces grilles de métal, mais l'ombre ne leur accorda aucune attention. Elle glissa jusqu'à un bat-flanc sur lequel reposait le corps inerte de Gosseyn.

Elle se pencha, parut prêter l'oreille. Elle se redressa enfin.

— Il vit ! dit le Disciple à haute voix.

Il paraissait déconcerté, comme s'il arrivait quelque chose qui ne s'accordait pas avec le déroulement de ses propres plans. Il se tourna à demi pour faire face à la femme à travers les barreaux qui les séparaient — si tant est qu'une chose sans visage puisse faire face à quoi que ce soit. Il demanda :

— Il est arrivé au temps prédit ?

La femme haussa les épaules, et, morose, acquiesça.

— Il a été dans cet état, depuis ?

Sa voix sonore était insistante.

Cette fois, la femme ne répondit pas directement.

— Ainsi le grand Disciple s'est heurté à quelqu'un qui n'est pas malléable ? dit-elle.

La substance d'ombre trembla, comme pour secouer ces mots. Sa réponse mit longtemps à venir.

— C'est un univers étrange, dit enfin le Disciple. Çà et là, sur les myriades de planètes, se trouvent des individus qui, comme moi, possèdent une faculté unique les élevant au-dessus de la norme. Il y a Enro — et maintenant Gosseyn.

Il s'arrêta, puis dit doucement comme s'il pensait à voix haute :

— Je pourrais le tuer à l'instant même en lui cognant sur la tête, en le poignardant, ou d'une douzaine d'autres façons. Et cependant...

— Pourquoi ne le faites-vous pas ?

Le ton de la femme le défiait.

Il hésita.

— Parce que... Je n'en sais pas assez.

Sa voix se fit froide et déterminée.

— En outre, je ne tue pas des gens que je ne puis être capable de contrôler. Je reviendrai.

Il commença à s'estomper. Maintenant, il avait disparu de l'affreux local de ciment où une femme et deux hommes se trouvaient, emprisonnés dans des cellules séparées l'une de l'autre par un mince et fantastique filet de métal.

Gosseyn-Ashargin constata qu'il venait d'entrer dans une vaste salle. A première vue, elle paraissait remplie de machines ; pour Ashargin, dont l'éducation s'était interrompue à quatorze ans, il n'y avait là que confusion. Gosseyn reconnut des mappemondes mécaniques et des vidéoplaques sur les murs, et, presque partout où il posait ses yeux, des tableaux de distorseurs. Il vit plusieurs instruments entièrement nouveaux, mais possédait une compréhension scientifique si aiguë que la façon même dont le tout s'imbriquait lui donna une idée de leur utilisation.

Il se trouvait dans une salle de contrôle militaire. De là, Enro dirigeait, pour autant qu'un seul homme le pût, les forces inconcevablement vastes du Plus Grand Empire. Les vidéoplaques lui servaient d'yeux. Les lumières qui clignotaient sur les cartes pouvaient théoriquement lui fournir une image complète de n'importe quelle bataille. Et l'importance de l'équipement en distorseurs indiquait qu'il tenait à garder un contrôle serré de son empire sans bornes. Peut-être possédait-il même un réseau de transport au moyen duquel il était à même de se rendre, instantanément presque, en chaque point de son empire ?

Sauf les appareils, la grande salle était vide, et sans gardes.

Une grande fenêtre s'ouvrait dans un angle, Gosseyn y courut. Un moment plus tard, il contemplait la ville de Gorgzid, à ses pieds.

La capitale du Plus Grand Empire brillait devant lui aux rayons de son soleil bleu clair. Gosseyn se souvint avec la mémoire d'Ashargin que l'ancienne capitale, Nirène, avait été rasée par les bombes atomiques et que l'entière superficie que recouvrait autrefois une ville de trente millions d'individus n'était plus qu'un désert radioactif.

Ce souvenir troubla Gosseyn. Ashargin, qui n'avait pas assisté aux scènes de destruction de ce jour de cauchemar, restait indifférent comme sont indifférents et inconscients les gens incapables d'imaginer un désastre qu'ils n'ont pas vu. Mais Gosseyn se raidit au souvenir d'un des nombreux crimes de Enro. Le danger mortel, c'est que cet individu venait de plonger la civilisation galactique dans une guerre dont l'ampleur dépassait déjà l'imagination. Si Enro pouvait être assassiné...

Son cœur cafouilla. Ses genoux se mirent à trembler. Déglutissant, Gosseyn fit la pause Ā et interrompit la réaction de terreur d'Ashargin à la dure détermination formée en un éclair dans l'esprit de Gosseyn.

Mais la décision persistait. Il se présentait là une opportunité trop importante pour que quiconque pût s'y opposer. Ce cœur faible d'adolescent devait être persuadé, devait être séduit, devait être convaincu de faire ce suprême effort. C'était possible. On peut fouetter le système nerveux humain jusqu'à lui faire accepter l'action extatique et le sacrifice sans limites.

Il faudrait faire attention. Au moment de la consommation du meurtre, il y aurait danger mortel ; et le problème du retour de Gosseyn à son propre corps pourrait se poser.

Cependant, il restait là, l'œil froncé, les lèvres serrées, plein de décision. Et il perçut la différence à l'intérieur du corps d'Ashargin, la force qui s'amassait à mesure que ce mode de pensée totalement étranger transformait le métabolisme même des glandes et des organes. Il ne doutait nullement de ce qui arrivait. Un esprit fort se trouvait en possession d'un corps frêle. Pas suffisant, naturellement. Pas en soi-même. Une éducation musculaire, une coordination nerveuse non-A s'imposaient encore. Mais le premier pas était fait. Il avait pris une décision irrévocable :

Tuer Enro...

Il contempla la ville de Gorgzid avec un intérêt réel. Il la saisit comme une cité de collines-jardins. Une cité prévue pour loger un gouvernement. Même les gratte-ciel étaient recouverts de mousse et de « lierre » grimpant — ça ressemblait à du lierre — et les fondations comportaient des tours démodées et des rampes étranges qui paraissaient s'entrecroiser. Des quatorze millions d'habitants de la ville, les quatre cinquièmes occupaient des positions clefs dans des bureaux en liaison directe avec les bureaux de « travail » d'autres planètes. Environ cinq cent mille habitants — Ashargin n'avait jamais su le chiffre exact —, des otages, vivaient une vie lugubre dans des faubourgs luxuriants et éloignés. Une vie lugubre parce qu'ils considéraient Gorgzid comme une ville provinciale et se sentaient insultés. Gosseyn apercevait certaines de leurs maisons, de splendides demeures nichées dans des arbres et du feuillage toujours vert, des maisons qui occupaient des collines entières, rampaient jusqu'aux vallées et se perdaient dans les lointains brumeux.

Gosseyn se détourna lentement du paysage. Depuis plus d'une minute, des sons étranges lui parvenaient de la porte opposée. Il se dirigea de ce côté, conscient d'avoir tardé plus qu'il ne fallait pour un premier matin. La porte était fermée, mais il l'ouvrit avec décision et franchit le seuil.

Aussitôt, le bruit lui emplit les oreilles.

5

Non-axiomes.

Du fait que les enfants — et les adultes
infantiles — sont incapables de discrimina-
tions subtiles, diverses expériences provo-
quent sur leur système nerveux des chocs si
violents que les psychiatres les désignent par
un nom spécial : traumatismes. Conservés des
années, ces traumatismes peuvent si bien per-
turber un individu que la non-sanité — c'est-
à-dire la névrose et même l'insanité —
c'est-à-dire la folie — peuvent en résulter.
Presque chaque individu a subi plusieurs
traumatismes. Il est possible d'atténuer les
effets de nombre de ces chocs par la psycho-
thérapie.

Il lui fallut alors un moment pour accepter le
tableau.

Il se trouvait dans une vaste salle de bains. Par
une porte entrouverte, à sa droite, il apercevait la
montée d'un lit énorme dans une alcôve, à l'extrémité
éloignée d'une immense chambre à coucher. D'autres
portes donnaient sur la salle de bains, mais elles
étaient fermées. En outre, dès le premier coup d'œil,
Gosseyn reporta son esprit et ses regards sur la
scène qui se déroulait devant ses yeux.

La salle de bains était littéralement faite de miroirs. Les murs, le plafond, le plancher, les appareils,

tous en miroirs, si parfaitement ajustés qu'il voyait, où que son regard se posât, des images de lui-même, à l'infini, mais toutes précises et claires. Une baignoire jaillissait d'un mur, elle aussi faite de glaces. Elle s'arrondissait hardiment à partir du sol jusqu'à une hauteur d'environ un mètre. De l'eau, sortie de trois grands robinets, s'y ruait et tourbillonnait bruyamment autour d'un homme énorme, nu, roux, que baignaient quatre jeunes femmes. C'est l'homme qui leva les yeux. Il vit Gosseyn et fit signe aux jeunes femmes de s'écarter.

C'étaient d'alertes jeunes femmes. L'une d'elles ferma l'eau. Les autres reculèrent. Le silence s'établit dans la salle de bains. Le baigneur se renversa en arrière, les lèvres serrées, le sourcil contracté, et observa le mince Gosseyn-Ashargin. La tension provoquée par cet examen sur le système nerveux d'Ashargin était terrible. Une douzaine de fois, par un effort de volonté, Gosseyn fit la pause cortico-thalamique $\bar{A}$. Il y était forcé, non seulement pour garder le contrôle, mais dans le dessein d'empêcher le corps d'Ashargin de perdre conscience. La situation atteignait ce degré de désespoir.

— Ce que je voudrais savoir, dit lentement Enro le Rouge, c'est ce qui vous a fait vous arrêter au centre de contrôle et regarder par la fenêtre. Pourquoi la fenêtre ?

Il paraissait absorbé et troublé. Ses yeux n'étaient pas hostiles, mais étincelants, interrogateurs.

— Après tout, vous avez déjà vu la ville ?

Gosseyn ne put répondre. La question menaçait de faire tourner Ashargin à la gelée molle. Sauvagement, Gosseyn lutta pour garder le contrôle, tandis que le visage d'Enro prenait une expression de sardonique satisfaction. Le dictateur se leva et, sorti du bain, prit pied sur le dallage de glace. Avec un léger sourire, Enro, remarquable par sa musculature, attendit, pendant que les femmes entouraient son corps ruisselant d'un immense peignoir. Celui-ci enlevé, elles le séchèrent avec des serviettes vigoureusement maniées. Finalement, une robe de chambre de la couleur de ses cheveux de flamme lui fut présentée. Il l'enfila et reprit la parole, souriant toujours.

— J'aime me faire baigner par des femmes. Elles ont une gentillesse qui me détend l'esprit.

Gosseyn ne dit rien. La remarque d'Enro visait à l'humour, mais comme chez tant de gens qui ne se comprennent pas eux-mêmes, elle ne faisait que le trahir. Toute la salle de bains grouillait de preuves du développement mental incomplet de l'homme. Les bébés aussi adorent le contact de douces mains de femme. Mais tous les bébés ne grandissent pas jusqu'à obtenir le contrôle du plus grand empire du temps et de l'espace. Et la façon qu'avait eue Enro de se rendre compte de ce que faisait Gosseyn-Ashargin dans la pièce voisine, sans quitter son bain, prouvait, quelle que soit sa non-maturité, qu'une partie au moins de son être avait atteint un degré ralativement supérieur. La valeur de cette faculté en cas d'urgence restait cependant à prouver.

Un moment, il avait oublié Ashargin. Dangereuse absence. La remarque directe faite par Enro sur les femmes, c'en était trop pour son système nerveux instable. Son cœur accéléra, ses genoux frémirent et ses muscles se mirent à trembler. Il chancela, et il serait tombé si le dictateur n'avait pas fait signe aux femmes. Gosseyn entrevit le mouvement de façon marginale. La seconde d'après, des mains fermes le soutenaient.

Lorsqu'il put de nouveau tenir debout et y voir clair, Enro passait par l'une des deux portes du mur de gauche dans une vaste pièce illuminée de soleil. Et trois des femmes quittaient la salle de bains par la porte entrouverte de la chambre à coucher. Seule, la quatrième continua de maintenir son corps frissonnant. Les muscles d'Ashargin allaient l'entraîner loin de son regard, mais juste à temps, Gosseyn fit la « pause ». C'est lui qui s'était rendu compte que, dans ce regard, il y avait de la pitié, non du mépris.

— C'est donc là ce qu'on a fait de vous, dit-elle doucement.

Elle avait des yeux gris, des traits d'une beauté classique. Elle se rembrunit, puis haussa les épaules.

— Je m'appelle Nirène. Et vous, mon ami, vous feriez bien de passer par là.

Elle allait le pousser vers la porte par laquelle Enro avait disparu, mais Gosseyn avait de nouveau les commandes. Il la retint. Il avait déjà été frappé par son nom.

— Y a-t-il un rapport, dit-il, entre cette Nirène et l'ancienne capitale Nirène ?

Elle parut troublée.

— Un moment, vous vous évanouissez, dit-elle. La seconde d'après vous posez des questions intelligentes. Votre caractère est plus complexe que votre apparence ne le suggère. Mais maintenant, dépêchez-vous. Il le faut.

— Que suggère mon apparence ? demanda Gosseyn.

Les yeux froids et gris l'étudièrent.

— Vous l'aurez voulu, dit-elle. Vaincu, faible, efféminé, enfantin, incapable.

Elle s'interrompit, impatiente.

— Je vous ai dit de vous dépêcher. C'est sérieux. Je ne reste pas une seconde de plus.

Elle fit demi-tour. Sans se retourner, elle fila par la porte de la chambre à coucher, qu'elle referma derrière elle.

Gosseyn ne tenta pas de se presser. Il ne s'amusait pas. Il était soucieux chaque fois qu'il pensait à son propre corps. Mais il commençait à entrevoir ce qu'il devait faire un jour si lui — et Ashargin — survivaient jusqu'à ce jour sans encourir une totale disgrâce.

Tenir bon. Retarder ses réactions selon la méthode non-A. Ce serait l'instruction par l'action, avec tous les désavantages de la méthode. Il avait la conviction que, pour de nombreuses heures encore, il serait sous la garde des yeux vigilants et calculateurs d'Enro, que surprendrait le moindre signe de self-contrôle chez un homme qu'il avait déjà tenté de détruire. Ça, on n'y pouvait rien. Il y aurait des incidents déplaisants, assez peut-être pour persuader le dictateur que tout était comme tout devait être.

Et dès l'instant qu'il se trouverait dans la chambre qu'on lui assignerait, il essaierait à fond de « soigner » Ashargin par des méthodes $\bar{\text{A}}$.

Avançant lentement, Gosseyn franchit la porte par où avait disparu Enro. Il se trouva dans une très grande salle où, sous une immense fenêtre, le couvert pour trois se trouvait mis. Il dut regarder une seconde fois avant de réussir à évaluer la hauteur de la fenêtre à une trentaine de mètres. Des serveurs circulaient, et plusieurs individus d'aspect distingué se trouvaient là, munis de documents importants qu'ils tenaient négligemment. Enro se penchait sur la table. Comme Gosseyn s'arrêtait, le dictateur souleva l'un après l'autre les couvercles brillants de plusieurs plats et respira leur contenu fumant. Il se redressa enfin.

— Ah ! dit-il, des mantoules frites. Délicieux.

Il se tourna avec un sourire vers Ashargin-Gosseyn.

— Vous vous assoirez là.

Il désigna l'une des trois chaises.

Savoir qu'il allait déjeuner avec Enro ne surprit pas Gosseyn. Cela concordait avec son analyse des intentions d'Enro à l'égard d'Ashargin. Juste à temps, cependant, il se rendit compte que le jeune homme commençait à se troubler de nouveau. Il fit la pause cortico-thalamique et vit que Enro le dévisageait, pensif.

— Ainsi, Nirène s'intéresse à vous, dit-il lentement. C'est une possibilité que je n'avais pas considérée. Cependant, ceci appelle certaines conclusions. Ah ! voici Secoh.

Le nouvel arrivant passa à trente centimètres de Gosseyn, si bien que sa première vision de l'homme fut latérale et postérieure. C'était un quadragénaire aux cheveux noirs, très beau, mais d'une beauté acérée. Il portait un costume collant bleu d'une pièce et une cape écarlate drapée soigneusement sur l'épaule. Gosseyn avait déjà l'impression d'un homme rusé, rapide, alerte et astucieux. Enro parlait.

— Je ne peux pas comprendre que Nirène lui ait parlé.

Secoh se dirigea vers une des chaises et prit position derrière. Ses yeux noirs aigus regardèrent Enro, interrogateurs. Ce dernier expliqua succinctement ce qui s'était passé entre Ashargin et la jeune femme.

Gosseyn s'aperçut qu'il écoutait avec stupeur. De nouveau, il constatait le don inhumain du dictateur qui lui permettait de savoir ce qui se passait en des endroits où il ne pouvait ni voir ni entendre de façon normale.

Ce phénomène modifia la direction de ses pensées. Un peu de la tension d'Ashargin disparut. Pendant un instant, à ce moment-là, il entrevit ce vaste ensemble de civilisation galactique et les hommes qui le dominaient.

Chaque individu avait une qualification particulière. Enro pouvait « voir » dans les pièces qui l'entouraient. C'était une faculté unique, mais qui justifiait cependant à peine l'étendue des pouvoirs obtenus grâce à elle. A première vue, cela semblait prouver que les hommes n'avaient pas besoin d'un grand avantage sur leurs congénères pour exercer leur ascendant sur ces derniers.

La position particulière de Secoh paraissait dériver du fait qu'il était le chef spirituel de Gorgzid, planète natale de Enro. La qualification exacte de Madrisol, de la Ligue, restait encore une inconnue. Enfin, il restait le Disciple, dont la science combinait une prédiction exacte de l'avenir, un système lui permettant de se rendre non substantiel et qui lui donnait un contrôle tel des consciences extérieures qu'il pouvait transporter celle de Gosseyn chez Ashargin. Des trois, le Disciple semblait le plus dangereux. Mais la preuve en restait encore à faire.

Enro reprit la parole.

— J'ai presque envie de faire d'elle sa maîtresse, dit-il.

Debout, il se rembrunit, puis son visage s'éclaira.

— Par le Ciel, je le ferai.

Il parut soudain de bonne humeur, car il se mit à rire.

— Ça sera sans doute une chose à voir, dit-il.

Ricanant, il fit une plaisanterie douteuse sur les problèmes sexuels de certains névrosés et termina sur une note plus sauvage.

— Je guérirai cette femelle de tous ses projets.

Secoh haussa les épaules, et dit d'une voix sonore :

— Je crois que vous surestimez les possibilités. Mais on ne risque rien à faire ce que vous dites.

Il fit un geste impérieux à l'adresse de l'un des assistants.

— Notez le désir de Son Excellence, ordonna-t-il d'un ton de commandement assuré.

L'homme fit une courbette servile :

— Déjà noté, Votre Excellence.

Enro fit signe à Gosseyn.

— Arrivez, dit-il. J'ai faim.

Sa voix se fit d'une politesse mordante.

— Ou peut-être désirez-vous qu'on vous aide à vous asseoir ?

Gosseyn venait de combattre les réactions d'Ashargin aux projets de Secoh. Il gagna sa place ; il prenait position lorsque la dureté du ton d'Enro dut pénétrer jusqu'à Ashargin. Peut-être était-ce l'effet d'un ensemble de choses trop importantes. Quelle que soit la cause, ce qui se produisit fut trop rapide pour qu'il réagît. Tandis que Enro s'asseyait, Ashargin-Gosseyn perdit connaissance.

★

Lorsqu'il revint à l'état conscient, Gosseyn se trouva assis à la table, soutenu par deux serveurs. Immédiatement, le corps d'Ashargin se contracta, dans l'attente d'un reproche. Alarmé, Gosseyn combattit l'évanouissement possible.

Il jeta un coup d'œil à Enro, mais le dictateur mangeait activement. Le prêtre non plus ne le regarda pas. Les garçons lui lâchèrent les bras et commencèrent à le servir. Toute cette nourriture était étrangère à Gosseyn, mais chaque fois que l'on soulevait un couvercle, il percevait au-dedans de lui-même une réaction favorable ou défavorable. Pour une fois, les impulsions inconscientes du corps d'Ashargin servaient à quelque chose. Une ou deux minutes plus tard, il absorbait des aliments dont le goût était familier, et satisfaisant pour les papilles d'Ashargin.

Il commençait à se sentir déprimé par ce qui s'était produit. C'était dur de participer à une expérience aussi humiliante sans éprouver au fond de soi le sentiment d'y participer. Et le pire, c'est qu'il ne pouvait rien faire immédiatement. Il était pris dans ce corps, son esprit et ses souvenirs superposés au cerveau et au corps d'un autre individu, sans doute en vertu de quelque variante de la similarisation par distorseur. Et qu'arrivait-il en ce même temps au corps de Gilbert Gosseyn ?

Une telle prise de possession d'un autre corps ne pouvait être permanente, et, en outre, il ne fallait jamais oublier que ce système d'immortalité grâce auquel il avait pu survivre à une mort le protégeait encore. En conséquence, il s'agissait d'un accident extrêmement important. Il devait l'apprécier, tenter de le comprendre, rester conscient de tout ce qui se produisait.

« Enfin, se dit-il avec stupéfaction, me voilà au G.Q.G. de Enro le Rouge, chef actuel du Plus Grand Empire. Et je déjeune avec lui. »

Il s'arrêta de manger et regarda le colosse, brusquement fasciné. Enro, dont il avait vaguement entendu parler par Thorson, Crang et Patricia Hardie. Enro, qui ordonnait la destruction des non-A simplement parce que c'était le moyen le plus commode de déclencher une guerre galactique. Enro, dictateur, meneur, César, usurpateur, tyran absolu, qui devait sans doute une partie de son ascendant à sa faculté d'entendre et de voir ce qui se passait dans les pièces voisines. Plutôt bel homme à sa façon. Son visage était puissant, mais quelques taches de rousseur lui donnaient un aspect adolescent. Ses yeux, clairs et fiers, étaient bleus ; ses yeux et sa bouche avaient un aspect familier ; peut-être ceci n'était qu'une illusion. Enro le Rouge, que Gilbert Gosseyn avait déjà contribué à vaincre dans le système solaire, qui entreprenait maintenant la plus vaste des campagnes galactiques. Faute d'une occasion de l'assassiner, ce serait une réussite fantastique que de découvrir ici même, au cœur et au cerveau du Plus Grand Empire, un moyen de le vaincre.

Enro repoussa sa chaise de la table. Ce fut comme un signal. Secoh cessa immédiatement de manger, bien qu'il restât de la nourriture dans son assiette. Gosseyn reposa son couteau et sa fourchette et supposa que le déjeuner se terminait. Les domestiques se mirent à débarrasser la table. Enro se dressa sur ses pieds et dit vivement :

— Pas de nouvelles de Vénus ?

Secoh et Gosseyn se levèrent, le second avec raideur. Le choc produit par ce nom familier en un endroit si éloigné du système solaire était tout personnel, par suite contrôlé. Le fragile système nerveux d'Ashargin ne réagit pas au mot : « Vénus ».

Le visage mince du prêtre était calme.

— Nous avons quelques détails de plus. Rien d'important.

Enro se concentra.

— Nous devons faire quelque chose pour cette planète, dit-il lentement. Si je pouvais être sûr que Reesha n'y est pas...

— Ce n'était qu'un rapport, Votre Excellence.

Enro pivota, sauvage.

— Cette simple possibilité, dit-il, suffit à arrêter ma main.

Le prêtre resta impassible.

— Il serait regrettable, dit-il froidement, que les puissances de la Ligue découvrissent votre faiblesse et publiassent des rapports selon lesquels Reesha se trouverait sur n'importe laquelle des milliers de planètes de la Ligue.

Le dictateur se raidit, hésita un instant. Puis il se mit à rire. Il s'avança et passa son bras autour des épaules de l'homme.

— Bon vieux Secoh ! dit-il, sarcastique.

Le seigneur du Temple cilla à ce contact, mais le supporta un moment avec une expression de dégoût. Le colosse s'esclaffa :

— Qu'est-ce qu'il y a ?

Secoh se dégagea de la lourde prise, doux mais ferme.

— Avez-vous des instructions à me donner ?

Le dictateur rit de nouveau, puis, soudain, redevint pensif.

— Ce qui peut arriver à ce système est sans importance. Mais je suis irrité chaque fois que je me rappelle que Thorson a été tué là-bas. Et je voudrais savoir comment nous avons pu être vaincus. Quelque chose a dû mal tourner.

— Une commission d'enquête a été nommée, dit Secoh.

— Bon. Et la bataille ?

— Coûteuse, mais presque décisive. Vous intéresserait-il de connaître le chiffre des pertes ?

— Oui.

Un des assistants-secrétaires tendit un papier à Secoh qui le passa en silence à Enro. Gosseyn guetta le visage du dictateur. Les possibilités de cette situation s'élargissaient à chaque instant. Il devait s'agir de l'engagement mentionné par Patricia et Crang, neuf cent mille vaisseaux de guerre aériens menant la titanesque bataille du sixième décant.

Décant ? Il réfléchit dans une excitation confuse. La galaxie a la forme d'une roue immense — visiblement, ils l'avaient divisée en « décants ». Il y avait d'autres méthodes pour repérer la latitude et la longitude des planètes et des étoiles, bien sûr, mais...

Enro rendit le papier à son conseiller. Son visage avait une expression peu agréable et ses yeux avaient une expression soucieuse.

— Je suis indécis, dit-il lentement. C'est une impression personnelle, celle de ne pas avoir satisfait toute ma force vitale.

— Vous avez un certain nombre d'enfants, remarqua Secoh.

Enro ignora la remarque.

— Prêtre, dit-il, voici maintenant quatre années sidérales que ma sœur, destinée selon l'ancienne coutume de Gorgzid à être ma seule épouse légitime, est partie pour... où ?

— Aucune trace.

La voix de l'homme mince était lointaine. Enro, sombre, le regarda et dit doucement :

— Mon ami, vous étiez toujours avec elle. Si je

pensais que vous retinssiez certains renseignements...

Il s'interrompit, et il dut passer quelque chose dans les yeux de l'autre, car il dit très vite avec un léger rire :

— Bon, bon, ne vous fâchez pas, je me trompe, chose pareille est impossible à un homme qui porte ce vêtement. Rien que vos serments, par exemple.

Il paraissait discuter avec lui-même. Il leva des yeux ternes et dit :

— Il faudra que je veille que parmi les enfants — enfants à naître — que j'aurai de ma sœur, les filles ne soient pas élevées dans des écoles et sur des planètes où le principe dynastique du mariage frère-et-sœur est tourné en dérision.

Pas de réponse. Enro hésita, regardant intensément Secoh. Il paraissait inconscient de la présence de témoins. Brusquement, il changea de sujet.

— Je peux encore arrêter la guerre, dit-il. Les membres de la Ligue galactique se remontent le moral en ce moment, mais ils se battraient presque pour me laisser les mains libres si je manifestais la moindre intention d'arrêter la bataille du sixième décant.

Le prêtre était doux, calme, inflexible.

— Le principe de l'ordre universel, dit-il, et de l'Etat universel, transcende les émotions des individus. Vous ne pouvez vous dérober à aucune de ses cruelles nécessités.

Sa voix était dure.

— Aucune.

Enro évita ces yeux pâles.

— Je suis indécis, répéta-t-il. Je me sens inachevé, incomplet. Si ma sœur était là, remplissant ses devoirs...

Gosseyn entendit à peine. Sombre, il réfléchissait. « Ainsi, voilà ce qu'ils pensent. Un Etat universel, avec un contrôle central, et unifié par la force. »

C'était un vieux rêve de l'homme, et maintes fois la destinée avait fait naître une illusion temporaire de succès. Un grand nombre d'empires terrestres avaient réalisé un contrôle virtuel de toutes les terres civilisées du moment. Pendant quelques générations, ces vastes domaines conservaient leur cohésion artificielle — artificielle parce que le verdict de l'histoire semblait toujours la ramener à quelques sentences significatives : « le nouveau chef n'avait pas la sagesse de son père » — « soulèvement des masses » — « les Etats conquis, longtemps asservis, se rebellèrent avec succès contre l'empire affaibli ». On donnait même les raisons de l'affaiblissement de chaque Etat en particulier.

Les détails importaient peu. Rien de stupide à la base dans l'idée d'un Etat universel, mais des hommes à la pensée thalamique ne réussiraient jamais à créer que l'apparence extérieure d'un tel Etat. Sur la terre, Ā était parvenu à dominer, lorsque cinq pour cent de la population s'était trouvé entraînée selon ses dogmes. Dans la galaxie trois pour cent devaient suffire. A ce moment, et pas avant, l'Etat universel serait une conception réalisable.

En conséquence, la présente guerre était une fraude. Elle ne signifiait rien. Si Enro gagnait, l'Etat universel résultant durerait une génération, peut-être deux. A ce moment, les impulsions affectives d'autres individus non sensés les amèneraient à comploter et à se rebeller. Dans le même temps, il en mourrait des milliards, à seule fin qu'un névrosé pût trouver son plaisir à forcer quelques grandes dames de plus à le baigner tous les matins.

L'homme n'était que non sensé, mais il avait déclenché une guerre de maniaque. On devait empêcher qu'elle ne s'étendît.

Il y eut du remue-ménage à l'une des portes, et les réflexions de Gosseyn s'interrompirent. La voix irritée d'une femme retentit :

— Naturellement, je peux entrer. Oseriez-vous m'empêcher de voir mon propre frère ?

La voix, malgré sa colère, avait une sonorité familière. Gosseyn pivota et vit Enro courir vers la porte opposée à la grande fenêtre.

— Reesha ! cria-t-il, et sa voix exprimait la joie.

Par les yeux humides d'Ashargin, Gosseyn observa la réunion. Un homme élancé accompagnait la jeune femme, et tandis qu'ils s'approchaient, Enro tenant la femme dans ses bras et la serrant violemment contre son peignoir, c'est l'homme qui retint les regards fascinés de Gosseyn.

Car c'était Eldred Crang. Crang ? Mais alors la femme devait être... devait être... Il se retourna et la regarda au moment où Patricia Hardie disait avec malice :

— Enro, lâchez-moi. Je veux vous présenter mon mari.

Le corps du dictateur se raidit. Lentement, il posa la jeune femme sur le sol, et, lentement, il se tourna vers Crang. Son regard malveillant rencontra les yeux jaunes du détective Ā. Crang sourit, comme inconscient de l'immense hostilité d'Enro. Quelque chose de sa puissante personnalité passait dans ce sourire et dans son attitude. L'expression d'Enro se modifia un peu. Un moment, il parut troublé, même déconcerté, puis il ouvrit la bouche et allait parler lorsque, du coin de l'œil, il dut entrevoir Ashargin.

— Oh !... dit-il.

Son comportement se modifia radicalement.

Il redevint maître de lui. Il invita Gosseyn d'un geste brusque.

— Venez, mon ami. Je désire que vous soyez mon officier de liaison entre moi et le grand amiral Paleol. Dites à l'amiral...

Il se mit à marcher vers une porte proche. Gosseyn

suivait et se trouva dans ce qu'il avait précédemment reconnu pour la salle de contrôle militaire d'Enro. Enro s'arrêta devant une des cages de distorseurs. Il fit face à Gosseyn.

— Dites à l'amiral, répéta-t-il, que vous êtes mon représentant. Voici votre mandat.

Il lui tendit une mince plaque brillante.

— Maintenant, entrez là.

Il désigna la cage. Un assistant ouvrait la porte de ce que Gosseyn savait être un transport par distorseur. Gosseyn avança, embêté. Il ne désirait pas quitter la cour d'Enro à cet instant. Il n'en savait pas encore assez. Il semblait important qu'il restât pour en apprendre plus. Il s'arrêta à la porte.

— Que dois-je dire à l'amiral ?

Le sourire de l'autre s'élargit.

— Seulement qui vous êtes, dit Enro avec suavité. Présentez-vous. Faites la connaissance des officiers de l'état-major.

— Je vois, dit Gosseyn.

Il voyait effectivement. L'héritier Ashargin exhibé aux militaires. Enro devait escompter une opposition de la part des officiers de haut rang ; ils n'auraient donc qu'à jeter un coup d'œil sur le prince Ashargin pour se rendre compte à quel point ce serait sans espoir que d'organiser une résistance autour de la seule personne qui possédât une position légale et populaire. Il hésita de nouveau.

— Ce transporteur me conduit directement chez l'amiral ?

— Il ne fonctionne que dans une direction, dans les deux sens. Il ira et reviendra. Bonne chance.

Gosseyn remonta dans la cage sans un mot. La porte fit *bang !* derrière lui. Il s'assit au fauteuil de commande, hésita un instant... car, après tout, on ne s'attendait pas qu'Ashargin agît avec promptitude... et il tira le levier.

Instantanément, il se rendit compte qu'il était libre.

6

Non-axiomes.

Les enfants, les adultes sans maturité et les animaux « identifient ». Chaque fois qu'une personne réagit à une situation nouvelle comme s'il s'agissait d'une situation ancienne et invariable, on dit que lui ou elle « identifie ». Un tel comportement est aristotélicien.

Libre. Tel était le fait inouï. Libéré d'Ashargin. De nouveau lui-même. Curieuse, sa conscience de ce fait. Elle paraissait naître des éléments mêmes de son corps. Son expérience personnelle du transport par cerveau second lui rendait familière la transition. Il eut conscience du déplacement. Même l'obscurité ne lui parut pas totale, comme si son cerveau ne s'arrêtait pas tout à fait de travailler.

Au moment où il sortait de l'ombre, il aperçut la présence d'une puissante dynamo et d'une pile atomique. Et simultanément, avec un désappointement intense, il se rendit compte qu'elles étaient trop loin pour qu'il les utilisât ou les contrôlât de quelque façon que ce fût.

Très vite, à ce moment, il redevint conscient. Comme la vue lui revenait, il s'aperçut qu'il n'était ni dans l'appartement vénusien de Janasen ni dans un endroit où Enro eût été susceptible d'envoyer Ashargin.

Il reposait étendu sur un lit dur, les yeux fixés sur un lointain plafond de béton. Ses yeux virent la scène en un instant. Une petite salle. Une grille filiforme descendant du plafond. Derrière, assise sur un bat-flanc, l'observant, une jeune femme d'allure distinguée.

Les yeux de Gosseyn auraient voulu s'arrêter et l'examiner, mais de l'autre côté de sa cellule à elle, il y avait une seconde grille, puis, apparemment endormi sur sa couchette, un homme énorme, nu sauf un short de sport déteint. Au-delà du géant, le mur de béton.

Tandis qu'il s'asseyait, Gosseyn récapitula la scène. Trois cellules dans une salle bétonnée, trois fenêtres, une dans chaque cellule, à cinq mètres au moins du sol, pas de porte. Son examen s'arrêta court. Pas de portes ? En un éclair, son regard parcourut les murs à la recherche de fentes dans le ciment. Aucune.

Vite, il alla aux barreaux qui séparaient sa cellule de celle de la femme. Vite, il mémorisa une partie du sol de sa propre cellule et de chacune de celles de ses deux voisins. Enfin, il tenta de se similariser sur une de ses zones de retraite de Vénus.

Rien ne se produisit. Gosseyn accepta ce que cela impliquait. Entre des points très éloignés, il y avait un écart de temps, et, en l'occurrence, la période de vingt-six heures durant laquelle une zone mémorisée demeurait similarisable était trop courte. Vénus devait se trouver à une distance immense.

Il s'apprêtait à faire un examen plus détaillé de sa prison lorsque, une fois de plus, il remarqua la femme. Cette fois, son attention se fixa sur elle. Sa première impression fugitive avait été celle d'une personne de distinction. A la bien regarder, il vérifia la justesse de cette observation.

Elle n'était pas grande, mais son port trahissait un sentiment inconscient de supériorité. Inconscient. C'était la réalité parlante. Ce que l'esprit conscient pense est important dans la seule mesure où il reflète ou aide à fixer la « disposition » du système nerveux.

La seule à qui Gosseyn pût la comparer, c'était Patricia Hardie, identifiée à sa grande surprise comme la sœur du puissant Enro. Elle aussi avait cet orgueil du regard, cette conviction automatique, innée, de supériorité — différente de l'expression des Vénusiens Ā entraînés dont la caractéristique dominante de complète adaptation paraissait partie intégrante du visage et du corps.

Comme Patricia, l'étrangère était une « grande dame ». Son orgueil tenait à sa position, à son rang, à ses manières et à autre chose. Gosseyn l'observa avec acuité. Son visage révélait des réactions et des pensées thalamiques, mais ceux d'Enro et de Secoh également, comme ceux de chaque individu avant l'entraînement.

Les émotifs pouvaient cultiver leur talent suivant une ou deux voies et réussir aussi bien qu'un quelconque Vénusien Ā dans un domaine particulier. Mais Ā, c'était la méthode d'intégration du système nerveux humain, de valeur essentielle, sociale et personnelle.

L'élément important d'appréciation de cette femme, c'est, tandis qu'il l'observait, que la composante supplémentaire d'ondes nerveuses qui refluait d'elle paraissait s'amplifier à chaque instant.

Elle avait les cheveux noirs, une tête en apparence un peu trop grosse pour son corps, et elle lui rendit son regard avec un sourire pâle, troublé, anxieux, mais distant.

— Je comprends, dit-elle, mal à l'aise, pourquoi le Disciple s'est intéressé à vous.

Elle hésita.

— Peut-être pourrions-nous nous échapper ensemble ?

— S'échapper ? dit Gosseyn en écho.

Il la regarda fixement.

La femme soupira, puis haussa les épaules.

— Le Disciple a peur de vous. Par suite, cette cellule ne peut être une prison pour vous autant qu'elle l'est pour moi. Est-ce que je me trompe ?

Gosseyn ne répondit pas, mais il se sentait furieux. Elle se trompait complètement. Il était aussi totalement prisonnier qu'elle-même. Sans une zone extérieure vers laquelle il puisse se similariser, sans une prise d'énergie à mémoriser, il restait sans ressources.

Il étudia la femme, l'œil légèrement froncé. En tant que codétenue, elle était une alliée théorique. En tant que dame de « qualité » et sans doute d'habitante de cette planète, elle pouvait lui devenir très utile. L'ennui, c'est que très probablement elle opérait pour le compte du Disciple. Cependant, là encore, il sentait qu'il fallait une décision rapide.

La femme dit :

— Le Disciple est venu trois fois ici et il se demandait pourquoi vous ne vous êtes pas éveillé dès votre arrivée voici plus de deux jours. Vous le savez ?

Gosseyn sourit. Croire qu'il allait tout raconter, ça lui parut naïf. A personne il ne dirait qu'il s'était retrouvé dans le corps d'Ashargin — bien que sans doute le Disciple qui l'avait introduit ici...

Il s'arrêta et se tendit. Il pensa, presque sans réaction : « Mais cela voudrait dire... »

Il secoua la tête, ahuri, et resta debout, stupéfait. Parce que... parce que, si le Disciple avait perdu son contrôle sur lui, cela indiquait la présence d'un autre être encore de puissance énorme. Non que ce fût impossible. Il ne fallait jamais oublier la théorie. Quelque part se trouvaient les joueurs de cette immense partie. Et même la « reine » qu'il pensait être pouvait être déplacée, coincée, mise en échec ou en danger, et même « prise » et enlevée du jeu.

Il allait parler, mais se retint. Ses moindres paroles seraient notées et analysées par l'un des esprits les plus aigus et les plus dangereux de la galaxie. Il balança un instant et revint à sa première question. A voix haute, il dit :

— S'échapper ?

La femme soupirait.

— Ça paraît incroyable, dit-elle. Un homme dont on ne peut prédire les mouvements. Jusqu'à un certain moment, j'ai une image claire de ce que vous allez faire, et là, comme un de vos actes n'est pas logique, tout devient flou.

Gosseyn dit :

— Vous pouvez lire dans l'avenir ? comme le Disciple ?

Il était attentif. Il alla jusqu'aux barreaux qui séparaient leurs deux cellules et la regarda, fasciné.

— Comment cela se fait-il ? Et que vais-je faire ? Et où sommes-nous, d'ailleurs ? Qui est ce Disciple qui a l'apparence d'une ombre ?

La femme rit. C'était un rire légèrement amusé, mais il contenait une note musicale agréable. Elle s'arrêta de rire.

— Vous êtes dans la « retraite » du Disciple, évidemment, dit-elle.

Mais elle se rembrunit.

— Je ne vous comprends pas, protesta-t-elle. Ni vos questions. Essayez-vous de me dérouter ? Qui est le Disciple ? Enfin, tout le monde sait que le Disciple est un Prédicteur ordinaire qui a découvert le moyen de se déphaser.

Il y eut une interruption. Le géant, dans la troisième cellule, bougea sur sa paillasse et s'assit. Il dévisagea Gosseyn.

— Retourne sur ton bat-flanc, dit-il d'une voix de

basse. Et que je ne te reprenne pas à parler à Leej !
Allez, file !

Gosseyn ne bougea pas, mais il regarda l'autre
d'un œil curieux.

L'étranger se mit sur ses pieds et s'approcha des
barreaux de la cellule. Couché, il avait déjà l'air
d'un géant. Mais là, pour la première fois, Gosseyn
se rendit compte de sa taille. Il était écrasant. Dans
les deux sens. Il avait deux mètres vingt de haut et
la largeur d'un gorille. Gosseyn estima son tour de
poitrine à deux mètres.

Il était démonté. Jamais il n'avait encore vu un
homme si énorme. Il émanait du géant une impression de force physique anormale. Pour la première
fois de sa vie, Gosseyn se sentit en présence d'un
individu non entraîné dont la force musculaire pure
surpassait visiblement les possibilités d'un non-A
ordinaire.

— Tu ferais mieux de reculer, dit le monstre d'une
voix menaçante. Le Disciple m'a dit qu'elle était à
moi et j'ai pas envie d'avoir de la concurrence.

Gosseyn jeta un coup d'œil interrogateur à la
femme, mais elle venait de s'étendre, le visage au
mur. Il refit face.

— En quelle planète sommes-nous ? demanda-t-il
d'un ton neutre.

Il avait dû trouver la nuance voulue, car le géant
perdit un peu de son agressivité.

— Planète ? dit-il. Qu'est-ce que tu veux dire ?

Ça, c'était troublant. Gosseyn, dont l'esprit courait déjà et préparait d'autres questions, marqua le
pas. Peut-être se trouvait-il sur un système planétaire isolé analogue à celui de Sol ? Cette probabilité le fit frissonner.

— Le nom de votre soleil ? insista-t-il. Vous avez
sûrement un nom. Il a dû recevoir un symbole dis-
criminatif dans la nomenclature galactique.

L'humeur de l'autre fraîchit visiblement. Ses yeux bleus s'embrumèrent de soupçon.

— Qu'est-ce que tu essaies de manigancer ? demanda-t-il, brutal.

Gosseyn dit, très sec :

— Comme si vous ne saviez pas que les planètes d'autres soleils sont habitées par des êtres humains ?

Le colosse parut dégoûté.

— T'es un peu dingue, non ? dit-il. Ecoute, continua-t-il. Je m'appelle Jurig. Je vis à Crest et je suis citoyen de Yalerta. J'ai tué un homme en le cognant un peu dur, et je suis ici et je risque ma tête. Mais j'ai pas envie de continuer à te causer, tu me fatigues avec tes histoires idiotes.

Gosseyn hésita. Les protestations de Jurig étaient convaincantes, mais il ne se sentait pas disposé à laisser tomber. Un point particulier exigeait des éclaircissements.

— Si vous êtes tellement ignorant, dit-il, accusateur, comment parlez-vous le français si parfaitement ?

Il conçut la réponse au moment même qu'il prononçait le mot « français ». Jurig compléta sa pensée avec finalité.

— Ce que je parle ? dit-il.

Il se mit à rire.

— T'es cinoque.

Il parut se rendre compte des implications de ce qu'il disait. Il grogna.

— Ça serait possible que le Disciple m'ait mis ici avec un cinoque ?

Il se reprit.

— Mon pote, dit-il, je sais pas qui t'es, mais la langue qu'on parle, toi et moi, c'est du yalertain. Et je te le dis, tu le causes comme un natif du patelin.

Durant quelques minutes, Gosseyn abandonna la conversation. Il alla au bat-flanc, s'assit. Le flux neural qui refluait du géant n'était pas amical. Il contenait de la ruse et une espèce de suave et *meurtrière* satisfaction personnelle.

Un problème : pourquoi cet homme dissimulait-il ? Question force musculaire, le Yalertain était dans une catégorie à part. S'ils en venaient aux mains, Gilbert Gosseyn aurait à utiliser son cerveau second pour se similariser en divers points de la prison. Il devrait se tenir à l'écart de ces bras de gorille et se battre comme un boxeur, pas un lutteur.

Mais tout usage de son cerveau second trahirait la nature de sa faculté particulière.

Gosseyn se mit sur ses pieds et alla lentement jusqu'à la grille qui séparait sa cellule de celle de Leej. Il se rendait compte que sa position était mauvaise. La cellule n'avait pas de prises d'énergie. Il s'y trouvait pris aussi complètement que le plus ordinaire des individus.

Les barreaux de la grille, minces, étaient séparés de dix centimètres. Ils paraissaient susceptibles de se courber sous la poigne d'un type costaud.

Mais un type costaud intelligent n'essaierait pas. Le métal était incrusté d'aiguilles. Des milliers d'aiguilles. Il recula, vaincu, puis se pencha et examina le raccord de la grille au sol.

En bas de la barre transversale, il n'y avait pas d'aiguilles, mais celles du dessus la protégeaient des tentatives. Gosseyn se redressa et se tourna vers son seul espoir restant, le lit. S'il pouvait le disposer contre le mur, il réussirait à atteindre la fenêtre.

C'était un système métallique aux pieds cimentés dans le sol de béton. Après s'être escrimé dessus pendant plusieurs minutes, Gosseyn recula.

— Une cellule sans portes, dit-il, et le silence.

Son esprit se détendit. Un silence incomplet. Il y avait des bruits, des mouvements, des allées et venues, la faible palpitation de voix. Cette prison devait faire partie d'une construction plus vaste — comment la femme l'appelait-elle ? — la retraite du

Disciple. Il tentait de se la représenter lorsque Jurig dit derrière lui :

— T'as de drôles de fringues.

Gosseyn se retourna et regarda l'homme. Le ton de Jurig indiquait qu'il ne voyait pas de rapport entre les vêtements et ce que Gosseyn avait dit d'autres planètes.

Il regarda ses « drôles de fringues ». C'était une combinaison légère de plastique avec une fermeture invisible et — également invisible — une régulation thermique tissée uniformément dans le matériau artificiel. Très élégant et coûteux d'aspect, et très commode spécialement pour un homme susceptible de se trouver dans un climat inaccoutumé. Qu'il fasse froid ou chaud, le costume maintiendrait sa peau à la température convenable.

Le choc éprouvé en se rendant compte qu'il employait un langage étranger si naturellement, si aisément, qu'il ne s'en était même pas aperçu, avait surgi au moment où il essayait d'introduire le mot « français » dans la langue de Yalerta. Ça sonnait faux. Il avait appris par Thorson et Crang que la civilisation galactique réalisait des « machines » linguistiques au moyen desquelles les soldats, les diplomates et les voyageurs de l'espace pouvaient être instruits des langues de planètes lointaines. Mais il n'avait rien rencontré de tel.

La carte en était responsable sans doute. Gosseyn s'affala sur son lit et ferma les yeux. On l'avait effectivement bien eu, dans la chambre de Janasen. S'asseoir au-dessus d'un distorseur ! « En *un instant*, pensa-t-il, j'ai été enlevé de Vénus. Mon corps s'est dirigé directement vers cette cellule où il est arrivé à un instant prédéterminé. Au milieu du transport, un autre « joueur » de cette vaste partie a similarisé mon cerveau dans le crâne d'Ashargin sur une planète lointaine. Au moment où cette liaison a été rompue je me suis éveillé ici, déjà instruit langage local. Et si le Disciple s'attendait réellement que je m'éveille dès l'arrivée de mon corps, c'est que j'ai dû recevoir cet enseignement pendant le temps que je contemplais la carte ou immédiatement après. »

Il regarda la femme, mais elle lui tournait toujours le dos. Il regarda Jurig, l'apprécia. Il faudrait que ce fût lui sa source d'informations immédiate.

Le colosse répondit à ses questions sans hésitation. La planète se composait de milliers de grandes îles. Seuls, les gens des aéroulottes, les Prédicteurs, étaient libres de se déplacer partout. Le reste de la population se trouvait confiné par groupes, un sur chaque île. Un peu de commerce entre eux et des voyages, mais toujours dans une mesure restreinte, comme entre nations. Il y avait de nombreuses restrictions commerciales et des barrières d'immigration, mais...

Gosseyn écoutait avec l'attention d'un homme qui absorbe rapidement un nouveau concept. Il tentait d'imaginer des Vénusiens Ā contre les Yalertains. Il essayait de trouver un mot capable de décrire les Prédicteurs — mais rien ne paraissait coller. Aucune des deux parties ne se rendait compte encore que deux méthodes totalement différentes d'approche de la réalité existaient dans la galaxie. Aucune des deux n'était encore au fait de l'existence de l'autre. Toutes deux s'étaient développées à l'écart du courant principal de la civilisation galactique. Toutes deux se trouvaient sur le point d'être englouties dans le maelström d'une guerre menée sur une échelle si vaste que des systèmes planétaires entiers pourraient disparaître.

Il remarqua enfin :

— Vous n'avez pas l'air d'aimer les Prédicteurs. Pourquoi ?

Le géant s'était écarté des barreaux de sa cellule et s'appuyait au mur sous la fenêtre.

— Tu te fous de moi ? dit-il.

Ses yeux prirent une expression désagréable et il revint aux barreaux.

— Tu m'as assez baratiné pour aujourd'hui.

— Je ne plaisante pas. Vraiment, je ne sais pas.

— Ce sont des crapules, dit brusquement Jurig. Ils peuvent prévoir l'avenir, et ils sont sans pitié.

— Ce dernier point paraît déplaisant, admit Gosseyn.

— Ils sont tous dégueulasses ! explosa Jurig. (Il s'arrêta et déglutit :) Ils réduisent les gens en esclavage. Ils volent les idées de ceux des îles. Et comme ils peuvent prédire l'avenir et ne jamais faire d'erreurs de temps, ils gagnent toutes les batailles et répriment toutes les révoltes. Ecoute, continua Jurig d'un ton sérieux en se rapprochant des barreaux, je l'ai remarqué que t'as pas aimé quand j'ai dit que Leej m'appartenait. C'est pas que j'm'en soucie que tu sois d'accord ou pas, tu comprends. Mais ne t'apitoie jamais sur aucun d'eux. J'ai vu des bonnes femmes écorcher vifs des pauvres mecs. (Sa voix se fit sarcastique puis rageuse.) Et ça leur faisait plaisir. Eh ben, celle-là s'est heurtée au Disciple pour une raison à elle, et comme ça, pour la première fois depuis des siècles, un de nous autres, les pauvres types, on a enfin une chance de nous venger un peu de cette crème d'assassins. Si je vais en profiter ? Ben, tu parles !...

Pour la première fois depuis qu'elle avait tourné le dos, la jeune femme s'étira. Elle pivota, s'assit et regarda Gosseyn.

— Jurig a oublié de mentionner une chose, dit-elle.

Le géant laissa échapper un meuglement. Ses lèvres se tordirent dans un rictus.

— Tu lui dis, ragea-t-il, et je t'écrase la gueule à la minute où on est ensemble.

La femme frémit visiblement et sa peur ne fit

pas le moindre doute. Sa voix, lorsqu'elle parla, tremblait, mais elle dénotait également du défi.

— Il est supposé vous tuer à la seconde où les barreaux disparaîtront, dit-elle.

La figure de Jurig était à voir.

— Parfait, ma belle dame. Ça, c'est ta fin.

La femme était blafarde.

— Je crois, dit-elle en tremblant, que le Disciple veut voir dans quelle mesure vous pouvez vous défendre.

Elle le regarda, suppliante.

— Qu'est-ce que vous pensez ? Pouvez-vous faire quelque chose ?

Cette question, Gosseyn se la posait lui-même avec anxiété.

Il eut envie de rassurer la jeune femme, mais se contint. Il n'avait aucunement l'intention de laisser Jurig mener à bien ses menaces sanglantes, mais il ne fallait pas oublier que derrière ces murs sinistres, un astucieux observateur se dissimulait, et que la moindre de ses actions, le moindre de ses mouvements seraient attentivement évalués et analysés.

— Pouvez-vous faire quelque chose ? demanda-t-elle, ou le Disciple s'inquiète-t-il sans raison à votre sujet ?

— Ce que je voulais savoir, rétorqua Gosseyn, c'est ce que vous me voyez faire grâce à votre science de l'avenir.

Sa réponse prouva, s'il en était besoin, qu'il ne s'agissait pas d'une discussion académique. Sans avertissement, elle fondit en larmes.

— Oh ! je vous en prie, sanglota-t-elle, ne me tenez pas comme ça dans l'angoisse. Les menaces de cet homme me rendent folle.

Elle hocha la tête, en pleurs.

— Je ne sais pas ce qui se passe. Quand je regarde votre avenir, tout est flou. Le seul moment

74

où ça m'arrive, c'est avec le Disciple, et avec lui c'est normal puisqu'il est simplement déphasé.

Elle s'interrompit, essuya ses larmes avec le dos de sa main, et dit, sérieuse :

— Je sais que vous êtes en danger aussi. Mais si vous pouvez faire quelque chose contre le Disciple, il faudra que vous puissiez le faire en terrain découvert.

Gosseyn en était désolé pour elle, mais sa logique ne tournait pas rond.

— Dans l'histoire de la planète d'où je viens, dit-il, la surprise a toujours été un facteur essentiel dans la détermination des pays et des groupes qui devaient dominer la civilisation.

Maintenant, elle avait cessé de pleurer, et montrait un regard amusé.

— Si le Disciple peut vous vaincre en terrain découvert, il sera capable de venir à bout de tous vos éléments de surprise.

Gosseyn l'entendit à peine.

— Ecoutez, dit-il sérieusement, je vais essayer de vous aider, mais le pourrai-je ou non, cela dépend de vos réponses à mes questions.

— Oui ?

Elle retint son souffle, l'œil écarquillé, les lèvres entrouvertes.

— Avez-vous une image quelconque de mes actes futurs ?

— Ce que je vous vois faire, dit Leej, n'a aucun sens. Ça ne veut rien dire.

— Mais qu'est-ce que c'est ?

Il se sentit exaspéré.

— Il faut que je le sache.

— Si je vous le disais, ça introduirait un nouveau facteur et ça changerait le futur.

— Mais peut-être qu'il *faudrait* le changer.

— Non.

Elle fit un signe de dénégation.

— Après, tout se brouille. Ça me donne de l'espoir.

Gosseyn se contint avec un certain effort. C'était déjà quelque chose. Cela sous-entendait qu'il utiliserait son cerveau second. Visiblement, en chaque occasion analogue, ce système de prédiction cafouillait.

Il n'empêche qu'ils avaient une remarquable faculté et il devrait s'efforcer de déterminer comment des névrosés comme cette femme pouvaient automatiquement prédire l'avenir. Mais ce serait pour plus tard.

— Dites, demanda Gosseyn, quand tout ça arrivera-t-il ?

— Dans dix minutes environ, dit Leej.

Gosseyn, surpris, resta silencieux un moment. Enfin, il demanda :

— Y a-t-il un moyen de transport entre Yalerta et les planètes d'autres soleils ?

— Oui, dit Leej. Sans avertissement et sans que nous en ayons été informés au préalable, le Disciple a informé tous les gens des aéroulottes qu'ils devaient accepter des missions sur les transports stellaires militaires d'un individu qui s'appelle Enro. Et immédiatement il a amené ici un appareil qui avait un système pour nous transporter.

Gosseyn encaissa le choc sans changer d'expression, mais il chancela intérieurement. Il se représenta brusquement les prophètes sur chaque stellavion de guerre, en train de prédire les mouvements des vaisseaux ennemis. Quel être humain normal pouvait combattre ces équipages surhumains ? Il savait, d'après Janasen, que le Disciple travaillait avec Enro ; mais il ne s'agissait que d'un individu. Là, ça se multipliait par... Il posa la question d'une voix âpre.

— Combien... combien y en a-t-il comme vous ?

— A peu près cinq millions, dit Leej.

Il s'attendait à plus, mais ce chiffre réduit ne le

soulagea guère. Cinq millions, cela suffisait pour dominer la galaxie.

— Mais, dit Gosseyn, formulant son espoir tout haut, ils ne partiront pas tous.

— J'ai refusé, dit Leej d'une voix blanche. Je ne suis pas la seule, je crois, mais cinq ans durant je me suis opposée au Disciple, et je dois servir d'exemple.

Elle parut lasse.

— La plupart des autres y vont.

Gosseyn calcula que quatre des dix minutes devaient s'être écoulées. Il épongea son front humide, et insista.

— A quoi correspondent les accusations de Jurig contre les Prédicteurs ?

Elle haussa les épaules, indifférente.

— Je suppose qu'elles sont exactes. Je me rappelle une domestique stupide qui m'a répondu insolemment, je l'ai fait fouetter.

Elle le dévisagea de ses grands yeux innocents.

— Qu'est-ce que vous voulez faire d'autre avec des gens qui ne se tiennent pas à leur place ?

Gosseyn avait presque oublié l'homme, mais il fut forcé de se le rappeler. Il y eut un rugissement outragé dans la troisième cellule.

— Tu piges ? glapit le géant. Tu vois ce que je veux dire ?

Il arpenta sa cellule.

— Attends un peu que ces grilles se relèvent et j'vais te montrer c'que tu fais des gens qui se tiennent pas à leur place.

Il éleva la voix dans un hurlement frénétique.

— Disciple, si tu m'entends, vas-y. Lève ces grilles. Lève-les.

Si le Disciple entendit, on n'en eut aucun signe. Les grilles ne se levèrent pas. Jurig se calma et revint à son lit. Il s'assit en marmottant :

— Attends un peu ! Attends un peu !

Pour Gosseyn, l'attente était finie. Jurig, dans son explosion, venait de lui indiquer la solution. Il se rendit compte qu'il tremblait. Il savait ce qu'il allait faire. C'est le Disciple lui-même qui lui fournirait la solution au moment décisif.

Pas étonnant que Leej n'ait pas voulu admettre sa prévision des gestes ultérieurs de Gosseyn. En apparence, ça ne voudrait rien dire.

— Crac !

Un son soudain retentit comme il se jetait sur son lit. Un son métallique.

Les grilles se levaient.

7

Non-axiomes.

Lorsqu'il émet un jugement sur une action ou un événement, un individu « abstrait » une partie seulement de ses caractéristiques. S'il dit : « Cette chaise est noire », il doit indiquer que la noirceur n'est qu'une de ses qualités, et il doit avoir conscience, au moment où il parle, de ses autres multiples caractères. La « conscience d'abstraire » constitue une des supériorités essentielles d'un individu entraîné sémantiquement sur un individu qui ne l'est pas.

Avec la rapidité d'un chat sauvage, Gosseyn jaillit de sa couche. Ses doigts saisirent la partie inférieure de la barre transversale de la grille. Il se sentit irrésistiblement soulevé.

L'effort de se maintenir nécessita toute la force de ses bras et de ses doigts. La surface à laquelle il devait s'accrocher mesurait moins de trois centimètres d'épaisseur et se recourbait du mauvais côté. Mais il avait assuré sa prise sous les aiguilles, sous ce fantastique enchevêtrement d'aiguilles, et il fallait tenir bon ou succomber.

Il tint bon. Tandis qu'il s'élevait au-dessus du niveau de la fenêtre, il put distinguer l'extérieur. Il entrevit une cour au premier plan, une haute grille assez proche, faite de lances aiguës d'acier, et des arbres au-delà. Gosseyn regarda à peine le paysage. Un coup d'œil à l'ensemble et il fixa son attention sur la cour.

Il y eut un instant d'agonie durant lequel il mémorisa la structure superficielle d'un élément de pavé. Puis, son dessein accompli, il retomba de près de sept mètres sur le sol cimenté de la cellule.

Il atterrit à quatre pattes, physiquement décontracté, mais l'esprit aussi tendu qu'une barre de métal. Il avait une zone extérieure où s'échapper par le moyen des facultés particulières de son cerveau second, mais il fallait encore qu'il se décidât sur l'action immédiate à suivre.

Son problème direct par rapport au Disciple n'avait pas subi de modifications fondamentales. Il restait en danger mortel et imminent. Mais au moins, il possédait un terrain de retraite extérieur.

Prudemment, comme un combattant aux aguets d'un dangereux adversaire, Gosseyn observa Jurig, le gorille, qui était supposé le tuer.

— Leej, dit-il, sans regarder la Prédictrice, venez ici, derrière moi.

Elle vint sans un mot, presque sans bruit. Il entrevit son visage quand elle passa près de lui. Ses joues n'avaient plus de couleur, ses yeux se brouillaient, mais elle levait la tête. De l'autre bout de ce qui n'était plus qu'une cellule, Jurig ricana :

— Ça te fera une belle jambe, de te cacher derrière lui.

C'était une menace purement thalamique, inutile même à Jurig. Mais Gosseyn ne la laissa pas passer. Il avait attendu l'occasion. Un homme dans l'incapacité de prendre une décision pour une question importante devait paraître concentrer son attention sur un point secondaire. Aussi longtemps qu'il donnerait l'impression d'avoir l'esprit axé sur Jurig, comme si là était le danger, aussi longtemps le Disciple attendrait le résultat. Il dit d'une voix d'acier :

— Jurig, je suis fatigué de ce genre de langage. Il est temps que vous vous décidiez pour ou contre moi. Et je vous dis tout de suite qu'il serait prudent d'être pour.

Le Yalertain, qui se préparait à foncer, s'arrêta. Les muscles de son visage se contractèrent spasmodiquement, oscillant entre le doute et la colère. Il regarda Gosseyn de l'œil déconcerté du taureau dont l'infime adversaire n'a pas l'air d'avoir peur.

— J'vais t'casser le crâne su' l' ciment, dit-il, les dents serrées.

Mais il le disait comme s'il voulait contrôler l'effet de ses paroles.

— Leej, dit Gosseyn.

— Oui ?

— Voyez-vous ce que je vais faire ?

— Il n'y a rien. Rien.

Ce fut à Gosseyn d'être déconcerté. A la vérité, si elle ne pouvait prévoir ses actes, le Disciple en serait également incapable. Mais il avait espéré une vague image qui lui permettrait de se décider. Que faire une fois dehors ? filer ? Ou explorer la retraite et chercher le Disciple ?

Son rôle en cette affaire avait une importance bien plus grande que celui de Jurig ou de Leej. Comme le Disciple, il occupait une place de premier plan dans le jeu d'échecs galactique. Ou tout au moins, il devait le croire jusqu'à preuve du contraire. Ceci lui imposait des contraintes. La fuite seule ne résoudrait rien. Il devait également, si possible, semer la graine de la victoire future.

— Jurig, dit-il, gagnant du temps, tu as une décision sérieuse à prendre. Elle nécessite plus de courage que tu n'en as montré jusqu'ici, mais je suis sûr que tu en es capable. A partir de ce moment, sans souci des conséquences, tu seras contre le Disciple. Je te le dis, tu n'as pas le choix. A notre prochaine rencontre, si tu ne travailles pas contre lui sans conditions, je te tuerai.

Jurig le regarda, incrédule. Il lui paraissait difficile de croire qu'un codétenu pût réellement lui donner un ordre. Il rit, mal à l'aise. Puis l'énormité de l'insulte dut l'atteindre. Il se mit dans une colère terrible, la colère d'un homme outragé.

— Je vais te montrer ce que je choisis, hurla-t-il.

Il s'élança.

Sa progression fut rapide, mais lourde. Il écarta les bras, décidé apparemment à étreindre pour aplatir, et fut extrêmement surpris de voir Gosseyn foncer droit dans l'anneau de ses membres d'ours et lui envoyer un violent direct à la mâchoire. Le coup dévia un peu, mais arrêta net Jurig. Il empoigna Gosseyn, l'air mal à l'aise. Il parut de plus en plus défait à mesure qu'il s'efforçait d'affirmer sa prise sur un homme qui, après un coup aussi efficace, se révélait non seulement plus rapide, mais encore plus puissant que lui-même.

Le Yalertain flancha subitement, comme une porte cède au bélier. Gosseyn le sentit venir, et, dans une ultime explosion de force, envoya dinguer l'autre sur le plancher, effondré, vaincu au mental et au physique.

Le choc durerait, et Gosseyn le regretta. Mais ç'avait sans nul doute été nécessaire. C'est sur des identifications de ce genre que les gens comme Jurig bâtissent leur personnalité. Toute sa vie, Jurig avait cherché la supériorité à coups de poing. C'était à lui, non à Gosseyn, qu'appartenait cette façon de l'exprimer.

Consciemment, il refuserait la défaite et se trouverait une douzaine d'excuses. Mais sur le plan de l'inconscient, il l'accepterait. Aussi longtemps qu'il s'agirait de Gosseyn, sa confiance en ses capacités physiques n'existait plus. Seule une culture $\bar{A}$ pourrait lui permettre de se réadapter à ce nouvel état de choses, mais il n'avait pas ça sous la main.

Satisfait, Gosseyn se similarisa dans la cour. Puis, très vite, son dessein essentiel, l'évasion, prit possession de son système nerveux.

Il perçut vaguement la présence de gens qui se retournaient sur lui tandis qu'il courait. Il entrevit, en tournant la tête, un amas énorme de bâtiments, des clochers et des tours, des masses de pierre et de marbre, des fenêtres de verre coloré. Cette image de la retraite du Disciple lui demeura dans l'esprit alors même qu'il restait à l'affût des sources d'énergie du château. Il se tenait prêt à se similariser d'avant en arrière pour échapper aux souffleurs et aux armes à énergie. Mais nulle variation ne survenait dans le flux de la dynamo ni de la pile atomique.

Automatiquement, il similarisa Leej sur la zone mémorisée derrière lui, mais ne regarda même pas si elle le suivait.

Il atteignit la haute grille et vit que les fers de lance, déjà impressionnants comme ça, portaient, incrustées, les mêmes aiguilles que les grilles de la cellule qu'il venait de quitter. Trois mètres de métal infranchissable — mais il pouvait voir à travers les barreaux.

Il fallut le long moment habituel — il paraissait long — pour mémoriser une zone au-delà des grilles. En fait, il ne s'agissait pas là de mémoire. Lorsqu'il se concentrait sur un point, son cerveau second prenait automatiquement une « photographie » de la structure atomique entière de la matière considérée, sur une profondeur de plusieurs molécules. Le processus de similarisation subséquent résultait du flux d'énergie nerveuse le long des circuits de liaison de son cerveau second, circuits développés seulement par un entraînement prolongé. L'impulsion active émettait une charge de cette énergie, d'abord le long des nerfs de son corps puis par-delà son enveloppe. Pendant un instant, alors, chaque atome mis en jeu était contraint de se plier à une ressemblance « floue » avec le « modèle » photographié. Lorsque l'approximation de similitude se précisait à vingt décimales, les deux objets entraient en contiguïté, et le plus grand franchissait l'espace le séparant du second comme s'il n'y avait pas d'espace.

Gosseyn se similarisa derrière les grilles et se mit à courir vers le bois. Il perçut la présence d'énergie magnétique et vit l'avion glisser vers lui au-dessus des arbres. Il continua à courir, le guettant du coin de l'œil, tentant d'analyser sa source d'énergie. Il n'y avait pas d'hélice, mais de longues fiches de métal jaillissaient de ses ailes trapues. Des plaques d'un type analogue garnissaient le fuselage et ceci confirma ses prévisions. C'était l'origine de l'énergie magnétique. Il devait être armé d'obus ou d'un faisceau souffleur magnétique.

L'appareil, qui venait en travers, dirigea soudain sa proue vers lui. Gosseyn se similarisa vers la grille.

Une gerbe de feu coloré s'épanouit sur l'herbe qu'il venait de quitter. L'herbe fuma. Les jets de flamme jaune de la broussaille ne firent que se superposer à l'arc-en-ciel rouge, vert, bleu, orangé du souffleur.

Comme l'avion le dépassait en sifflant, Gosseyn prit une photographie de sa dérive de queue. Et de nouveau, à toute vitesse, il repartit vers les arbres à plus de cent mètres de là.

Il continuait d'observer l'avion qu'il vit tourner et plonger vers lui. Cette fois, Gosseyn ne prit pas de risques. Il n'était qu'à trente mètres de la grille, ce qui était un peu près. Mais il similarisa la dérive de queue de l'appareil à la zone mémorisée près des grilles.

Il y eut un fracas qui fit trembler le sol. Le hurlement métallique de l'avion dont la vitesse n'était pas altérée par la similarisation, déchirait l'oreille tandis qu'il se ruait parallèlement à la grille pour la déchirer dans un bruit fantastique. Il s'arrêta deux cents mètres plus loin, masse informe.

Gosseyn courut. Il atteignit le couvert des bois, mais ne se contentait plus d'une pure évasion. S'il existait un instrument d'agression, il devait y en avoir d'autres. Rapidement, il mémorisa une zone voisine d'un arbre, fit un pas de côté et transporta Leej jusqu'à lui. Ensuite, il se retransporta sur l'espace extérieur à la fenêtre de sa cellule et prit sa course jusqu'à la première porte menant à la retraite. Il désirait des armes de taille à tenir en respect toutes celles que le Disciple avait pu concevoir pour prévenir sa fuite et il était décidé à les obtenir.

Il se trouva dans un large couloir, et la première chose qu'il vit fut une longue rangée de lampes magnétiques. Il mémorisa la plus proche et, aussitôt, se sentit beaucoup mieux. Il était en possession d'une arme réduite, mais efficace, qui pourrait agir sur tout Yalerta.

Il continua de suivre le corridor, sans plus se presser. La dynamo et la pile étaient proches, mais il n'avait aucun moyen de savoir exactement à quel endroit. Il sentit la présence de plusieurs humains, mais leur flux nerveux n'était ni tendu ni menaçant. Il parvint à un escalier et, sans hésitation, se mit à le descendre. Deux hommes, debout tout en bas, conversaient avec intensité bien que sans anxiété.

Ils le regardèrent, surpris. Et Gosseyn, qui avait déjà préparé son plan, dit, haletant :

— Où est l'usine génératrice ? C'est urgent.

Un des hommes parut ému.

— Mais... mais... par là. Par là. Qu'est-ce qui se passe ?

Gosseyn courait déjà dans la direction indiquée. L'autre homme le rappela :

— La cinquième porte à droite.

Lorsqu'il fut à la cinquième porte, il s'arrêta juste sur le seuil. A quoi il s'était attendu exactement, il l'ignorait, mais sûrement pas à voir une pile atomique alimenter une dynamo. L'immense générateur tournait doucement, et son énorme rotor scintillait. De part et d'autre, des murs couverts de tableaux de contrôle. Une demi-douzaine d'hommes s'occupaient là et ne le virent pas d'abord. Gosseyn s'avança sans hésiter vers les câbles de sortie de la dynamo et les mémorisa. Il évalua la puissance à quarante mille kilowatts.

Puis, toujours avec le même aplomb, il se dirigea vers la pile. Elle comportait les dispositifs habituels de contrôle de l'intérieur, et un employé se penchait sur une jauge pour faire des rectifications de détail en vérifiant un cadran gradué. Gosseyn le dépassa et, par le regard prévu à cet effet, considéra l'intérieur de la pile.

Il sentit l'autre se redresser. Mais le long délai qu'il mit pour comprendre la nature de cette intrusion suffisait à Gosseyn. Comme l'employé lui touchait l'épaule, trop surpris pour parler ou protester, Gosseyn recula et, sans un mot, reprit la porte et se retrouva dans le corridor.

Au moment où il fut hors de vue, il se transporta dans les bois. Leej, à trois mètres, était presque en face de lui. Elle sursauta quand il apparut et bafouilla quelque chose qu'il ne comprit pas. Il guetta sur son visage l'instant où elle se ressaisirait. Il n'attendit pas longtemps.

Elle frissonnait, mais d'excitation. Ses yeux, légèrement embués, s'éclaircirent et s'avivèrent. Elle lui saisit le bras de ses doigts tremblants.

— Vite, dit-elle, par-là. Mon aéroulotte va passer.

— Votre quoi ? dit Gosseyn.

Mais elle était déjà partie et ne parut pas l'entendre. Gosseyn la suivit en courant, et réfléchit : « M'aurait-elle joué ? A-t-elle su à chaque instant qu'elle allait fuir maintenant ? Mais dans ces conditions, pourquoi le Disciple ne le saurait-il pas ? Et pourquoi attend-il ? »

Il ne pouvait s'empêcher de se rappeler qu'il se trouvait pris au « piège le plus complexe qui ait jamais été imaginé pour un individu ». Il fallait y réfléchir même si l'évasion réussissait en apparence.

Devant lui, la femme plongea dans un rideau de hauts taillis et il cessa de l'entendre. Gosseyn la suivit et se trouva devant une mer sans limites. Il eut le temps de se rappeler que cette planète comportait de vastes océans peuplés d'îles, et un vaisseau aérien parut flottant au-dessus des arbres à sa gauche. Il avait une cinquantaine de mètres de long, un museau court, et dix mètres au plus épais. Il amerrit légèrement devant eux. Une longue passerelle mince glissa vers eux. Elle prit contact avec le sable aux pieds de la jeune femme.

En un éclair, elle la franchit. Elle cria par-dessus son épaule :

— Vite !

Gosseyn passa le seuil sur ses talons. Dès qu'il fut à l'intérieur, la porte se referma et la machine commença à grimper. La vitesse à laquelle tout se déroula lui rappelait une expérience analogue, vécue près du Temple du Dieu Endormi dans le corps du prince Ashargin.

Il y avait une différence vitale et essentielle. Dans son état d'Ashargin, il ne se sentait pas immédiatement menacé. Maintenant, si.

8

Non-axiomes.

Les données d'Aristote sur la science de son temps constituèrent probablement ce qu'on pouvait savoir de plus précis à son époque. Ses successeurs, deux mille ans durant, sous-entendirent probablement qu'elles étaient valables pour tous les temps. Dans des années moins lointaines, de nouvelles méthodes de mesure détruisirent nombre de ces « vérités », mais elles continuent d'être la base des opinions et des croyances de bien des gens. La logique bivalente selon laquelle ces gens raisonnent a reçu en conséquence le nom d'aristotélicienne — symbole : A — et la logique polyvalente de la science moderne a reçu le nom de non-aristotélicienne — abréviation : non-A, symbole $\overline{A}$.

Gosseyn était debout dans une coursive, au pied d'une volée de marches. Le passage se prolongeait à sa droite et à sa gauche et tournait peu à peu de part et d'autre. Pour le moment, Gosseyn ne désirait nullement explorer le tout. Il suivit Leej le long des marches jusqu'à une pièce claire et déjà il remarquait la disposition particulière des lampes au plafond. Cela confirmait sa première « sensation » de la source d'énergie du vaisseau : magnétisme.

Le fait l'intéressa par l'image qu'il en retirait du développement scientifique de Yalerta, comparable à celui du XXIIᵉ siècle de l'histoire terrestre. Mais le fait le frappa cependant. Maintenant, pour lui, la machine magnétique avait un défaut. Elle était trop incomplète. Elle accomplissait tant de fonctions que ses utilisateurs avaient tendance à rejeter toute autre forme d'énergie.

Les Prédicteurs refaisaient la même vieille erreur. Pas de puissance atomique à bord. Pas d'électricité, pas même une pile. Cela voulait dire aucune arme réellement efficace, et pas de radar. Visiblement, ces Prédicteurs pensaient être capables de prévoir l'approche de tout ennemi. Ce qui ne tenait plus debout. Il eut la vision d'ingénieurs galactiques envoyant des torpilles aériennes électroguidées avec fusées de proximité et têtes explosives atomiques, et d'une douzaine d'autres systèmes qui, réglés sur un but, le suivraient jusqu'à sa destruction — ou jusqu'à la leur.

Le pire, c'est qu'il ne pouvait rien, sinon découvrir le plus vite possible dans quelle mesure Leej était capable de prédire.

Bien sûr, il fallait espérer.

La pièce claire où l'avait mené Leej se trouva plus longue, plus large et plus haute qu'il n'y paraissait d'en bas, de l'entrée. Un studio, avec des divans, des fauteuils, des tables, un épais tapis vert et, en face de Gosseyn, une baie formant une saillie aérodynamique sur le flanc du vaisseau.

La femme se jeta avec un soupir bruyant sur un divan près de la fenêtre et dit :

— C'est merveilleux de se sentir en sécurité.

Elle secoua ses cheveux noirs d'un geste vif.

— Quel cauchemar !

Elle ajouta sauvagement :

— Ceci ne se reproduira jamais plus.

Gosseyn, en marche vers la fenêtre, s'arrêta à ces mots. Il se tourna à demi vers elle pour lui demander sur quoi elle fondait sa confiance, mais il ne formula pas sa question. Elle avait déjà reconnu son incapacité à prédire les actes du Disciple et c'est tout ce qu'il voulait savoir. Son don à part, c'était une jolie fille émotive d'une trentaine d'années, sans aucune disposition spéciale pour se garder du danger. Sitôt que lui-même aurait fait ce qu'il pouvait pour éviter des attaques possibles, il serait aisé de tirer d'elle tout ce qu'elle savait.

Comme il repartait, il perçut la sensation nerveuse qui signalait la venue d'un être humain. Une seconde plus tard, un homme jaillit d'une porte ouverte vers l'avant du vaisseau. Un homme mince, avec une touche de gris dans la chevelure. Il courut à Leej et s'agenouilla près d'elle.

— Ma chérie ! dit-il. Vous voilà revenue.

Il l'embrassa d'un mouvement passionné.

Gosseyn, à sa fenêtre, ignorait les amants. Il regardait au-dessous de lui le fascinant spectacle. Une île, une île verte, enchâssée comme une émeraude dans une mer de saphir. Une gemme brillait au milieu de l'émeraude, une masse de bâtiments d'un blanc gris sous le soleil, et dont les détails étaient déjà difficiles à distinguer. Ils paraissaient irréels.

Le vaisseau montait le long d'un plan d'air incliné. Sa vitesse devait être plus grande que Gosseyn ne l'avait jugé d'après la douceur de l'accélération. Car, tandis qu'il l'observait, l'île parut rétrécir. Il voyait maintenant que nulle activité ne se manifestait, ni en l'air ni au sol.

Ceci lui rendit courage. Pourtant, en son esprit, pendant tous ces dangers, avait persisté la certitude, même en cas de mort, de voir ses souvenirs et ses pensées transportés aussitôt dans le corps d'un nouveau Gosseyn qui s'animerait automatiquement dans un refuge lointain.

Malheureusement, comme le lui avait appris un autre exemplaire de son corps, plus âgé, et mort maintenant, le groupe suivant avait dix-huit ans. Il ne pouvait s'empêcher de croire qu'un individu de dix-huit ans ne pourrait jamais résoudre la crise déclenchée par Enro. Les gens se fient aux adultes et non aux enfants. Cette confiance ferait toute la différence entre défaite et victoire au moment critique.

Il était important qu'il restât vivant dans ce corps-ci. Ses yeux se firent pensifs tandis qu'il envisageait le possible immédiat. Il fallait s'y mettre. Il fallait interrompre l'envoi des Prédicteurs à la flotte d'Enro, capturer le vaisseau de guerre déjà atterri et, le plus tôt possible, attaquer la chose d'ombre sur son île.

Ce n'étaient là que préliminaires — mais ces préliminaires devaient constituer son but — et son but proche.

Car la grande et décisive bataille du sixième décant, d'heure en heure, croissait en furie. S'il connaissait le moins du monde la machine humaine, il pouvait assurer que la Ligue, à l'instant, s'ébranlait jusqu'à ses minces fondations. Sans doute, Enro s'attendait-il qu'elle s'effondrât. Et, pour enfantin qu'il fût à l'égard des femmes, sur le plan politique et militaire, le dictateur avait du génie.

Au moment de quitter la fenêtre, Gosseyn se souvint que Jurig, condamné à mort, pouvait à cet instant subir la colère du Disciple. Vite, il similarisa Jurig dans les bois près de la grille. Si l'homme s'effrayait, il se cacherait là et resterait disponible pour plus tard.

Ceci fait, il retourna à temps pour entendre la femme dire d'un ton calme :

— Je regrette, Yanar, mais il voudra une femme, et il faut évidemment que ce soit moi. Adieu.

L'homme se leva, soucieux. Il regarda Gosseyn et leurs yeux se rencontrèrent. La haine, jaillie de leurs profondeurs, correspondait au flux nerveux perçu par le cerveau second de Gosseyn.

Il dit avec un rictus :

— Je n'abandonnerai pas ma maîtresse sans combattre, même avec un homme dont l'avenir est flou.

Sa main plongea dans sa poche et reparut munie d'un petit appareil analogue à un éventail. Il le braqua et pressa la détente. Rien ne se produisit.

Gosseyn s'avança et retira l'arme des mains de Yanar. Celui-ci ne fit pas de résistance. Son visage paraissait tendu, et son rythme nerveux trahissait maintenant la peur. Visiblement, il semblait abasourdi de la façon dont son arme, fragile en apparence, mais puissante, le trahissait. Gosseyn s'éloigna de quelques pas et examina l'instrument. Les nervures radiales qui constituaient l'antenne, typiques, confirmaient, s'il en était besoin, la nature de l'énergie utilisée. Arme magnétique, alimentée par une source extérieure, en l'occurrence le champ émis par les machines magnétiques de la coque. Ce champ s'étendait en décroissant sur un rayon d'une dizaine de kilomètres autour du vaisseau.

Gosseyn glissa l'instrument dans sa poche et tenta d'imaginer l'effet de ce qui venait de se produire sur Yanar.

Photographiant l'engin, il avait similarisé une des pointes de décharge sur la zone connue de sa cellule dans la retraite du Disciple. La distance parcourue évitait que le courant ne revînt au vaisseau ; ainsi, l'arme, son énergie détournée, n'avait pas opéré. L'effet psychologique produit devait être un tant soit peu terrifiant.

Le visage de l'homme restait crayeux, mais il serra les machoires, décidé.

— Il faudra me tuer, dit-il, amer.

Ce quadragénaire falot encroûté dans ses réflexes, thalamiquement farci d'habitudes aristotéliciennes, serait dangereux aussi longtemps que Gosseyn et lui se trouveraient réunis sur le vaisseau, car il était capable de tuer pour des motifs purement émotionnels. Il fallait le tuer, l'exiler, ou — Gosseyn sourit, sarcastique — le garder. Il connaissait l'homme qu'il fallait pour ça. Jurig. Mais ce serait pour plus tard. Pour l'instant, il se tourna à demi vers Leej et la questionna avec précision sur les coutumes matrimoniales des Prédicteurs.

— Pas de mariage. C'est bon pour les races inférieures, dit Leej avec dédain.

Elle ne le précisa pas, mais Gosseyn déduisit du reste que Yanar venait au bout d'une longue liste d'amants ; étant plus âgé qu'elle, il avait encore eu de plus nombreuses maîtresses. Ces gens se fatiguaient les uns des autres, et, grâce à leur don de prémonition, pouvaient d'habitude fixer l'heure exacte de leur séparation. L'apparition de Gosseyn interrompait leur aventure plus tôt qu'ils ne le prévoyaient.

Ces mœurs n'attiraient ni ne repoussaient Gosseyn. Il pensa d'abord rassurer Yanar sur le sort de sa maîtresse. Il ne le fit pas. Il désirait conserver un Prédicteur à ses côtés et Leej pourrait se sentir insultée en découvrant qu'il ne faisait pas la cour à des femmes totalement dépourvues de culture Ā.

Il posa une nouvelle question à Leej.

— Outre manger et dormir, que fait Yanar ?

— Il conduit le vaisseau.

Gosseyn fit un signe à Yanar.

— Je vous suis, dit-il brièvement.

Les entretiens ultérieurs avec Leej pouvaient attendre.

Tandis qu'il examinait le vaisseau, Gosseyn se reporta en esprit à ce que disait Leej lorsqu'ils couraient tous deux dans les taillis de l'île du Disciple. « Roulotte », avait-elle dit.

Une aéroulotte. Il se représentait la vie facile menée par ces Prédicteurs depuis tant d'années sur ce monde d'îles et de mers. Voguer paresseusement dans l'air, atterrir quand l'envie vous en prend, où vous le désirez ; embarquer n'importe lequel des êtres inférieurs que vous voulez domestiquer, prendre n'importe lequel des objets dont vous avez envie — une partie de la nature humaine aspirait à ce genre de vie insouciante. Le fait que, en l'occurrence, il s'y ajoutât un asservissement des gens qui ne possédaient pas le précieux don de prophétie était aussi facile à comprendre. La tyrannie peut toujours se justifier devant les esprits peu critiques. En outre, les générations récentes avaient dû grandir dans un milieu où la question de l'esclavage ne se posait pas pour la classe des Prédicteurs. Cette attitude faisait partie des « constantes » de leur système nerveux.

Bien qu'ils ne parussent pas s'en rendre compte, l'apparition du Disciple au milieu de cet idyllique tableau détruisait pour toujours leur simple mode d'existence. Maintenant, l'arrivée du vaisseau de guerre et la présence de Gilbert Gosseyn confirmaient les changements futurs de leur condition. Ou bien s'adapter, ou bien disparaître.

La chambre de contrôle se trouvait à l'avant du vaisseau. Il ne fallut pas longtemps pour en faire le tour. Les organes de commande étaient du type simple « à décharge » utilisé pour l'énergie dérivée du champ magnétique propre de la planète.

Devant le dôme de la chambre de contrôle, d'une transparence limpide, Gosseyn resta un long moment, regardant la mer qui s'étendait en bas. Aussi loin qu'il put voir, c'était toujours une masse d'eaux agitées, sans trace de terre.

Il se détourna pour continuer son examen. Un escalier d'acier se dressait dans un coin. En pente raide, il menait à une trappe fermée. Gosseyn s'y engagea aussitôt.

Dans la pièce, un magasin. Gosseyn regarda les étiquettes des coffres et des boîtes, sans bien savoir ce qu'il cherchait, mais prêt à suivre toute idée qui se présenterait. Soudain, comme il examinait un récipient rempli d'air dégravifié, l'idée surgit.

Tandis qu'il poursuivait sa visite guidée, son plan se faisait plus réalisable. Il jeta un coup d'œil sur chacune des quatre chambres, une salle à manger, et une chambre de contrôle arrière sur le pont principal, puis il descendit au pont inférieur, mais cette fois en quête de quelque chose. Il avait précédemment perçu la présence d'autres êtres humains au-dessous du pont. Il compta en tout six hommes et six femmes, aux manières soumises, qui, à en juger d'après le flux nerveux de leur corps, acceptaient visiblement leur état. Il les exclut de ses calculs et, après un regard aux vastes cuisines et aux magasins, il parvint à l'atelier.

C'est ce qu'il cherchait. Il renvoya Yanar à ses affaires et ferma la porte.

Trois heures plus tard, il sortit de là muni de deux tubes, sur un châssis, qui pourraient prélever une part de l'énergie magnétique des moteurs du vaisseau. Il fila tout droit au premier magasin et passa plus qu'un quart d'heure à remplir d'air dégravifié le réceptacle étanche à l'intérieur duquel il avait disposé ses tubes.

D'abord, l'oscillation fut faible. Elle grandit. La fréquence rythmique grandit dans son cerveau avec régularité. Sur Terre, on classait les tubes à gravitons parmi le groupe des « affamés de radiations ». Privés de gravitons, ils cherchaient la stabilité. Jusque-là, réaction normale. Car toute chose, dans la nature, cherche constamment à réaliser son équilibre. C'est la méthode du tube qui était incroyable. Il émettait des radiations propres pour « quêter » de la matière normale. Chaque fois qu'elles rencontraient un objet, elles envoyaient en retour un signal au tube. Résultat : excitation. Modification de leur fréquence, aussi longtemps que l'objet restait au voisinage. Sur Terre, en de telles occasions, les techniciens disaient : « Voilà encore le vieil Ehrenhaft qui remue la queue... »

Non que cela lui servît. Le tube paraissait ne tenir aucun compte de l'expérience. Le processus se déroulait sans cesse, et sans que la « faim » fût jamais satisfaite. Chose étonnante, comme il en va de bien d'autres phénomènes, cette stupidité même se montrait fructueuse pour ceux qui savaient l'exploiter.

Gosseyn stabilisa le vaisseau à une altitude de huit mille mètres, puis le descendit presque à la surface de l'eau. De cette façon, il put s'accoutumer au rythme normal de variation dû à la présence de l'eau. Finalement, il régla le signal. Qu'il survînt une variation dans le rythme et son cerveau second serait averti, sur quoi il pourrait se similariser dans l'une ou l'autre des chambres de contrôle pour décider des mesures à prendre.

Il avait réalisé un détecteur personnel de domaine très limité, sans utilité contre des armes douées d'une vitesse de dizaine de kilomètres à la seconde, et certainement impuissant au cas où un distorseur galactique possédait un « accord » sur son vaisseau. Mais c'était mieux que rien.

Gosseyn hésita, puis trouva un câble et le mémorisa. Rapidement, en outre, il mémorisa deux séchoirs du sol de la salle de contrôle. Puis, tandis que le soleil disparaissait derrière l'horizon d'eau frémissante, et que le crépuscule s'acheminait vers la nuit, il repartit en direction du grand studio, conscient d'être prêt pour une action efficace.

Lorsque Gosseyn entra, Yanar, assis dans un fauteuil près de la fenêtre, lisait un livre. La chambre luisait de sa douce lumière magnétique. Lumière froide, mais en apparence toujours chaude et intime à cause de la variation infime, mais perpétuelle, de ses couleurs.

Gosseyn s'arrêta à l'entrée et surveilla l'autre attentivement. C'était un test. Il similarisa le câble de la salle de contrôle à la première section de plancher. Et il attendit.

L'autre sursauta et leva le nez de son livre.

Il regarda farouchement Gosseyn, puis se mit debout et alla s'asseoir à l'autre extrémité de la pièce. Un flux régulier de décharge nerveuse inamicale, entremêlé d'impulsions spasmodiques, dénotant le doute, émanait du système nerveux du Prédicteur.

Gosseyn l'observa, convaincu qu'il ne pouvait rien espérer de mieux. Cela pouvait être un effort pour le tromper. Chacun de ses gestes avait pu être prévu et autorisé. Mais il ne le pensait pas.

En conséquence, son problème essentiel à l'égard des Prédicteurs se trouvait résolu. Il pourrait les interroger et brouiller leur vue de l'avenir, rester certain que ses questions ne seraient pas attendues. Il ne restait qu'un problème : être ou ne pas être conciliant envers Yanar ?

Plus important qu'il n'y paraissait. Il faut du temps pour faire des amis, mais il suffit d'un choc instantané pour communiquer à un autre la peur due à la présence d'un supérieur. Le pouvoir de Gilbert Gosseyn sur Yalerta dépendrait de son aptitude à imposer la notion de son invincibilité. D'aucune autre façon il ne pouvait espérer agir à la vitesse extrême indispensable à ses plans et à la situation fondamentale de guerre de la galaxie.

Le problème, c'était celui-ci : à quelle vitesse convenait-il d'opérer ?

Gosseyn s'en fut à la fenêtre. Maintenant, il faisait presque nuit noire, mais le reflet de la mer scintillait dans le clair-obscur. Si cette planète comportait un satellite, il n'apparaissait pas encore au-dessus de l'horizon, ou alors il était trop petit pour refléter une quantité suffisante de lumière.

Il contempla les eaux tavelées de clair et se demanda à quelle distance il se trouvait de la Terre. Cela semblait étrange, anormal même de se rendre compte de l'immensité de cette distance. Cela donnait une impression de petitesse, un sentiment de tout ce qui restait à faire. Il ne pouvait qu'espérer se trouver en mesure d'attendre la puissance qui lui serait indispensable au cours de ces journées critiques à venir. Il fallait qu'il évitât de penser à soi, comme appartenant à une planète donnée ; cependant, il gardait une certaine affection pour le système solaire.

Un bruit attira son attention. Il s'écarta de la fenêtre et constata que les esclaves du pont inférieur s'occupaient dans la salle à manger. Il les regarda pensivement, observant que la plus jeune et la plus jolie était l'objet de petites vexations de la part des deux autres femmes. Environ dix-neuf ans, estima Gosseyn. Elle gardait les yeux baissés, indice significatif. S'il connaissait quoi que ce soit aux thalamiques — et c'était le cas —, il pouvait affirmer que cette fille attendait l'occasion de rendre la pareille à ses tortionnaires. Gosseyn présuma d'après la nature du flux neural émané d'elle que sa meilleure arme serait de faire la coquette avec les domestiques mâles.

Il revint à Yanar, et se décida. Irrévocablement, sans appel, pas d'amitié.

Lentement, il s'approcha de lui, sans tenter d'être silencieux. Le Prédicteur leva les yeux et le vit s'approcher. Il s'agita, mal à l'aise, dans son fauteuil, mais resta au même endroit. Il paraissait malheureux.

Gosseyn vit là un signe favorable. A l'exception de ceux qui s'étaient trouvés en contact avec le Disciple, aucun de ces Prédicteurs ne connaissait la tension pénible née d'une impossibilité de scruter l'avenir à chaque instant. Ce serait intéressant d'en observer l'effet sur Yanar. En outre, il avait lui-même un urgent besoin d'informations.

Gosseyn commença par des questions simples. Et avant chacune d'elles — non seulement au début, mais durant tout l'entretien —, il fit faire l'aller et retour au câble de la salle de contrôle entre les zones un et deux.

A quelques exceptions près, Yanar répondit sans contrainte. Il se nommait en fait Yanar Wilvry Blove, quarante-quatre ans, sans profession — là se manifesta sa première hésitation.

Gosseyn nota mentalement le détail, mais ne fit aucun commentaire. Coup de frein en liaison avec la profession, interruption nette dans le flux nerveux.

— Vos noms ont-ils une signification ? demanda-t-il.

Yanar parut soulagé. Il haussa les épaules.

— Yanar, du centre de naissance de Wilvry, île de Blove.

Tel était donc le procédé. Gosseyn manœuvra le câble une fois de plus, et dit affable :

— Vous possédez véritablement un don d'anticipation. Jamais je n'avais rencontré l'équivalent.

— Sert à rien contre vous, dit Yanar, sombre.

Intéressant de le savoir, bien que sans doute cette affirmation ne suffît pas à garantir la véracité du fait. Par chance, il y avait encore différents moyens de contrôle.

D'ailleurs, rien d'autre à faire que de continuer en supposant Yanar incapable de prévoir ses questions.

L'entretien se poursuivit. Gosseyn ignorait ce qu'il

cherchait exactement. Un fil conducteur, peut-être. Son sentiment de n'être pas sorti du piège du Disciple ne faisait que se préciser. Auquel cas il luttait contre le temps, au sens littéral du terme.

Mais la nature de ce piège ?

Il apprit que les Prédicteurs naissaient de façon normale, d'ordinaire à bord des aéroulottes. Quelques jours après leur naissance, on les transportait jusqu'au premier centre où des places se trouvaient disponibles.

— Que fait-on aux enfants dans ces centres ? demanda Gosseyn.

Yanar secoua la tête. De nouveau, un coup de frein dans son flux nerveux.

— C'est le genre de renseignements que nous ne donnons pas aux inconnus, dit-il sèchement, même pas à...

Il s'arrêta, haussa les épaules et conclut brièvement :

— A personne.

Gosseyn n'insista pas. Il commençait à se sentir inquiet. Les faits révélés restaient valables, mais pas capitaux. Ils ne correspondaient à aucune de ses nécessités présentes.

Mais que faire, sinon continuer ?

— Les Prédicteurs existent depuis longtemps ?

— Plusieurs centaines d'années.

— Alors, c'est le résultat d'une découverte ?

— Il y a une légende..., commença Yanar.

Il s'arrêta et se raidit. Bloqué.

— Je refuse de répondre à ça, dit-il.

Gosseyn demanda :

— A quelle période apparaît la faculté prophétique ?

— Vers douze ans. Parfois un peu plus tôt.

Gosseyn acquiesça, à moitié pour lui-même. Une théorie se formait dans son esprit, et ceci s'y accordait. Le don se développait lentement, comme le cortex humain, comme son propre cerveau second. Il hésita à poser la question suivante, parce qu'elle renfermait une implication qu'il ne désirait pas voir Yanar relever avant qu'il ne soit trop tard. Comme avant, il commença par déplacer le câble et dit :

— Qu'arrive-t-il aux enfants des Prédicteurs pour qui il n'y a pas de place dans les centres d'éducation ?

Yanar haussa les épaules.

— Ils grandissent et vivent dans les îles.

Assis, indifférent, il semblait ne pas se rendre compte qu'il venait de sous-entendre que seuls devenaient Prédicteurs les enfants transportés dans les centres.

Son impassibilité déclencha une autre série de réflexions dans l'esprit de Gosseyn. Il avait fait très attention, mais l'idée le frappa soudain que Yanar ne réagissait pas comme un type que l'on est en train de cuisiner pour la première fois. Il *savait* l'effet que cela faisait de ne pas connaître d'avance les questions posées. Il le savait si bien que ça ne le troublait nullement.

En un éclair, Gosseyn vit le pourquoi. Il recula, affreusement vexé. Incroyable qu'il lui ait fallu si longtemps pour comprendre la vérité. Il regarda le Prédicteur et dit enfin d'une voix calme mais tranchante :

— Et maintenant, voudriez-vous m'expliquer comment vous avez pris contact avec le Disciple ?

Si jamais un homme fut surpris, c'est bien Yanar. Il accusa une réaction émotive d'imprévision absolument totale. Son visage verdit. Le flux émané de son système nerveux se bloqua, repartit, se bloqua et reprit de nouveau.

— Que voulez-vous dire ? finit-il par murmurer.

Question purement théorique ; aussi Gosseyn ne

répéta pas la sienne. Il foudroya le Prédicteur du regard.

— Vite ! Ou je vous liquide ! dit-il.

Yanar s'effondra dans son fauteuil et changea de couleur pour la seconde fois. Il rougit.

— C'est faux... bredouilla-t-il. Pourquoi courrais-je le risque d'appeler le Disciple et de lui dire où vous êtes ? Je suis incapable de faire une chose pareille.

Il se secoua.

— Vous ne pourrez pas le prouver, ajouta-t-il.

Pas besoin de preuves pour Gosseyn. Il avait été dangereusement imprudent de ne pas surveiller Yanar. Aussi, le message parti, le mal était-il fait, Gosseyn n'en doutait point. Le Prédicteur avait eu des réactions trop violentes et trop réalistes. Ne s'étant jamais trouvé obligé de contrôler ses émotions, Yanar s'en montrait incapable. Il suait la culpabilité.

Gosseyn se sentit glacé. Mais il avait fait de son mieux pour se protéger, aussi ne restait-il qu'à tâcher d'obtenir d'autres détails. Il dit, très sec :

— Vous ferez bien de répondre en vitesse, et la vérité. Avez-vous contacté le Disciple lui-même ?

Yanar, morose, haussa les épaules et ce fut un nouveau coup de frein.

— Evidemment, dit-il.

— Vous voulez dire qu'il attendait un appel ?

Gosseyn voulait mettre les choses au point.

— Vous êtes son agent ?

L'homme secoua la tête.

— Je suis un Prédicteur, dit-il.

Il y avait dans sa voix de l'orgueil, mais un orgueil de canaille. Une boucle de ses cheveux gris tombait sur sa tempe. Il ressemblait à tout ce qu'on voulait, mais pas à un noble de Yalerta.

Gosseyn ne releva pas la vantardise. Il le tenait enfin, c'est ce qui comptait.

— Que lui avez-vous dit ?

— Que vous étiez à bord.

— Qu'a-t-il répondu ?

— Qu'il le savait.

— Ah ! dit Gosseyn.

Il fit une pause, mais une seconde seulement. Son esprit bondit au-devant de nouveaux aspects de la situation. Il se posa une série rapide de questions vitales. Au moment où il connut les faits, il se similarisa en compagnie de Yanar, dans la salle de contrôle et ne le lâcha pas d'une semelle, tandis que l'autre, tremblant, sortait des cartes et lui montrait le large cercle de cinquante kilomètres de rayon décrit par le vaisseau tout autour de l'île du Disciple.

Gosseyn modifia la direction vers l'île de Crest, à quelques centaines de kilomètres au nord-ouest. Puis il fit demi-tour pour dévisager le Prédicteur.

— Maintenant, dit-il d'un ton menaçant, le problème suivant se pose : que fait-on des traîtres ?

L'autre pâlit, mais un peu de sa terreur l'abandonna. Il fit face :

— Je ne vous devais rien. Vous pouvez me tuer, mais je n'avais pas à être loyal avec vous et je ne le serai pas.

Ce n'est pas la loyauté, mais la crainte que désirait Gosseyn. Il fallait s'assurer que ces Prédicteurs y regardent à deux fois avant de s'attaquer à lui. Mais que faire ?

Il paraissait impossible de prendre une décision précise. Il fit demi-tour et revint au studio. Comme il entrait, Leej surgit, venant des chambres. Il alla vers elle, légèrement contracté.

« Quelques questions, madame, pensa-t-il. Comment Yanar a-t-il pu avertir le Disciple sans que cet acte soit prévisible ? Expliquez-moi donc ça ? »

La femme s'arrêta et l'attendit souriante. Mais son sourire disparut. Son regard se posa derrière Gosseyn, un peu de côté. Gosseyn se retourna et regarda.

Il ne sentit rien, n'entendit rien et ne perçut même

pas la présence maintenant qu'il la voyait. Mais une forme se matérialisa à trois mètres de lui à droite. Elle s'obscurcit, mais il voyait pourtant le mur derrière elle. Elle s'épaissit, mais elle n'avait pas de substance.

Il se tendit. Le moment de sa rencontre avec le Disciple venait d'arriver.

9

Non-axiomes.

La sémantique traite de la signification des significations, ou de la signification des mots. La sémantique générale traite des rapports du système nerveux humain et du monde extérieur, et par suite elle englobe la sémantique. Elle constitue une méthode d'intégration pour toute pensée et toute expérience humaine.

Il y eut un silence. Le Disciple paraissait le regarder, car maintenant la masse d'ombre restait immobile. La brève, intense angoisse de Gosseyn commença de s'atténuer. Il regarda son ennemi d'un œil vif, et, rapidement, son attitude se modifia.

En fait, que pouvait le Disciple contre lui ?

Prudemment, Gosseyn détourna un instant les yeux pour enregistrer le reste du tableau. S'il devait y avoir une bataille, il désirait se trouver dans la position la plus favorable.

Leej restait figée à sa place, le corps rigide, les yeux toujours anormalement agrandis. Pendant le moment très court où son attention se fixa sur elle, il nota que le flux nerveux qui la caractérisait témoignait d'une angoisse permanente. Cela pouvait se rapporter exclusivement à elle-même, mais Gosseyn ne le pensa pas. Son destin était trop étroitement lié à celui de Gosseyn. Il élimina toute possibilité de danger de ce côté-là.

Ses yeux se posèrent sur la porte du couloir qui menait à la salle de contrôle. Là, une fraction de seconde, il cessa de voir le Disciple. Il reprit aussitôt sa position première, mais il savait ce qu'il voulait savoir. La porte était trop loin et ça l'obligeait à trop se retourner pour la voir.

Gosseyn commença de reculer vers le mur derrière lui. Il se mouvait lentement. Diverses pensées lui traversèrent l'esprit, diverses possibilités de danger. Yanar. Le Prédicteur, constata-t-il après un vif sondage de son cerveau second, se trouvait encore dans la chambre de contrôle. Des vibrations hostiles naissaient en lui.

Gosseyn sourit. Il se rendait très bien compte de quelle façon Yanar pourrait lui faire beaucoup de mal à un instant critique. De mémoire, il visualisa le mur derrière lui, qui possédait les fentes de conditionnement d'air exigées par son dessein. Il se tourna légèrement de côté, de façon que le doux courant d'air lui frappât directement le dos, et là, un talon calé contre le mur, il se fixa en position d'attente.

Ceci fait, il examina son ennemi d'un œil observateur.

Un homme ? Difficile de croire qu'une forme humaine puisse devenir si nuageuse, si impalpable. La masse d'ombre restait informe. Gosseyn vit, maintenant qu'il l'observait plus attentivement, qu'elle vacillait un peu. Sous ses regards fascinés, elle se modifia et s'estompa sur les bords, pour se retendre comme si la matière brumeuse se gonflait sous une pression venue de l'intérieur.

Prudemment, Gosseyn sonda cette épaisseur gazeuse. Il restait prêt à annuler les énergies potentielles.

Mais il n'y avait rien.

Il attendit le petit répit habituel nécessaire à la photographie d'un objet. Toujours rien. Pas d'image.

Pas d'image normale, c'est-à-dire. Le cerveau second enregistrait la présence d'air. Mais l'ombre elle-même ne donnait rien.

Il se rappela les paroles de Leej, et que le Disciple serait un individu déphasé. D'après d'autres remarques, il supposait que l'homme savait le moyen de se déphaser dans le temps. En quelque sorte, pas dans ce temps-ci. Présent, mais pas dans le présent.

Soudain, il se rendit compte que son postulat reposait sur quelque chose de beaucoup plus hasardeux que ça. Il avait admis que Leej savait ce qu'elle disait.

Et où aurait-elle pris l'idée que le Disciple fût hors de phase ? Mais dans la propagande même du Disciple ! Ni elle ni les Prédicteurs ne possédaient le moindre sens critique, au moins du point de vue scientifique. Les Prédicteurs fondaient leur science sur les îles. Ainsi, dans leur naïveté, ils admettaient les affirmations mêmes du Disciple.

— Leej !

Gosseyn parla sans la regarder.

— Oui ? dit-elle tremblante.

— Avez-vous jamais vu le Disciple à l'état d'homme, et sans son maquillage ? conclut-il, sardonique.

— Non.

— Connaissez-vous quelqu'un qui l'ait vu ?

— Oh ! oui. Yanar, et bien d'autres. Il a grandi depuis son enfance, vous savez.

Un instant, Gosseyn fut effleuré par l'idée que Yanar et l'ombre ne fissent qu'un. Yanar, dans la salle de contrôle, manipulant son mannequin sombre.

Mais il la rejeta. Les réactions de l'homme, tant internes qu'externes, restaient sans envergure. Le Disciple, c'était autre chose.

Comment le Disciple opérait-il, impossible d'en juger sur l'apparence. Mais autant valait éliminer les suppositions de gens qui ignoraient en fait la vérité.

Gosseyn attendit.

Un index mental, en lui, hésitait sur la détente nerveuse qui déverserait les quarante mille kilowatts de la dynamo dans la retraite du Disciple, à travers l'espace, dans la substance d'ombre. Mais il n'appuya pas. Cette fois, il ne voulait pas forcer la décision.

Il n'attendit pas longtemps. Une voix profonde et sonore jaillit du vide d'ombre.

— Gilbert Gosseyn, je vous offre l'association.

A un individu qui se ramassait pour un combat à mort, ces mots firent presque l'effet d'une bombe.

Il s'adapta rapidement à la situation. Il restait déconcerté, mais son scepticisme disparut. En fait, Leej l'avait préparé à quelque chose de ce genre. Lui racontant la visite du Disciple pendant sa période d'inconscience, elle le décrivait comme un individu qui préférait se servir des gens plutôt que les tuer.

Intéressant, mais pas convaincant, qu'il se soit décidé pour une offre à parts égales...

Gosseyn ne demandait qu'à se laisser convaincre.

— Entre nous, dit la chose d'ombre de sa voix puissante, vous et moi pourrions dominer la galaxie.

Gosseyn dut sourire, mais d'un sourire désagréable. Le mot « dominer » semblait mal calculé pour gagner la confiance d'un individu élevé selon ses méthodes.

Mais il ne répondit rien. Il voulait tout entendre en faisant le moins possible de commentaires.

— Naturellement, dit l'ombre, je vous avertis que, si vous deviez vous révéler moins puissant que je ne le crois, vous seriez le cas échéant confiné à un rôle de subordonné. Mais actuellement, je vous offre la pleine association, sans conditions.

Ironique, Gosseyn pensa que c'était bien là le langage thalamique. Sans conditions, naturellement !

108

Aucun doute là-dessus, on s'attendait qu'il prêtât la main aux desseins du Disciple. Les gens ont tendance à projeter leurs propres espoirs, leurs propres désirs, si bien qu'*un* plan personnel devient *le* plan.

Prochaine étape : des menaces sanglantes.

— Si vous refusez, dit la voix sonore, vous et moi serons des ennemis et vous serez détruit sans merci.

« Et voilà, se dit Gosseyn, cynique. Tous les symptômes de la névrose sont en place. »

Il avait dû faire une anaylse correcte. Le silence s'établit dans la pièce. Une fois de plus, pendant un bref instant, il n'y eut que la course du vaisseau à travers le ciel nocturne sur les ailes de l'énergie magnétique.

De toute évidence, il fallait répondre.

Que devait-il dire ?

Sans détourner les yeux, Gosseyn vit Leej se diriger prudemment vers un fauteuil. Elle y parvint et poussa un soupir audible en s'y laissant tomber. Ceci amusa doucement Gosseyn qui se reprit tandis que le Disciple continuait de sa voix d'acier :

— Alors ?

Une amorce de décision commençait à s'élaborer chez Gosseyn, à demi déterminé à éprouver la force de l'autre. L'éprouver sur-le-champ. Mais tout d'abord, autant de renseignements qu'il pourrait en recueillir.

— Où en est la guerre ? dit-il pour temporiser.

— Je prédis une victoire sans réserve d'Enro d'ici trois mois.

Gosseyn dissimula sa surprise.

— Vous *voyez* réellement la victoire ?

L'hésitation fut si minime que Gosseyn, ensuite, se demanda s'il ne l'avait pas imaginée.

— Parfaitement, dit l'autre avec fermeté.

Pas possible d'accepter ça puisque le cerveau second n'entrait même pas en ligne de compte dans cette évaluation. La possibilité fort admissible d'un mensonge fit Gosseyn de nouveau sarcastique :

— Pas de flou ?

— Aucun.

Il y eut une interruption de Leej, qui remua. Elle s'assit et dit, d'une voix claire :

— Ça, c'est un mensonge. Je peux prévoir tout ce que peuvent prévoir les autres. Et il est difficile de prévoir en détail plus de trois semaines à l'avance. Et même ainsi, ça reste dans certaines limites.

— Femelle, tiens ta langue !

Leej rougit violemment.

— Disciple, dit-elle, si vous ne pouvez pas vaincre avec ce que vous avez réellement de puissance, vous êtes pratiquement fini. Et ne croyez pas un instant que je me sente obligée d'obéir à vos ordres. Je ne désire pas, je n'ai jamais désiré votre victoire.

— A la bonne heure ! dit Gosseyn.

Mais il se rembrunit et nota mentalement un point dont il reparlerait. Les paroles de Leej laissaient entrevoir une collaboration antérieure avec le Disciple.

— Leej, dit-il sans la regarder, y a-t-il du flou dans les semaines qui viennent ?

— Il n'y a rien du tout ! répondit-elle. C'est comme si on avait tout supprimé. Le futur est vide.

— Peut-être, dit le Disciple d'une voix douce mais sonore, est-ce parce que Gosseyn est sur le point de mourir.

Il ajouta très vite :

— Mon ami, vous avez cinq secondes pour vous décider.

Les cinq secondes s'écoulèrent en silence.

Gosseyn avait prévu trois sortes d'attaques possibles. D'abord, le Disciple pourrait essayer d'utiliser contre lui la puissance du vaisseau de Leej. Il découvrirait très vite que cela resterait sans effet. En second lieu et plus probablement, il s'adresserait peut-être à une source d'énergie de sa retraite puisque c'était là sa base d'opérations. Non moins vite, il s'apercevrait de son inefficacité. Enfin, il pouvait faire appel à une source extérieure d'énergie. Auquel cas, Gosseyn espérait qu'elle opérait dans l'espace et non selon les lois de la similarité.

Si elle se transportait dans l'espace, le dispositif monté par lui la détecterait et son cerveau second serait alors en mesure de la similariser sur l'onde porteuse des tubes.

Ce fut une combinaison de l'ensemble. Un distorseur et une source d'énergie électrique puisée à la retraite. Gosseyn perçut la brusque rétrogradation du courant de la dynamo de 40 000 kilowatts. C'est ce qu'il attendait, à quoi il était prêt. Il y avait dans son cerveau second des « commutateurs » qui, une fois réglés, fonctionnaient plus vite que n'importe quel commutateur électrique.

Le seul problème, avec sa méthode particulière d'action sur la matière et l'énergie, c'est qu'il fallait relativement un certain temps pour « établir lc schéma initial ».

L'impulsion elle-même était automatique.

Toute la puissance de la dynamo reflua, non comme l'entendait le Disciple, dans un souffleur, mais conformément aux directives du cerveau second. D'abord, Gosseyn la laissa se vider, inoffensive dans le sol, en l'une des zones mémorisées sur l'île. Il désirait que le Disciple prît conscience que l'attaque ne se déroulait pas conformément au plan.

« Un, dcux, trois », compta-t-il délibérément ; et sans plus attendre, il la similarisa dans l'espace contigu à la forme d'ombre.

Il y eut un éclair de flamme plus blanc que le soleil.

La matière obscure l'absorba sans effort. Elle encaissa jusqu'au dernier watt, et résista, tremblotant un peu, mais sans rien d'anormal. Elle tenait.

Le Disciple dit alors :

— Il semble que nous arrivons à une impasse.

Cette réalité s'imposait à Gosseyn, trop conscient de ses déficiences propres. Sans y paraître, Gilbert Gosseyn était ridiculement vulnérable. Une décharge inattendue, d'une source de puissance non encore prise en main par lui, et il périrait.

Que sa conscience se transporte alors dans un corps de dix-huit ans, qu'il subisse une continuité d'existence apparente, ceci ne modifierait en rien le sens de sa défaite. Ce n'est pas un adolescent qui sauverait la galaxie. Qu'un ou plusieurs gosses de dix-huit ans se mêlent un peu trop de tout cela, et des gens plus âgés et plus puissants, comme le Disciple, les éloigneraient de la scène.

Il transpirait. Une fraction de seconde, il eut l'idée de tenter quelque chose encore jamais tenté. Mais il l'élimina presque aussitôt. La puissance atomique n'était qu'une des formes d'énergie qu'il pouvait contrôler grâce à son cerveau second. Mais le savoir possible et le faire réellement, ceci constituait deux aspects entièrement différents du problème.

Dans cet espace restreint, le rayonnement atomique risquait d'être aussi dangereux pour l'utilisateur que pour l'adversaire.

— Je pense (et la voix du Disciple coupa le fil de ses pensées) que nous ferions mieux de nous entendre. Je vous avertis que je n'ai pas encore utilisé toutes mes ressources.

Gosseyn le croyait volontiers. Il suffisait que le Disciple fît appel à une source d'énergie extérieure pour vaincre instantanément dans ce combat tendu et meurtrier. Au mieux, Gosseyn pourrait battre en retraite sur l'île du Disciple. Oui, il s'en fallait d'aussi peu qu'il fût repris ignominieusement.

Pourtant, il n'osa pas utiliser la puissance atomique de la pile en action dans la retraite.

Il fit la célèbre pause cortico-thalamique et se

dit consciemment : « Il y a dans cette situation plus de choses qu'il n'y paraît. Aucun être ne peut encaisser quarante mille kilowatts sans sourciller. Par suite, je suis en train de faire une identification. Il y a une explication de cette forme d'ombre qui dépasse mes connaissances personnelles en physique. »

Mais aux immenses connaissances de *qui* faisait donc appel le Disciple, qui avouait lui-même ne pas savoir grand-chose de tout cela ?

Mystère aussi profond que celui que posait l'existence même d'un être comme le Disciple.

La silhouette d'ombre rompit le silence.

— J'admets, dit-il, que vous m'avez pris par surprise. La prochaine fois, j'opérerai selon des bases différentes.

Il s'interrompit.

— Gosseyn, pouvez-vous considérer la possibilité d'une association ?

— Oui, mais selon mes conditions.

— Quelles sont-elles ? demanda l'autre après une brève hésitation.

— D'abord, vous utiliserez les Prédicteurs contre Enro.

— Impossible, dit sèchement l'autre. La Ligue doit s'effondrer et la civilisation doit perdre sa cohésion le plus tôt possible. J'ai une raison très particulière d'exiger la création d'un Etat universel.

Gosseyn se souvint avec déplaisir d'avoir déjà entendu ça. Il se raidit.

— Au prix de cent milliards de morts, dit-il. Non, merci.

— Je suppose que vous êtes un non-A, railla l'autre.

Inutile de le nier. Le Disciple connaissait l'existence de Vénus, son emplacement, et pouvait sans doute ordonner sa destruction à n'importe quel moment.

— Je suis un non-A, reconnut Gosseyn.

Le Disciple dit :

— Et si je vous disais que je serais préparé à admettre un Etat universel non-A ?

— J'hésiterais à prendre ceci comme un fait.

— Et pourtant, je pourrais l'envisager. Je n'ai pas eu le temps d'examiner en détail cette philosophie non-aristotélicienne, mais, si je comprends bien, c'est une méthode scientifique de pensée. Est-ce correct ?

— C'est une façon de penser, dit prudemment Gosseyn.

La voix du Disciple contenait une note méditative lorsqu'il reprit la parole.

— Jamais encore, dit-il, je n'ai rencontré de raisons de craindre la science en aucun de ses domaines. Je ne peux pas avoir besoin de commencer maintenant. Eh bien, voici : accordons-nous tous deux quelque réflexion sur ces problèmes. Mais à notre prochaine rencontre, il faudra vous décider. Dans l'intervalle, je vais essayer de vous interdire toute mise en œuvre extérieure de l'énergie de cette planète.

Gosseyn ne dit rien et, cette fois, le silence dura. Lentement, la forme d'ombre commença à se dissiper.

Malgré la clarté régnante, il était difficile de dire quand disparut la dernière trace.

Un moment d'attente, et la dynamo de la retraite du Disciple se mit à perdre de la puissance. Trente secondes, et le flux s'arrêta.

Un autre moment, et la pile stoppa. Presque au même instant, l'énergie magnétique de la retraite tomba à zéro.

Le Disciple avait astucieusement raisonné ; même s'il ne soupçonnait pas toute la vérité, il venait de prendre une mesure aussi efficace que si elle résultait d'une analyse précise et complète des faits.

Seule l'énergie magnétique du vaisseau restait à la disposition de Gosseyn.

10

Non-axiomes.

Dans l'intérêt de la raison, DATEZ. Ne dites pas : « Les savants croient. » Dites « Les savants croyaient en 1948... » ou « Jean Dupont (1948) est socialiste... » Toutes choses, y compris les opinions politiques de Jean Dupont, sont sujettes au changement, et l'on ne peut, par conséquent, les mentionner que si elles sont déterminées dans le temps.

Lentement, Gosseyn reprit conscience du cadre. Il tourna la tête vers la salle à manger où les domestiques s'activaient quelques instants auparavant. On ne les voyait plus. Il apercevait l'angle de la table qui paraissait servie bien que l'on ne vît pas de nourriture.

Son regard se dirigea vers Leej, se posa sur elle assez longtemps pour constater qu'elle se levait, puis revint vers la porte qui menait à la chambre de pilotage. De sa place, il distinguait toute la longueur du couloir, et même une partie de la coupole, mais pas trace de Yanar.

Le vaisseau suivait immuablement sa course.

Leej rompit le silence.

— Vous y êtes arrivé ! murmura-t-elle.

Gosseyn s'éloigna du mur. D'un geste, il l'interrompit, mais il ne lui dit pas que le Disciple venait d'annuler la victoire en question.

Leej, les yeux brillants, vint à lui.

— Vous ne vous rendez pas compte, dit-elle, que vous avez vaincu le Disciple ?

Elle lui caressa le bras de ses doigts agiles et tremblants.

— Venez ! lui dit Gosseyn.

Il se dirigea vers la salle de pilotage. Lorsqu'il entra, Yanar se penchait, attentif, sur le récepteur radiomagnétique. D'un coup d'œil, Gosseyn comprit ce qu'il faisait : il attendait de nouvelles instructions. Sans un mot, il s'avança et, par-dessus l'épaule de Yanar, rompit le contact.

L'autre sursauta, puis se raidit et se retourna, l'air mauvais. Gosseyn dit :

— Faites vos paquets si vous en avez. Vous descendez à la prochaine.

Le Prédicteur haussa les épaules. Sans un mot, il quitta la pièce.

Pensif, Gosseyn le regarda s'éloigner. La présence de l'homme l'ennuyait. C'était un ennui mineur, un tout petit embêtement, dont la seule importance à l'échelle galactique venait de sa qualité de Prédicteur. Ceci, malgré son caractère faible et entêté, le rendait intéressant.

Malheureusement, ce n'était qu'un homme entre deux millions, ni typique ni différent de ceux de son espèce. Gosseyn pouvait formuler certaines hypothèses prudentes concernant les Prédicteurs d'après ses observations de Leej et de Yanar. Mais de telles conclusions risquaient de se trouver subitement en défaut.

Il écarta l'idée de Yanar et se tourna vers Leej.

— Combien de temps pour arriver à Crest où se trouve le vaisseau de guerre ?

La jeune femme s'approcha d'un écran mural resté inaperçu de Gosseyn. Elle pressa un bouton.

Aussitôt, une carte s'éclaira d'un vif relief. On voyait l'eau, les îles et un minuscule point lumineux. Elle le désigna.

— C'est nous, dit-elle.

Elle montra une terre massive un peu plus haut.

— C'est Crest.

Soigneusement, elle compta de fines lignes graduées qui se croisaient sur la carte.

— Environ trois heures vingt, dit-elle. Nous aurons tout le temps de dîner.

— Dîner ! lui fit écho Gosseyn.

Puis il sourit et secoua la tête, un peu comme pour s'excuser lui-même. Il était terriblement affamé, mais avait presque oublié l'existence de ces instincts normaux.

Il allait être agréable de se détendre.

Le dîner.

Gosseyn regarda la jeune domestique lui remplir un verre à cocktail qui contenait des morceaux d'une matière semblable à du poisson. Il attendit que Yanar fût servi à son tour par une des femmes plus âgées et intervertit les deux verres par similarisation.

Il goûta le sien. C'était du poisson, fortement assaisonné. Après la première réaction, délicieux. Il mangea le tout, puis reposa sa fourchette et regarda Leej.

— Que se passe-t-il dans votre esprit lorsque vous prévoyez ?

La jeune femme répondit, sérieuse :

— C'est automatique.

— Vous voulez dire que vous ne suivez pas une méthode ?

— Eh bien...

— Faites-vous une pause ? Pensez-vous à un objet ? Etes-vous obligée de le voir ?

Leej sourit, et même Yanar parut se détendre, presque s'amuser, un peu railleur. Elle dit :

— On voit, c'est tout. Ce n'est pas quelque chose à quoi on a besoin de penser.

Tel était donc le genre de réponses dont ils se satisfaisaient. Ils étaient différents. Ils étaient spéciaux. Réponse stupide pour gens stupides. En réalité, la complexité de la chose atteignait un degré sans précédent. Les processus de voyance se déroulaient sur un plan non verbal. Tout le système non-A visait de façon méthodique à coordonner les réalités non verbales et leurs projections verbales. Même sur Vénus Ā, le fossé entre l'interprétation et l'événement ne s'était jamais trouvé totalement comblé.

Il attendit ; on ôtait les verres vides et on les remplaça par une assiette contenant une viande brun rouge, trois sortes de légumes et une sauce claire tirant sur le vert. Il fit l'échange avec Yanar, goûta les légumes et se coupa une bouchée de viande. Puis il dit :

— Tâchez d'expliquer.

Elle ferma les yeux.

— Je me suis toujours représenté ça comme flotter dans le courant du temps. C'est une projection. Des souvenirs me viennent à l'esprit, mais ce ne sont pas de vrais souvenirs. Très clairs, très précis. Des images visuelles. Que voulez-vous savoir ? Demandez quelque chose qui n'ait pas de rapport avec vous. *Vous*, vous brouillez tout.

Gosseyn avait reposé sa fourchette. Il aurait aimé une prédiction concernant Vénus, mais il faudrait y mêler son avenir. Il dit :

— La jeune fille qui me sert ?

— Vorn ?

Leej secoua la tête et sourit à la fille qui se tenait droite, très pâle.

— C'est trop dur pour leurs nerfs. Je vous dirai son avenir plus tard, entre nous, si vous voulez.

La fille soupira.

— Le vaisseau de guerre galactique de Crest ? dit Gosseyn.

— Vous devez être lié à ça parce que c'est brouillé.

— Maintenant ?

Cela le surprit.

— Avant même que nous ne soyons arrivés ?

— Oui.

Elle hocha la tête.

— Ça ne répond pas à votre question, hein !

— Vous pourriez suivre quelqu'un jusqu'à un autre système solaire ?

— Ça dépend de la distance. Il y a une limite.

— Combien ?

— Je ne sais pas. Je n'ai pas assez d'expérience.

— Alors comment savez-vous les événements ?

— Le vaisseau recruteur galactique publie des communiqués.

— Des communiqués ?

Elle sourit.

— Ils ne sont pas entièrement sous les ordres du Disciple. Ils essaient de rendre ça excitant.

Gosseyn se rendit compte du procédé. Il fallait présenter le projet sous des couleurs fascinantes à l'intention d'esprits assez infantiles à de multiples égards. Et les agents de publicité étaient assez astucieux pour souligner les obstacles.

— Ces images mentales... dit-il. Pouvez-vous suivre les lignes d'avenir d'une personne que vous connaissiez ? Et qui ait pris du service ?

Elle soupira et secoua la tête.

— C'est trop loin. Une fois, le communiqué a parlé de dix-huit mille années-lumière.

Gosseyn se rappela Crang indiquant dans sa conversation avec Patricia Hardie (ou plutôt avec Reesha, la sœur d'Enro) que les bases galactiques de transport par distorseur ne pouvaient guère être à plus de mille années-lumière les unes des autres.

Théoriquement, le transport par similarité était

instantané ; et théoriquement, la distance spatiale n'importait pas ; en pratique, il existait une marge d'erreur, les instruments étant imparfaits. Une similitude à vingt décimales, point critique où naissait l'interaction, n'était pas une similitude totale.

Apparemment, le don des Prédicteurs présentait des lacunes, même en dehors de la présence de Gilbert Gosseyn. Cependant, quelle que fût la distance à laquelle leur don s'exerçait, cela convenait fort bien à une bataille dans l'espace.

Gosseyn hésita, puis demanda :

— De combien de vaisseaux à la fois, environ, pourriez-vous suivre les mouvements ?

Leej parut surprise.

— Ça n'a pas d'importance. Tous ceux qui seraient en rapport avec l'événement, naturellement. C'est, il est vrai, une importante restriction.

— Restriction ! dit Gosseyn.

Il se leva et, sans un mot, se dirigea vers la salle de commande.

Il était resté indécis à propos des Prédicteurs. Et prêt à laisser le vaisseau galactique continuer à les recruter jusqu'à ce qu'il prenne une décision concernant la date de sa tentative d'assaut. Maintenant, il lui parut que ce serait peut-être dans longtemps. Un homme ne capture pas un transport de guerre sans préparation.

Il fallait exécuter une manœuvre préliminaire.

Au bout de la grande pièce, Gosseyn s'arrêta et se retourna.

— Leej ! appela-t-il. J'aurai besoin de vous.

Déjà, elle était debout et le rejoignit dans la coupole, une minute après.

— C'est un dîner court, dit-elle, anxieuse.

— On finira tout à l'heure, dit Gosseyn, attentif. Y a-t-il une longueur d'onde sur cette radio que l'on puisse utiliser pour émettre une communication générale ?

120

— Mais oui. Nous avons ce que nous appelons une bande d'urgence qui... (Elle s'arrêta.) Qui sert à coordonner nos mouvements en cas de menace.

— Réglez ça ! dit Gosseyn.

Elle le regarda, surprise, mais quelque chose dans son expression dut la décider à se taire. Un moment encore et Gosseyn parla. Comme avant — cela devenait automatique — il faisait faire l'aller et retour au câble, immédiatement avant chaque phrase. Il dit d'une voix sonore :

— Appel à tous les Prédicteurs. A partir de ce moment tout Prédicteur découvert ou capturé à bord d'un vaisseau de guerre du Plus Grand Empire sera exécuté. Leurs amis sont invités à transmettre le présent message à ceux qui se trouvent déjà à bord de tels vaisseaux. Vous pouvez juger de la valeur de l'avertissement présent au fait qu'aucun de vous n'a pu prévoir l'appel en question. Je répète : tout Prédicteur trouvé à bord des vaisseaux de Guerre d'Enro sera exécuté. Sans exception.

Il revint à la salle à manger, termina son repas et revint à la salle de contrôle. Deux heures et demie plus tard, de ce poste d'observation, il vit, au loin, les lumières d'une ville. Sur la demande de Yanar, le vaisseau descendit en vue d'un bâtiment que Leej appelait une gare aérienne. Dès qu'ils furent repartis, Gosseyn mit l'accélérateur au maximum et se glissa à la fenêtre d'où il examina la ville, plus bas. Que de gens ! Il vit les lumières entrelacées d'innombrables doigts d'eau. Parfois, l'océan pénétrait jusqu'au centre de la ville.

Tandis qu'il regardait, tout s'éteignit. Surpris, il ne vit plus que le noir. A côté de lui, Leej s'exclama :

— Je me demande pourquoi ils ont fait ça !

Gosseyn aurait pu répondre à la question, mais il ne le fit point. Le Disciple ne prenait pas de risques. Evidemment, il avait une théorie concernant les aptitudes de Gosseyn à contrôler l'énergie, et il veillait à ce qu'il ne s'en trouvât pas de disponible.

Leej dit :

— Où allons-nous maintenant ?

Lorsqu'il le lui dit, elle perdit un peu ses couleurs.

— C'est un vaisseau de guerre, dit-elle, il y a des centaines de soldats à bord, et des armes qui peuvent vous tuer d'un tas de directions à la fois.

C'était assez exact. Le danger, en essayant de se servir de son pouvoir particulier pour prendre le vaisseau, c'est qu'il serait virtuellement impossible d'annuler ou de contrôler de grandes quantités d'armes manuelles. C'est en de telles circonstances qu'un accident fatal pouvait aisément se produire.

Mais les événements l'obligeaient à agir plus rapidement que prévu. En réalité, il avait déjà utilisé ses armes les plus fortes contre le Disciple. En conséquence, plus tôt il quitterait Yalerta, mieux cela vaudrait. Quelque part dans la galaxie, il trouverait une explication scientifique de l'invulnérabilité du Disciple, et en fait, jusqu'à la connaissance d'un moyen d'attaque rationnel, mieux valait se tenir à l'écart de l'individu.

En outre, le vaisseau de guerre galactique restait le seul moyen qu'il possédât de quitter cette planète isolée.

Les risques les plus grands restaient à courir.

★

Une demi-heure plus tard, il aperçut de la lumière. Tout d'abord le vaisseau galactique ne fut guère qu'une tache brillante dans l'ombre de la nuit, mais si clairs étaient ses feux qu'il fut bientôt nettement distinct. Gosseyn fit décrire à l'appareil de Leej une vaste orbite autour de l'autre et en étudia les abords au moyen d'une longue-vue magnétique.

Il avait environ deux cents mètres de long. Un petit vaisseau, selon les proportions galactiques. Mais il ne venait sur Yalerta que pour une raison déterminée. A bord se trouvait un appareil de transport par distorseur. Cette invention, probablement sans égale dans l'histoire de la science, permettait à à l'homme de se déplacer dans les vastes espaces comme si ceux-ci n'existaient pas. Qu'un Prédicteur entrât dans la cage du distorseur à bord du vaisseau de guerre et il se trouverait transporté à cent ou mille années-lumière de là, presque instantanément.

Le vaisseau reposait sur une plaine. Pendant les quarante minutes que Gosseyn l'observa, deux aéroulottes sortircnt de l'ombre. Ils n'arrivèrent pas en même temps, et atterrirent doucement près d'un point lumineux qui devait être l'ouverture d'un sas. Gosseyn supposa qu'il s'agissait de volontaires ; ce qui l'intéressa, c'est qu'en chaque occasion, l'aéroulotte repartit avant que l'on ne laissât monter le volontaire à bord du vaisseau galactique.

C'est ce genre de détails qu'il avait désiré découvrir.

Ils s'approchèrent vaillamment. A dix kilomètres, il put commencer à percevoir l'énergie du bord — et connut une grande désillusion. De l'électricité seulement, et en faible quantité. La pile propulsive était éteinte.

Gosseyn se sentit très ennuyé. Dans son inquiétude, il se mit à siffloter. Il s'aperçut que Leej l'observait.

— Mais vous êtes nerveux ! s'étonna-t-elle.

« Nerveux, pensa-t-il avec colère, incertain, indécis. » Parfaitement vrai. Dans l'état actuel des choses, il pouvait attendre en espérant améliorer sa position par rapport au vaisseau. Ou faire une tentative tout de suite.

— Ce pouvoir que vous avez, dit Leej, votre façon de faire ces choses, comment ça marche ?

Tiens ! elle finissait par se le demander. Gosseyn sourit, et hocha la tête.

— C'est un peu compliqué, dit-il, et sans vouloir vous vexer, un peu au-delà de vos connaissances scientifiques. Ça se passe de cette manière, à peu près : la zone étendue que nous nommons espace-temps est probablement une illusion des sens ; c'est-à-dire que toute réalité que cela peut avoir n'a guère de rapports avec ce que nous voyons, sentons ou touchons. De la même façon que vous paraissez mieux orientée, en tant que Prédictrice, dans le continuum réel espace-temps, avec l'accent sur le temps — je veux dire mieux orientée que l'individu normal — de même je suis mieux orienté avec, dans mon cas, l'accent sur l'espace.

Elle parut ne pas avoir entendu.

— Vous n'êtes pas vraiment tout-puissant, n'est-ce pas ? Quelles sont vos limites ?

— Ça ne vous ennuie pas, dit Gosseyn, que je réponde à cette question plus tard ? Je viens juste de me décider à quelque chose.

★

Leej dirigea le vaisseau aérien dans la nuit. Elle devenait de plus en plus pâle à mesure qu'elle écoutait les instructions.

— Je ne crois pas que vous ayez le droit, dit-elle, tremblante, de me demander de faire ça.

Gosseyn dit :

— Je voudrais vous poser une question.

— Oui ?

— Quand vous étiez dans la prison avec Jurig, que serait-il arrivé s'il m'avait tué ? Le Disciple vous aurait-il sauvé ?

— Non, je n'étais qu'un moyen de vous pousser à la limite de vos possibilités. Si ça ratait, ça ratait pour moi aussi.

— Alors ? demanda doucement Gosseyn.

124

Elle restait silencieuse, les lèvres closes. Le flux nerveux émané d'elle avait passé d'une irrégularité angoissée à une pulsation tendue, mais constante. Elle leva enfin les yeux.

— Bon, dit-elle. Je le ferai.

Gosseyn lui tapota le bras, en signe d'approbation muette. Il ne se fiait pas complètement à Leej. Il restait possible que ceci fût un piège. Mais la chose d'ombre avait déjà pu se rendre compte qu'emprisonner Gosseyn restait plus facile à dire qu'à faire.

Les yeux de Gosseyn s'étrécirent, décidés. Il ne pouvait pas s'arrêter. Il se sentait une immense confiance en ses aptitudes à ce point de vue aussi longtemps qu'il ne se laissait pas aller à une trop grande prudence devant l'obstacle.

Sa rêverie s'interrompit tandis que le faisceau d'un projecteur fouillait le dôme. Il y eut un déclic dans le récepteur et une voix masculine dit :

— Atterrissez dans la zone éclairée à cent mètres de l'entrée, s'il vous plaît.

Leej manœuvra le vaisseau sans mot dire. Lorsqu'ils furent immobilisés, la voix reprit :

— A combien venez-vous ?

Gosseyn leva un doigt, pour Leej, et lui dit de répondre.

— Un, dit-elle.

— Sexe ?

— Féminin.

— Parfait. Une femme sortira de votre vaisseau et se présentera au bureau d'admission, au pied de la passerelle. L'aéroulotte devra s'éloigner immédiatement à dix kilomètres. Dès son départ, la volontaire sera autorisée à monter à bord.

Ainsi, la distance était fixée à dix kilomètres. Il parut à Gosseyn que les deux volontaires observés précédemment avaient été admis à bord bien avant que leurs aéroulottes ne se fussent éloignés autant.

Il en alla de même pour Leej. Gosseyn, qui s'était similarisé dans la salle des commandes arrière, la vit s'arrêter devant le petit baraquement voisin du pied de la passerelle. Au bout d'une seconde à peine, elle s'engagea sur celle-ci.

Il regarda le compteur : un peu plus de deux kilomètres et demi.

Cela pouvait signifier deux choses. D'abord, qu'il s'agissait d'un piège et d'un appât. Ou alors, que les soldats de l'espace en avaient assez et ne respectaient plus guère le règlement.

Evidemment, il était possible qu'il s'agît d'une combinaison : un piège du Disciple, ignoré de l'équipage, ou un équipage averti qui ne prenait pas l'avertissement au sérieux.

Une par une, Gosseyn examina ces éventualités, et chaque fois aboutit au même résultat. Ça revenait au même. Il fallait essayer.

Tandis qu'il regardait, Leej disparut par le panneau. Il attendit patiemment. Il s'était fixé quatre minutes de délai après sa montée à bord. En un sens, il la laissait seule bien longtemps.

Il attendit. Il se sentait étrangement vide de regrets. Un moment, tandis qu'elle protestait, il se demandait s'il ne l'accablait pas trop. Inquiétude disparue. Il avait à ce moment-là estimé, il estimait encore que l'équipage se méfierait d'un homme, pas d'une femme. En conséquence, c'est elle qui devait prendre le risque de pénétrer la première.

Elle entrée, il entrerait. Il existait d'autres méthodes, mais telle était la plus rapide. Il avait divers projets concernant Leej, mais d'abord, qu'elle se pénétrât de la certitude que leurs destins se trouvaient liés.

Il regarda la montre de bord et frissonna. Les quatre minutes s'étaient écoulées.

Il hésita un moment encore, puis se similarisa contre le hublot ouvert près du panneau. Une seconde, il griffa l'air à la recherche d'une prise. Puis son bras s'accrocha à l'armature métallique du hublot.

Pensant que ce serait un bon endroit pour entrer, il l'avait photographié par la longue-vue tandis que l'aéroulotte reposait sur le sol.

Il fit un rétablissement dans l'ouverture cylindrique.

11

Non-axiomes.

Dans l'intérêt de la raison, REPERTORIEZ. Ne dites pas : « Deux petites filles »... à moins que vous ne vouliez dire : « Marie et Jeanne, deux petites filles, distinctes l'une de l'autre et de tous les autres habitants du monde... »

De sa place, cramponné au hublot, Gosseyn entendait le murmure confus d'une conversation ; sans qu'il en distinguât les termes, il constatait qu'elle se déroulait entre un homme et une femme.

Prudemment, il passa la tête à l'intérieur de l'armature. Il vit un large couloir. A dix mètres à sa gauche se trouvait le panneau ouvert par où Leej était entrée. A droite, il aperçut Leej elle-même debout dans un passage, et, derrière elle, un homme en uniforme d'officier du Plus Grand Empire, dont seuls l'épaule et le bras étaient visibles.

A part eux trois, le corridor restait désert.

Gosseyn se laissa tomber sur le sol, et, collé au mur, s'approcha du couple.

Comme il arrivait, Leej dit :

— ... Je pense que j'ai le droit de m'intéresser aux détails. Quelles sont les installations prévues pour les femmes ?

4

Une voix calme, avec exactement la nuance d'exigence qu'il fallait. Mais la voix de l'officier, elle, trahissait une patience résignée.

— Madame, je vous le certifie, vous aurez un appartement de six pièces, des domestiques, tout le confort, et votre autorité sera seulement inférieure à celles du capitaine et de ses premiers officiers. Vous êtes...

Il s'interrompit tandis que Gosseyn s'encadrait dans le passage à côté de Leej. Sa stupéfaction ne dura qu'une seconde.

— Je vous demande pardon, dit-il, je ne vous ai pas vu monter à bord. L'officier extérieur chargé des admissions a dû oublier de...

Il s'arrêta de nouveau, semblant se rendre compte à quel point il était peu probable que l'officier des admissions eût oublié quelque chose de ce genre. Ses yeux s'agrandirent. Sa mâchoire se décrocha légèrement. Sa main grasse esquissa un geste vif vers le souffleur sur sa hanche.

Gosseyn frappa, une fois, à la mâchoire, reçut l'homme dans ses bras et le porta, inconscient, sur un divan. Il le fouilla rapidement, mais ne trouva que le souffleur dans sa gaine. Il se redressa et regarda autour de lui. Il avait déjà remarqué que, outre les meubles ordinaires, la pièce renfermait un certain nombre d'ascenseurs à distorseur. Il les compta. Une douzaine. Pas de vrais ascenseurs, en fait... Il les appelait comme ça depuis le jour où, dans la base secrète d'Enro sur Vénus, il les avait pris pour tels.

Une douzaine. Le spectacle de cette rangée d'appareils, contre le mur face à la porte, clarifia son image mentale. C'était la pièce d'où on envoyait les Prédicteurs de Yalerta rejoindre le poste auquel on les assignait. Processus encore plus simple qu'il ne le pensait. Il paraissait ne pas y avoir de formalités. L'officier des admissions laissait passer les volontaires ; après quoi le gros père les conduisait à cette pièce et les expédiait à leur destination.

Pour le reste, rien de changé. Les officiers et l'équipage vivaient leur existence routinière, insoucieux des motifs pour lesquels leur vaisseau restait à Yalerta. Comme il était minuit passé, peut-être dormaient-ils déjà.

Gosseyn se sentit stimulé par cette simple réflexion.

Il revint à la porte. Toujours personne dans le couloir. Derrière lui, Leej dit :

— Il va s'éveiller.

Gosseyn revint au divan et attendit.

L'homme remua et s'assit, se massant la mâchoire. Il regarda Leej, Gosseyn, puis Leej de nouveau. Il dit enfin d'un ton inquisiteur :

— Vous êtes piqués, tous les deux ?

Gosseyn dit :

— Combien d'hommes à bord ?

L'autre le regarda, puis se mit à rire.

— Mais vous êtes dingo, dit-il.

Un instant, il parut plongé dans la gaieté la plus vive.

— Combien d'hommes ? railla-t-il. (Sa voix s'enfla.) Cinq cents, continua-t-il. Pensez à ça, et filez d'ici aussi vite que vous pourrez.

C'est à peu près ce que Gosseyn avait prévu. Jamais on n'entassait les gens sur les vaisseaux de l'espace comme sur les véhicules terrestres. Question d'air et d'approvisionnements. Cinq cents hommes quand même.

— Les hommes vivent dans des dortoirs ? demanda-t-il.

— Il y a huit dortoirs, répliqua l'officier. Soixante hommes dans chaque.

Il se frotta les mains.

— Soixante, répéta-t-il, et sa voix distillait le chiffre. Voulez-vous que je vous emmène et que je vous présente ?

Gosseyn répondit à ce trait d'humour.

— Oui, dit-il, je serais enchanté.

Les doigts de Leej lui saisirent nerveusement le bras.

— Le brouillage est continu, dit-elle.

Gosseyn acquiesça.

— Il faut que je le fasse, dit-il. Sans ça, *il* saurait ce que je fais.

Elle approuva, incertaine.

— Il y a tant d'hommes !... Ça ne complique pas un peu les choses ?

Ses mots furent un aiguillon pour l'officier. Il se mit debout.

— Allons-y, dit-il, jovial.

Gosseyn dit :

— Quel est votre nom ?

— Oreldon.

Silencieux, Gosseyn désigna le couloir. Lorsqu'ils passèrent devant le panneau extérieur, Gosseyn s'arrêta.

— Pouvez-vous fermer ces portes ? demanda-t-il.

La figure ronde de l'homme rayonnait de bonne humeur.

— Vous avez raison, dit-il. Pas de visiteurs pendant que je ne suis pas là.

Il s'avança et il allait presser un contact, mais Gosseyn l'arrêta.

— Un instant, je vous prie. Je voudrais vérifier les connexions. Je n'ai pas envie que vous donniez l'alerte, vous comprenez.

Il débloqua le couvercle et l'ouvrit. En comptant, il trouva quatre fils de trop.

— Où vont-ils ? demanda-t-il à Oreldon.

— A la salle de contrôle. Deux pour l'ouverture, deux pour la fermeture.

Gosseyn acquiesça et ferma le panneau. Un risque

à courir. Il y aurait toujours une connexion avec le panneau de contrôle.

Sans hésiter, il pressa le bouton. Du métal s'ébranla, des feuilles épaisses qui glissèrent pour obstruer l'ouverture et se rejoignirent avec un claquement d'acier.

— Voyez-vous un inconvénient à ce que je parle à mon camarade, dehors ? demanda Oreldon.

Gosseyn s'était posé la question.

— Qu'est-ce que vous voulez lui dire ?

— Oh ! simplement que j'ai fermé et qu'il peut se reposer un moment.

— Naturellement, dit Gosseyn, vous ferez attention à la façon dont vous lui direz ça.

— Naturellement.

Gosseyn vérifia le câblage et attendit pendant qu'Oreldon manœuvrait un téléphone mural. Il constata qu'Oreldon se trouvait dans un état d'excitation thalamique ; en conséquence de quoi il resterait sous l'influence toxique de sa propre gaieté jusqu'à ce que le choc du désastre imminent le calmât. C'est à ce moment qu'il faudrait faire attention.

Apparemment, les portes ne restaient pas toujours ouvertes, car l'officier d'admission ne parut pas surpris qu'on les fermât.

— T'es sûr que t'es pas en train de t'envoyer la fille qui vient d'entrer, Orel ? demanda-t-il.

— A mon grand regret, non... dit Oreldon, qui raccrocha.

— Faut pas que la conversation dure trop longtemps, dit-il cordialement à Gosseyn. Les gens auraient des soupçons.

Ils parvinrent à un escalier. Oreldon s'apprêtait à le descendre lorsque Gosseyn l'arrêta.

— Où mène-t-il ? demanda-t-il.

— Mais... aux quartiers de l'équipage.

— Où est la salle de contrôle ?

— Mais qu'est-ce que vous en ferez ? Il faut monter. C'est là-haut.

Gosseyn dit gravement qu'il était ravi de le savoir.

— Combien y a-t-il d'ouvertures entre le pont inférieur et ici ? demanda-t-il.

— Quatre.

— J'espère, dit Gosseyn gaiement, que vous dites la vérité. Si, par exemple, je venais à m'apercevoir qu'il y en a cinq, ce souffleur partirait tout seul.

— Il n'y en a que quatre, je vous l'affirme, dit Oreldon, d'une voix soudain enrouée.

— Vous savez, dit Gosseyn, je m'aperçois qu'il y a une belle porte pour fermer cet escalier.

— Vous ne trouvez pas ça normal ?

Oreldon retrouvait son aplomb.

— Après tout, continua-t-il, un vaisseau de l'espace doit être construit de telle sorte qu'on puisse en isoler des sections entières en cas d'accident.

— Si on la fermait, hein ? proposa Gosseyn.

— Quoi ?

Le ton prouvait qu'il n'y avait pas pensé une seconde. Sa figure grave trahit l'instant de sa prise de conscience subite. Il roula des yeux impuissants en regardant le corridor.

— Vous ne pensez pas une seconde, grinça-t-il, que vous allez vous en tirer comme ça.

— La porte, dit Gosseyn, inexorable.

L'officier hésita, raidi. Lentement, il alla vers le mur. Il manœuvra un panneau à glissière, attendit, contracté, que Gosseyn vérifiât les connexions et baissa le levier. Les portes n'avaient que cinq centimètres d'épaisseur. Elles se fermèrent avec un bruit sourd.

— J'espère sincèrement pour vous, dit Gosseyn, qu'elles sont actuellement fermées et qu'on ne peut les ouvrir d'en bas, car s'il arrivait que je constatasse le contraire, j'aurais toujours le temps de me servir de ce souffleur au moins une fois.

— Elles sont fermées, dit Oreldon, morose.

— Parfait, dit Gosseyn. Maintenant, dépêchons-nous. J'ai hâte que les autres le soient également.

Oreldon regardait avec anxiété dans les couloirs latéraux qu'ils croisèrent, mais s'il espérait voir un membre de l'équipage, il fut déçu. Le silence régnait, à l'exception du bruit léger de leurs propres mouvements. Personne ne bougea.

— Je pense que tout le monde est couché, dit Gosseyn.

L'homme ne répondit pas. Sans un mot, ils achevèrent de clore le pont inférieur, et Gosseyn dit alors :

— Ceci doit laisser une vingtaine d'officiers, vous et votre ami du dehors compris. Est-ce exact ?

Oreldon acquiesça, mais ne dit rien. Il avait l'air éteint.

— Et si je me rappelle bien mon histoire ancienne, dit Gosseyn, il existait sur Terre une vieille coutume motivée par le caractère intransigeant de certaines personnes ; on mettait les officiers aux arrêts dans leurs appartements en diverses circonstances. Ceci supposait toujours un système de fermeture de l'extérieur. Ça serait intéressant si les vaisseaux de guerre d'Enro connaissaient des problèmes et des solutions analogues.

Il n'eut qu'à jeter un coup d'œil à son prisonnier pour s'assurer du fait.

Dix minutes plus tard, sans un coup de feu, il avait le contrôle du vaisseau galactique.

Trop facile. C'est ce que se disait Gosseyn en regardant la salle de contrôle déserte. Poussant Oreldon devant lui, Leej couvrant l'arrière-garde, il entra et jeta autour de lui un regard critique.

On se relâchait ici. Pas un homme de service, sauf les deux officiers chargés des Prédicteurs.

134

Trop facile. A considérer les précautions déjà prises contre lui par le Disciple, il semblait impossible que le vaisseau se trouvât réellement en la possession de Gosseyn.

Pourtant, ça en avait bien l'air.

De nouveau, il examina la pièce. Le pupitre de commandes s'incurvait, massif, sous la coupole transparente, divisé en trois sections : électrique, distortrice et atomique. D'abord l'électrique.

Il enclencha les contacts qui mirent en marche une dynamo atomique, quelque part dans les profondeurs du vaisseau. Il se sentit mieux. Sitôt qu'il aurait mémorisé suffisamment de prises, il serait en mesure de libérer une énergie intolérable dans chaque pièce, le long de chaque couloir. Cela lui donna terriblement confiance. S'il s'agissait d'un piège, les membres de l'équipage n'étaient pas dans le coup.

Mais ça ne suffit pas à le satisfaire. Il étudia le tableau. Il y avait des leviers et des cadrans sur chaque section, dont il ne pouvait que partiellement définir l'usage. Il ne se soucia de l'électrique ni de l'atomique. Le dernier restait inutilisable au voisinage du vaisseau ; quant à l'autre, il aurait vite fait de l'avoir en main sans réserves.

Restait le distorseur. Gosseyn se rembrunit. Pas de doute, là était le danger. Bien qu'il possédât un distorseur organique, en l'occurrence ce qu'il appelait son cerveau second, sa connaissance du système distorseur mécanique de la civilisation galactique restait vague. En ce vague devait résider sa faiblesse, et le piège, s'il s'en trouvait un.

Dans sa préoccupation, il s'écarta du tableau de commandes. Debout, il hésitait entre diverses possibilités, lorsque Leej dit :

— Il nous faut dormir.

— Pas pendant que nous sommes sur Yalerta, dit Gosseyn.

Son plan essentiel était assez clair. Il y avait une marge d'erreur entre la similarité parfaite et la similarité à vingt décimales du distorseur mécanique. Mesuré en distance spatiale, cela correspondait à mille années-lumière en dix heures. Mais ceci aussi, Gosseyn l'avait déjà soupçonné, n'était qu'illusion. Il l'expliqua à Leej :

— Ce n'est pas réellement une question de vitesse. La relativité, un des principes primitifs les plus parfaits de non-A, montre que les facteurs espace et temps ne peuvent être envisagés séparément. Mais je fais allusion à une variante de la même idée. Des événements se produisent à différents moments, et la distance spatiale fait simplement partie de l'image qui se forme dans notre système nerveux lorsque nous tentons d'interpréter la distance dans le temps.

Il s'aperçut que, une fois de plus, elle restait loin derrière. Il poursuivit, à moitié pour lui-même :

— Il est possible que deux événements différents soient si étroitement connexes qu'ils ne sont pas différents en fait, quelle que soit leur distance apparente ou sa définition. Exprimé en fonction de la probabilité...

Gosseyn se concentra sur le problème, se sentant au bord d'une solution beaucoup plus importante que celle qui correspondait à la situation immédiate. La voix de Leej retint son attention.

— Mais qu'est-ce que vous allez faire ?

Une fois de plus, Gosseyn se remit aux commandes.

— A la minute même, dit-il, nous allons démarrer en propulsion normale.

Les instruments de contrôle étaient analogues à ceux des vaisseaux qui parcouraient l'espace entre la Terre et Vénus. Le premier sursaut vers le haut mit chaque plaque sous tension. Le mouvement se fit continu. En dix minutes, ils avaient quitté l'atmosphère et prenaient de la vitesse. Dix minutes plus tard, ils émergeaient du cône d'ombre de la planète, et le soleil éclaboussait la salle de pilotage.

Dans la plaque rétroviseur, l'image du monde de Yalerta parut, telle une soucoupe de lumière garnie d'une grande boule de brume sombre. Gosseyn se détourna brusquement de cette scène et regarda Oreldon. L'officier devint pâle lorsque Gosseyn lui fit part de son plan — contacter le capitaine.

— Ne le laissez pas supposer que je suis responsable, demanda-t-il.

Gosseyn le lui promit sans hésiter. Mais il lui parut que, si le bureau militaire du Plus Grand Empire venait jamais à enquêter sur la capture du vaisseau Y 381 907, la vérité serait rapidement découverte.

C'est Oreldon qui frappa à la porte du capitaine et ressortit accompagné d'un homme épais, très en colère. Gosseyn interrompit ses violentes protestations.

— Capitaine Free, si jamais on s'aperçoit que ce vaisseau a été pris sans qu'un coup de feu soit tiré, ça vous coûtera probablement la tête. Vous feriez mieux de m'écouter.

Il expliqua qu'il désirait utiliser le vaisseau temporairement seulement, et le capitaine Free se calma suffisamment pour discuter les détails. Il apparut que l'image que se faisait Gosseyn du fonctionnement des vaisseaux interstellaires était correcte. On les réglait pour un point donné, mais on pouvait les arrêter avant qu'ils n'y arrivassent.

— C'est notre seule possibilité d'arrêt sur des planètes comme Yalerta, expliqua le capitaine. Nous nous similarisons pour une base distante de plus de mille années-lumière, et nous rompons le processus.

Gosseyn acquiesça.

— Je veux retourner sur Gorgzid et je désire que nous nous arrêtions à un jour de vol de Gorgzid en propulsion normale.

Il ne fut pas surpris de voir l'autre se troubler à la mention de la destination du vaisseau.

— Gorgzid ! s'exclama le capitaine.

Ses yeux se fermèrent à demi, et il eut un sourire sarcastique.

— Là-bas, ils verront à s'occuper de vous, dit-il. Bon, voulez-vous que nous partions tout de suite ? Il y a sept étapes.

Gosseyn ne répondit pas tout de suite. Il étudiait le flux nerveux de l'homme. Pas tout à fait normal — ce qui était bien naturel. Des irrégularités indiquaient un trouble émotif, mais sans orientation définie. C'était convaincant. Le capitaine n'avait pas de plans, pas de desseins secrets, pas de perfidie en tête.

Une fois encore il considéra la situation. Il était accordé sur la dynamo et la pile atomique du navire. Il était en mesure de tuer chaque individu, à bord, en une fraction de seconde. Sa position était virtuellement imprenable.

Son hésitation s'interrompit. Il respira profondément.

— Allez-y ! dit-il.

12

Non-axiomes.

Dans l'intérêt de la raison, utilisez la formule ET CŒTERA. Quand vous dites : « Marie est une bonne fille ! » ne perdez pas de vue que Marie est bien autre chose que « bonne ». Marie est « bonne », gentille, charmante, et cœtera, ce qui signifie qu'elle possède encore d'autres caractéristiques. Il vaut la peine de se rappeler également que la psychiatrie moderne — 1956 — ne considère pas que l'individu tranquillement « bon » ait une personnalité très saine.

Il s'était contracté, s'attendant à demi qu'on profitât du black-out momentané pour une tentative contre lui. Il se retourna et dit :

— Cela a été rudement vite. Nous...

Sa voix se brisa — il ne se trouvait plus dans la salle de contrôle du destroyer.

A cent cinquante mètres de lui se trouvait un panneau de contrôle bien plus grand que celui qu'il venait de quitter un moment auparavant. Le dôme transparent qui s'incurvait à partir de là possédait de si nobles proportions que pendant un instant son esprit refusa d'en admettre les dimensions.

Malade de comprendre, il regarda ses mains et son

corps. Ses mains étaient frêles, osseuses, son corps mince et vêtu de l'uniforme d'état-major du Plus Grand Empire.

Ashargin !

Si aiguë fut la sensation que Gosseyn sentit le corps qu'il occupait maintenant se mettre à trembler et à se contracter. Au prix d'un effort, il combattit cette faiblesse, mais il était plein de désespoir en pensant à son propre corps, tout là-bas dans la salle de pilotage de l'Y 381 907.

Il devait reposer, inconscient, sur le sol. A cette même minute Oreldon et le capitaine Free maîtrisaient Leej, avant de les capturer tous les deux. Ou plutôt — Gosseyn fit vaguement la différence — à environ dix-huit mille années-lumière, plusieurs jours auparavant, pour autant qu'il s'agît du destroyer, on s'était emparé de Leej et du corps de Gilbert Gosseyn.

Il ne fallait jamais oublier la différence de temps résultant du transport par similarité.

Brusquement, il se rendit compte que ses pensées étaient trop violentes pour le fragile Ashargin dans le corps de qui, une fois de plus, il se trouvait enfermé. Les yeux troubles, il regarda autour de lui et, lentement, commença à s'adapter. Lentement, car ce n'était pas son propre système nerveux, parfaitement entraîné, qu'il s'efforçait de reprendre en main.

N'importe, son cerveau se clarifia, et il cessa de trembler. Au bout d'une minute, bien que les vagues de faiblesse n'eussent pas cessé leur pulsation, il put se rendre compte de ce que Ashargin faisait au moment où il l'avait envahi.

Il marchait avec un groupe d'amiraux de la flotte. Il les vit devant lui. Deux d'entre eux s'étaient arrêtés et retournés pour le regarder. L'un d'eux dit :

— Votre Excellence, vous n'avez pas l'air bien...

Avant que Gosseyn-Ashargin ait pu répondre, l'autre homme, un vieil amiral élancé, sec, dont l'uniforme scintillait de médailles précieuses et d'insignes, dit d'un ton sardonique :

— Le prince n'est pas très bien depuis son arrivée. Félicitons-le de son sens du devoir dans de telles conditions.

Comme il finissait ces mots, Gosseyn le reconnut pour le grand amiral Paleol. Cette identification le ramena plus vite encore à la normale. Car seul Ashargin pouvait savoir cela.

Visiblement, les deux consciences, la sienne et celle d'Ashargin, commençaient à s'intégrer sur le plan de l'inconscient.

Il se raidit en s'en rendant compte. Il était donc encore ici. Une fois de plus, un joueur inconnu l'avait enlevé, et similarisé l'« essence » qui constituait son esprit dans un cerveau étranger. Plus vite il s'ajusterait, plus vite il serait libéré.

Cette fois, il fallait tenter de dominer la situation. Ne pas montrer trace de faiblesse. Il faudrait mener Ashargin à la limite de ses possibilités physiques.

Tandis qu'il s'élançait en avant pour répondre aux autres officiers, tous arrêtés maintenant, les souvenirs d'Ashargin pendant la dernière semaine se mirent à surgir. *Semaine ?* Se rendant compte que huit jours s'étaient écoulés pour Ashargin tandis que lui-même n'avait eu qu'un jour et une nuit de pleine conscience, Gosseyn se sentit troublé ; mais le temps d'arrêt résultant fut momentané.

Les images de la semaine passée se révélèrent étrangement bonnes. Ashargin ne s'était pas évanoui une fois. Il avait franchi avec succès les étapes initiales. Il avait même essayé d'imposer l'idée qu'il remplirait un rôle d'observateur jusqu'à nouvel avis. Pour un homme qui s'était évanoui deux fois en présence d'Enro, cela constituait une réussite de premier ordre.

Preuve de plus que même une personnalité aussi

peu intégrée qu'Ashargin répondait promptement, et qu'il suffisait de quelques heures de contrôle par un esprit $\overline{A}$ entraîné pour produire une amélioration très nette.

— Ah ! dit un officier d'état-major juste devant Gosseyn-Ashargin, nous y voilà.

Gosseyn leva les yeux. Ils étaient parvenus à l'entrée d'une petite salle de réunion. Il semblait évident — les souvenirs d'Ashargin le confirmèrent — qu'une réunion d'officiers supérieurs allait se dérouler.

Ici, il allait pouvoir faire sentir la personnalité décidée du nouvel Ashargin.

Il y avait déjà des officiers dans la salle. Il en arrivait de divers côtés. Sous ses yeux, d'autres encore émergèrent de cages de distorseurs à trente mètres de là. Les présentations pleuvaient dru.

Plusieurs des officiers lui lancèrent des regards aigus en entendant son nom. Mais Gosseyn fut d'une politesse identique avec tous. Son heure viendrait plus tard.

De fait, son attention venait d'être distraite.

Il se rendait subitement compte que l'immense salle, derrière lui, constituait le poste de commande d'un supercroiseur de guerre. Bien plus, c'était le poste de commande d'un vaisseau engagé à l'instant même dans la fantastique bataille du sixième décant.

Cette pensée fit flamber son esprit d'excitation. Durant un répit dans les présentations, il se sentit poussé à se retourner et à regarder, cette fois d'un œil compréhensif. La coupole s'élevait à près de deux cents mètres au-dessus de sa tête. Elle s'arrondissait autour de lui, d'une transparence limpide, et au-delà luisaient les joyaux stellaires du centre de la galaxie.

Close-up sur la Voie lactée. Des millions de soleils, les plus brûlants et les plus aveuglants. Ici même, au milieu d'une beauté insurpassable, Enro avait lancé sa grande flotte. Il devait penser que ce serait le lieu de la décision finale.

Plus vite, maintenant, accouraient les souvenirs conservés par Ashargin de la semaine pendant laquelle il avait observé la grande bataille. Des images prenaient forme, des milliers de vaisseaux simultanément similarisés sur les bases secrètes d'une planète ennemie. Chaque fois, la similarisation s'interrompait juste avant que les vaisseaux n'atteignissent leurs objectifs.

Alors, surgis de l'obscurité opaque, ils fonçaient sur la planète subjuguée. Plus de vaisseaux que le système attaqué tout entier n'en pouvait opposer. Des distances qu'il aurait fallu des mois, même des années, pour franchir en vol normal, étaient parcourues presque instantanément. Et chaque fois, la flotte assaillante donnait à la victime la même alternative : se rendre, ou être détruite.

Si les chefs d'une planète ou d'un groupe refusaient de croire au danger, la pluie sans merci de bombes qui jaillissaient du ciel consumait littéralement leur civilisation. Si violentes et si concentrées étaient les explosions que des réactions en chaîne se déclenchaient dans la masse de la planète.

La majorité des systèmes se montrait plus raisonnable. La portion de la flotte qui s'était arrêtée pour triompher ou détruire se bornait alors à laisser un contingent d'occupation, et volait vers la prochaine base de la Ligue.

Pas de vraie défense possible. Impossible de réunir des flottes suffisantes pour s'opposer aux assaillants, car on ne pouvait savoir quel serait le prochain système visé. Avec une inhumaine habileté, les forces d'invasion venaient à bout des flottes qu'on leur opposait. Elles semblaient toujours connaître la nature des défenses, et, où celles-ci se trouvaient les plus fortes, se présentaient douze vaisseaux d'Enro, pour chacun de ceux que possédait la Ligue.

143

Pour Ashargin, cela semblait de la magie, mais pas pour Gosseyn. Les Prédicteurs de Yalerta combattaient aux côtés des flottes du Plus Grand Empire, et les défenseurs n'avaient littéralement pas la moindre chance.

Le cours de ses souvenirs s'interrompit tandis que la voix ironique du grand amiral disait derrière lui :
— Prince, la réunion va commencer.

Ce fut un soulagement que de pouvoir s'asseoir à la longue table du conseil.

Il constata que sa chaise se trouvait juste à droite de celle de l'amiral. Rapidement, ses yeux enregistrèrent le reste de la scène.

La pièce était plus grande qu'il ne le pensait d'abord. Il se rendit compte de ce qui lui avait donné cette impression de petitesse. Les murs constituaient un véritable planisphère de l'espace. Chaque carte s'éclaboussait d'innombrables lumières, et sur chaque mur, jusqu'à trois mètres du plancher, se trouvaient des séries de cases dans lesquelles scintillaient des numéros fugitifs. Une des cases avait des numéros rouges, et indiquait le chiffre 91 308. Il changea sous les yeux de Gosseyn et bondit à 91 729. Ce fut la modification la plus importante qu'il put observer autour de lui.

Il attendit qu'une explication de ces nombres naquît des souvenirs d'Ashargin. Rien ne vint, sinon que Ashargin n'était jamais entré dans cette pièce.

Il y avait des cases à numéros bleus, des cases à numéros jaunes, verts, orange et gris, roses, pourpres et violets. Et il y en avait où des chiffres alternaient, de couleurs différentes. Visiblement, il s'agissait d'un procédé permettant de prendre connaissance des événements d'un seul coup d'œil, mais les événements eux-mêmes étaient instables.

Les chiffres variaient de seconde en seconde, en brusques girations. Ils semblaient danser tandis qu'ils se modifiaient et s'altéraient. Sans aucun doute, tout cela racontait une histoire. Il parut à Gosseyn que, de façon cachée, dans chacune de ces cases s'inscrivait le compte rendu de la bataille du sixième décant.

Il lui fallut faire un effort considérable pour détourner des cases son regard fasciné, et se rendre compte que l'amiral Paleol parlait depuis quelques minutes.

— ... Nos problèmes, disait, sarcastique et dur, le vieillard, seront à peine plus difficiles dans l'avenir qu'ils ne l'ont été jusqu'ici. Mais je vous ai convoqués aujourd'hui pour vous signaler que des incidents se sont déjà produits, qui se feront probablement plus nombreux à mesure que le temps passe. Par exemple, en dix-sept occasions déjà, nous n'avons pu similariser nos vaisseaux sur des bases dont les indicatifs de distorsion ont été procurés à notre chef par le système d'espionnage le plus parfaitement organisé jusqu'ici.

« Il est clair que certains des gouverneurs des planètes ont conçu des soupçons et, dans leur panique, ont modifié les indicatifs. Dans chacun des cas ainsi portés à mon attention, les planètes en question furent approchées par nos vaisseaux grâce à une similarisation vers la base la plus proche. Chaque fois, la planète coupable a été privée de toute occasion de se rendre et détruite sans merci.

« Ces éventualités, vous serez heureux de le savoir, avaient été prévues par notre grand chef Enro le Rouge. Il n'existe pas dans l'histoire d'individu doué de tant de pénétration, de sagacité, et d'une aussi grande volonté de paix.

La remarque finale constituait une incidence. Gosseyn scruta rapidement quelques visages, mais tous étaient sérieux. Si quelqu'un d'entre eux trouvait quoi que ce fût de bizarre à entendre qualifier Enro de champion de la paix, il le gardait pour lui.

Il lui vint quelques réflexions personnelles. Ainsi, un système d'espionnage avait relevé pour Enro les schémas de distorsion de milliers de bases appartenant à la Ligue. Il parut à Gosseyn qu'une fatale combinaison de forces jouait maintenant en faveur d'Enro. En quelques années brèves, il s'était élevé du gouvernement héréditaire d'un petit groupe de planètes aux sommets de la puissance galactique. Et comme, pour prouver que le destin lui-même le favorisait, pendant cette même période, on avait découvert une planète de Prédicteurs, dont les facultés s'associaient maintenant aux siennes.

Le Disciple, qui l'en pourvoyait, avait, il est vrai, son plan propre. Mais ceci n'arrêterait pas la guerre.

— ... Naturellement, continuait le grand amiral Paleol, les centres principaux de la Ligue, dans cette zone, ne détruisent nullement leurs indicatifs. Il faut du temps pour établir des communications par similarité, et leurs propres vaisseaux seraient coupés eux-mêmes des bases dont on altérerait les indicatifs. Cependant, pour l'avenir, nous devons considérer comme possible que des groupes tenteront de plus en plus à passer à l'état d'isolés. Et certains d'entre eux réussiront.

« Vous comprenez (sa longue figure se creusa d'un froid sourire), il y a des systèmes que l'on ne peut approcher par similarisation sur des bases situées au-delà d'eux. En préparant notre campagne, nous avons souligné l'importance d'un déclenchement des attaques initiales contre les planètes que l'on pouvait aborder de cette façon. Maintenant, peu à peu, notre position va devenir plus souple. Il faudra improviser. Certaines flottes vont se trouver en mesure d'attaquer des objectifs que nous n'avions pas envisagé d'atteindre. Savoir que de telles occasions existent nécessitera un sens de l'adaptation élevé au plus haut degré de la part des officiers et des matelots de tous rangs.

146

Sans sourire cette fois, le vieil homme regarda autour de la table.

— Messieurs, ceci conclut mon rapport. Je dois vous dire que nos pertes sont lourdes. Nous perdons des vaisseaux à la cadence de deux navires de bataille, onze croiseurs, soixante-quatorze destroyers et soixante-deux appareils divers pour chaque heure de guerre. Naturellement, il s'agit de chiffres statistiques qui varient considérablement d'un jour à l'autre. Néanmoins, ils sont parfaitement exacts, ainsi que vous pouvez le voir en jetant un coup d'œil aux totalisateurs muraux de cette pièce.

« Mais, à la base, notre position est excellente. Le gros obstacle c'est l'immensité de l'espace et le fait qu'il faut chaque fois qu'une partie de notre flotte prenne le temps de s'occuper de chaque conquête. Cependant, il est maintenant possible d'estimer mathématiquement la durée de la campagne. Tant de planètes à conquérir encore — tant de temps pour chacune — en tout quatre-vingt-quatorze jours sidéraux. Pas de questions ?

Au milieu du silence, un amiral, à l'extrémité de la table, se leva.

— Monsieur, dit-il, je me demande si nous pourrions connaître le point de vue du prince Ashargin.

Le grand amiral se leva lentement. Le sourire était revenu sur son long visage ordinairement sévère.

— Le prince, dit-il sèchement, est ici en qualité d'envoyé personnel d'Enro. Il m'a prié de vous dire qu'il n'a pas d'observation à faire pour le moment.

Gosseyn se mit debout. Il avait l'intention de faire renvoyer Ashargin sur Gorgzid, au Q.G. d'Enro, et il lui parut que la meilleure méthode consistait à parler quand il ne le fallait pas.

— Ceci, assura-t-il, c'est ce que je disais au grand amiral hier.

Il s'arrêta, surpris du clair ténor de la voix d'Ashargin, pour alléger la tension qui envahissait le corps d'Ashargin. Ce faisant, il regardait du coin de l'œil le vieil homme à côté de lui. Le grand amiral levait le nez au plafond, avec une expression telle que Gosseyn eut le pressentiment de la suite. Il dit très vite :

— J'attends d'un instant à l'autre un appel d'Enro qui va me convoquer pour lui faire mon rapport, mais si j'en ai le temps, je serai heureux de discuter quelques-uns des aspects philosophiques de la guerre que nous menons.

Il n'alla pas plus avant. Le plafond s'éclaira, et le visage qui s'y précisa fut celui d'Enro. Chacun, dans la pièce, se mit au garde-à-vous.

Le dictateur aux cheveux rouges les observa, un sourire ironique aux lèvres.

— Messieurs, dit-il enfin, en raison d'importantes occupations, je viens seulement de prendre l'écoute de cette réunion. Je suis désolé de l'avoir interrompue, surtout juste au moment où le prince Ashargin allait vous parler. Le prince et moi sommes d'accord sur tous les aspects essentiels de la conduite de cette guerre ; mais, pour l'instant, je désire qu'il revienne sur Gorgzid. Messieurs, mes respects.

— Votre Excellence, dit le grand amiral Paleol, à vos ordres.

Il se tourna vers Gosseyn-Ashargin :

— Prince, dit-il, je serai heureux de vous accompagner jusqu'à la section des transports.

Gosseyn dit :

— Avant de vous quitter, je désirerais envoyer un message à Y 381 907.

Gosseyn composa son message en conservant l'idée qu'il ne serait pas long à retourner dans son corps. Il écrivit :

« TEMOIGNEZ LES PLUS GRANDS EGARDS AUX DEUX PRISONNIERS QUI SE TROUVENT A BORD DE VOTRE VAISSEAU. ILS DOIVENT

148

N'AVOIR NI LIENS NI MENOTTES, ET RESTER LBRES. FAITES VENIR LA PREDICTRICE ET L'HOMME, QU'IL SOIT OU NON CONSCIENT, A GORGZID. »

Il glissa le message dans la fente du robopérateur.

— Faites immédiatement parvenir ceci au capitaine Free sur le Y 381 907. J'attends ici l'accusé de réception.

Il se retourna et vit que le grand amiral Paleol le regardait avec curiosité. Le vieil homme sourit et dit d'un ton qui n'était pas déplaisant :

— Prince, vous êtes un peu énigmatique. Ai-je raison de croire que vous supposez que Enro et moi-même, un jour, serons appelés à répondre de nos actes ?

Gosseyn-Ashargin secoua la tête.

— Ça se pourrait, dit-il. Vous pourriez aller trop loin. Mais en réalité, ce ne serait pas une reddition de comptes. Ce serait une vengeance, et aussitôt se trouverait sur place un nouveau groupe aussi vénal, quoique peut-être plus prudent pendant un certain temps. Les individus infantiles qui conçoivent le renversement d'un groupe au pouvoir ont eu le tort de ne pas analyser les caractéristiques qui lient de tels groupes. Un des premiers stades consiste à se pénétrer de l'idée que l'on doit être préparé à mourir à chaque instant. Aussi longtemps que le groupe reste uni, aucun de ses membres n'ose élever une opinion contraire à cet axiome de base. S'étant convaincus qu'ils n'ont pas peur, ils peuvent alors justifier tous les crimes commis contre les autres. C'est extrêmement simple, totalement émotionnel et enfantin sur le plan le plus destructif.

Le sourire de l'amiral s'élargit.

— Eh bien, eh bien, vous êtes un vrai philosophe, hein ? (Ses yeux aigus se firent curieux.) Très intéressant, pourtant. Je n'avais jamais pensé que le facteur bravade fût si important.

Il paraissait prêt à continuer, mais le robopérateur l'interrompit :

— Impossible de prendre contact avec le Y 381 907.

Gosseyn-Ashargin hésita, troublé. Il dit :

— Pas de contact du tout ?

— Aucun.

Il se remettait.

— Bon, continuez les tentatives jusqu'à ce que le message soit délivré et prévenez-moi sur Gorgzid.

Il se retourna et serra la main de Paleol. Quelques minutes plus tard, il tirait le levier du distorseur qui devait ramener Ashargin au palais d'Enro.

13

Non-axiomes.

Dans l'intérêt de la raison, prenez garde d'ETIQUETER. Des mots comme : Fasciste, Communiste, Démocrate, Républicain, Catholique, Juif, se rapportent à des êtres humains, qui ne sont jamais tout à fait étiquetables.

Gosseyn s'attendait à s'éveiller dans son propre corps, car cela s'était produit une première fois dans une occasion analogue. Et il s'y attendait si bien qu'il éprouva un violent désappointement en voyant devant lui la porte transparente de la cage du distorseur.

Pour la troisième fois en trois semaines, il aperçut la salle de contrôle militaire du palais d'Enro.

Sa déconvenue cessa rapidement. Il était là, et on n'y pouvait rien. Il franchit la porte et fut surpris de constater que la pièce se trouvait vide. Ne se retrouvant pas dans son corps, il pensait qu'on lui demanderait, dès son arrivée, l'explication du message au capitaine Free. Prêt à ça aussi, d'ailleurs.

Prêt à beaucoup de choses, conclut-il en se dirigeant vers les grandes fenêtres du bout de la pièce. Celles-ci rayonnaient de soleil. Le matin ? se demanda-t-il en regardant au-dehors. Le soleil paraissait plus haut dans le ciel qu'à sa première visite au palais d'Enro. Troublant. Tant de planètes, en tant d'endroits de leur galaxie, et qui tournaient autour de leurs soleils à des allures différentes.

En outre, il y avait la perte de temps due au transport par distorseur, soi-disant instantané.

Il estima l'heure : 9 heures et demie, heure de la ville de Gorgzid. Trop tard pour déjeuner avec Secoh et Enro — non qu'il y fût intéressé. Gosseyn se dirigea vers la porte du couloir extérieur. Il s'attendait à demi qu'on lui dise de s'arrêter, soit que retentît un ordre dans le téléphone mural, soit qu'apparût un quelconque porteur d'instructions. Nul ne l'arrêta.

Pas d'illusions à se faire. Enro, avec son don spécial pour voir et entendre à distance, connaissait sa présence. Ceci constituait une occasion délibérément présentée, une levée de surveillance née de la curiosité ou du mépris.

Le motif importait peu. Quel qu'il fût, il en résultait un moment de soulagement, libre de tension. Chose fort utile, à première vue ; mais sans importance réelle à voir la situation de plus loin.

Il avait un plan et comptait forcer Ashargin à prendre jusqu'au dernier risque. Ceci reviendrait entre autres à ignorer des ordres directs d'Enro lui-même.

Comme la semaine passée, la porte du couloir n'était pas fermée à clef. Une femme portant un seau passait. Gosseyn ferma la porte derrière lui et fit un signe à la femme. Elle trembla, sans doute à la vue de l'uniforme, et agit comme quelqu'un qui n'a pas l'habitude qu'un officier s'adresse à elle.

— Oui, monsieur, bafouilla-t-elle. L'appartement de Mme Nirène, monsieur ? Deux étages plus bas. Son nom est sur la porte de son appartement.

Rien ne vint s'opposer à sa progression. La jeune fille qui lui ouvrit, jolie, paraissait intelligente. Elle

152

sembla surprise de le voir et le laissa debout devant la porte. Il l'entendit, de l'intérieur de l'appartement, appeler :

— Nirène, il est là.

Puis il y eut une exclamation confuse, et Nirène apparut dans l'entrée.

— Eh bien, dit-elle sèchement, vous entrez, ou vous restez planté là comme un idiot ?

Gosseyn resta muet. Il la suivit dans un living-room meublé avec goût et prit la chaise qu'elle lui indiqua. Pas trace de l'autre femme. Il constata que Nirène le regardait d'un œil neutre. Elle dit d'une voix amère :

— Ça coûte cher, de vous parler.

— Laissez-moi vous rassurer, dit Gosseyn. Vous ne risquez aucune incorrection de la part du prince Ashargin.

Il parlait volontairement à la troisième personne.

— En fait, ce n'est pas un mauvais type.

— Mais j'en ai reçu l'ordre, dit-elle, sous peine de mort.

— Vous n'y pouvez rien, si l'on repousse toutes vos avances, dit Gosseyn.

— Alors c'est *vous* qui risquez la mort.

— Le prince, dit Gosseyn, est utilisé par Enro pour un dessein personnel. Vous ne supposez pas que Enro le laissera vivant après s'être servi de lui ?

Elle pâlit soudain.

— Vous osez parler comme ça, dit-elle, sachant qu'il peut écouter ?

— Le prince, dit Gosseyn, n'a rien à perdre.

Les yeux gris le regardaient, curieux — plus que curieux.

— Vous parlez de lui comme s'il était un autre.

— C'est une façon de rester objectif.

Il changea de sujet.

— Mais j'avais deux raisons de venir vous voir.

La première, c'est de vous poser une question à laquelle j'espère que vous répondrez. Selon ma théorie personnelle, aucun homme, en onze ans, ne peut maîtriser un empire galactique, et les quatre millions d'otages détenus à Gorgzid laissent supposer une agitation considérable dans tout le Plus Grand Empire. Est-ce que je me trompe ?

— Bien sûr que non. (Nirène haussa les épaules.) Enro ne s'en cache nullement. Il joue contre le temps, et le jeu l'intéresse autant que l'enjeu lui-même.

— Sans doute. Maintenant, question numéro deux.

Rapidement, il expliqua la position d'Ashargin au palais et conclut :

— Lui a-t-il déjà été assigné un appartement ?

Les yeux de Nirène s'élargirent de stupéfaction.

— Voulez-vous dire, dit-elle, que vous ne savez vraiment pas ce qui est arrivé ?

Gosseyn ne répondit rien. Il s'occupait de détendre Ashargin qui se contractait soudain. La jeune femme se leva et il vit qu'elle le regardait de façon moins inamicale. Elle baissa le nez, le dévisagea de nouveau, l'air troublé.

— Venez avec moi, dit-elle.

Elle se dirigea rapidement vers une porte qui s'ouvrait sur un autre corridor. Elle passa par une seconde porte, tout au bout, et s'effaça pour le laisser entrer. Gosseyn vit qu'il s'agissait d'une chambre à coucher.

— Notre chambre, dit-elle.

Elle parlait toujours du même ton, et le scrutait d'un œil étonné. Finalement, elle hocha la tête.

— Eh bien, on dirait vraiment que vous ne le savez pas. Bon. Je vais vous le dire.

Elle s'arrêta, un peu tendue, comme si d'exprimer les faits leur donnait une réalité accrue, puis elle dit :

— Vous et moi avons été mariés ce matin par décret exceptionnel de Secoh. J'en ai reçu l'information officielle il y a quelques instants.

Ceci dit, elle fila devant lui et disparut dans le couloir.

★

Gosseyn referma la porte à clef. Ce qui lui restait de temps, il n'en savait rien, mais s'il devait jamais arriver à rééduquer le corps d'Ashargin, il fallait profiter de moments comme celui-ci.

Il avait un plan très simple : rester dans cette pièce jusqu'à ce que Enro lui donne un ordre précis. A ce moment, refuser d'obéir.

Il perçut le frisson d'Ashargin à la seule idée de ce jeu mortel. Mais Gosseyn résista à cette faiblesse et pensa consciemment dans l'intérêt du système nerveux de l'autre : « Prince, chaque fois que vous accomplissez un acte positif pour prévenir un acte négatif, partie d'un réflexe conditionné est établie. Du total de ces réflexes conditionnés résultent un courage, une assurance et une habileté également automatiques. »

Tout ceci restait fort simplifié, sans doute, mais constituait le préliminaire indispensable à un entraînement $\bar{A}$ de niveau plus élevé.

Son premier geste fut de passer dans la salle de bains et d'ouvrir l'eau chaude. Il régla le thermostat et, avant de se déshabiller, revint à la chambre en quête d'un dispositif mécanique capable de produire un son rythmique. Il n'en trouva point.

Ennuyeux ; cependant un peu d'astuce le dépannerait. Il se déshabilla et, la baignoire pleine, ferma le robinet en laissant s'écouler un filet ni trop mince ni trop rapide.

Il dut se forcer pour entrer dans l'eau qui paraissait capable d'ébouillanter le corps mince d'Ashargin. Il haleta, mais peu à peu s'habitua à la chaleur et s'étendit, prêtant l'oreille au bruit régulier du robinet.

Clip... clip... clip... Il garda les yeux ouverts sans cligner et fixa un point brillant du mur, plus haut que lui. Clip, clip, clip. Un son régulier, comme les battements de son cœur. Bat, bat, bat, chaud, chaud, chaud — il transposait les significations. Si chaud que tous ses muscles se détendaient. Clip, clip, clip, dé-tends-toi-dé-tends-toi...

Il avait été un temps, dans l'histoire de l'homme sur la terre, où l'on utilisait le choc rythmique d'une goutte d'eau sur le front pour rendre fou. Naturellement, là, elle ne lui tombait pas sur la tête ; la position, sous le robinet, eût été inconfortable. Mais le principe restait le même.

Clip, clip, clip, les bourreaux chinois inventeurs de cette méthode ne savaient pas que derrière elle se cachait un grand secret, et que l'homme devenait fou parce qu'il croyait qu'il allait le devenir, parce qu'on lui avait dit qu'il le deviendrait, parce qu'il était absolument persuadé que ce procédé causait la folie.

S'il avait cru avec la même foi qu'il engendre la raison, l'effet eût été aussi grand dans ce sens. Clip, clip, clip. Détends-toi, détends-toi, c'est si facile de se détendre. Sur terre, dans les hôpitaux où l'on transportait des hommes victimes d'une commotion physique ou nerveuse, le bain chaud constituait la première étape de la détente. Mais à moins de prendre d'autres dispositions, la tension revenait vite. La conviction, voilà l'élément vital, une conviction souple, empirique, facilement malléable pour s'adapter au monde dynamique de la réalité, mais, dans son essence, indestructible. Gosseyn la possédait. Pas Ashargin : le développement de son corps présentait tant de déséquilibres ! Des années de crainte avaient amolli ses muscles, drainé son énergie et abruti sa croissance.

De lentes minutes s'écoulèrent en mesure. Il était somnolent. Il se sentait si bien, si confortable, étendu dans l'eau chaude, la tiède matrice dont est née toute vie. Revenu aux mers brûlantes de l'origine des choses, au sein de la Mère Commune, et emporté par la pulsation lente d'un battement de cœur pourtant frémissant d'une vie nouvelle.

Un coup à la porte de la chambre à coucher le ramena, paresseux, à la conscience des choses.

— Oui ? dit-il.

— Enro vient d'appeler, répondit la voix tendue de Nirène. Il désire que vous passiez immédiatement lui faire votre rapport.

Gosseyn sentit le choc traverser Ashargin.

— Très bien ! dit-il.

— Prince, dit Nirène d'une voix inquiète, il paraissait pressé.

Gosseyn hocha la tête tout seul. Il se sentit excité, et ne put combattre entièrement le malaise d'Ashargin. Mais il ne restait aucun doute dans son esprit lorsqu'il sortit de la baignoire.

L'heure de défier Enro venait de sonner.

C'est néanmoins sans hâte qu'il s'habilla et quitta la chambre. Nirène patientait dans le salon. Gosseyn hésita en la voyant. Il avait une conscience très nette du pouvoir particulier d'Enro d'entendre et de voir à travers les murs pleins. Il désirait poser une question, mais pas directement.

La solution lui apparut au bout d'un moment.

— Avez-vous un annuaire du palais ?

Silencieuse, elle alla jusqu'au vidéophone, dans un coin, et lui rapporta une plaque brillante, flexible, qu'elle lui tendit avec l'explication :

— Tirez ce coulisseau. Chaque fois qu'il y a un déclic, apparaissent l'étage et le numéro de l'appartement de la personne que vous désirez. Il y a une liste des noms derrière. C'est tenu automatiquement à jour.

Gosseyn n'avait pas besoin de la liste. Il savait quels noms il cherchait. D'un geste rapide, il glissa jusqu'à Reesha, dissimulant son mouvement de son mieux.

Il était à présumer que Enro pût « voir » à travers une main aussi bien qu'à travers des murs, mais il devait y avoir des limites à ce don. Gosseyn décida de se fier à la vitesse.

Un coup d'œil, il lut le renseignement et passa au nom de Secoh. Cela fut presque aussi rapide. Il ramena le levier, d'un geste normal mais preste, à la position zéro, et rendit la plaque à Nirène.

Il se sentait merveilleusement calme et à l'aise. Le corps d'Ashargin, tranquille, acceptait ces violentes évidences avec une fermeté qui laissait bien augurer de l'avenir.

— Bonne chance ! dit-il à Nirène.

Il réprima un désir d'Ashargin de lui dire où il allait. Non que Enro ne le sût dans quelques minutes. Mais il sentit que, s'il mentionnait sa destination, un effort serait fait pour l'en écarter.

Dans le hall, il marcha rapidement vers l'escalier, monta un étage, ce qui l'amenait à un autre étage de l'appartement d'Enro. Il tourna à droite, et un moment plus tard, fut admis dans l'appartement de la femme qu'il avait connue jadis sous le nom de Patricia Hardie. Il espérait que Enro, curieux de ce que Ashargin et sa sœur pouvaient avoir à se dire, refrénerait, de ce fait, toute impulsion punitive immédiate.

Comme Gosseyn-Ashargin suivait le domestique dans la vaste salle de réception, il vit Eldred Crang debout près de la fenêtre. Le détective vénusien A

158

se retourna lorsque le visiteur entra, et il le regarda, pensif.

Il y eut un silence tandis qu'ils se dévisageaient mutuellement. Il paraissait à Gosseyn qu'il s'intéressait plus à Crang que Crang ne pouvait lui-même s'intéresser au prince Ashargin.

Il se rendit compte de la position de Crang. Un Ā, parvenu au cœur de la place forte ennemie, qui affirmait — avec sa complicité — être marié à la sœur du maître du Plus Grand Empire, et sur cette assise ténue — plus encore qu'il ne pouvait s'en douter, à considérer la croyance d'Enro en la seule valeur du mariage frère-sœur — fondait son opposition aux plans du dictateur.

Comment agirait-il ? Problème de stratégie. Mais d'autres pourraient se demander comment le prince Ashargin espérait jamais se dresser contre ce même tyran. Gosseyn tentait de résoudre ce problème par un défi hardi, fondé sur un plan d'apparence cependant logique.

Sans nul doute, Crang, si c'était nécessaire, montrerait la même hardiesse. Et il ne serait pas venu ici s'il n'avait pensé que sa présence pût être d'une certaine efficacité.

C'est Crang qui parla le premier.

— Vous désirez voir la Gorgzin Reesha ?

Il employait le féminin du titre dévolu au maître sur la planète d'Enro.

— Très instamment.

Crang dit :

— Vous le savez peut-être, je suis le mari de la Gorgzin. J'espère que vous ne verrez pas d'inconvénient à me parler d'abord de ce qui vous amène.

Gosseyn accueillit ceci avec joie. La vue de Crang l'avait énormément soulagé. Le détective non-aristotélicien était si habile que sa simple apparition sur la scène semblait enfin prouver partiellement que la situation ne présentait pas le danger que l'on pouvait croire.

Crang reprit la parole :

— Qu'est-ce qui vous amène, prince ? dit-il, aimable.

Gosseyn fit un exposé sincère de tout ce qui venait d'arriver à Ashargin. Il conclut :

— Je suis décidé à améliorer la position du prince au palais. Jusqu'ici, il a été traité d'une façon impardonnablement mesquine. J'aimerais faire appel à la Gorgzin pour modifier l'attitude de Son Excellence.

Crang hocha le chef, pensif.

— Je vois.

Il s'écarta de la fenêtre et indiqua un fauteuil à Gosseyn-Ashargin.

— Je n'avais pas du tout compris votre position dans le jeu, dit-il. De ce que j'ai entendu, j'en concluais que vous acceptiez le rôle à vous assigné par Enro.

— Comme vous pouvez le voir, dit Gosseyn, et comme Enro doit s'en rendre compte, le prince insiste pour être traité conformément à son rang aussi longtemps qu'il sera vivant.

— Votre emploi de la troisième personne m'intéresse, dit Crang. Et je suis également intéressé par l'incidence « aussi longtemps qu'il sera vivant ». Si vous êtes capable de pousser jusqu'au bout les implications de cette phrase, il me semble que — euh... le prince pourrait obtenir réparation de la Gorgzin.

C'était l'approuver d'une façon. Prudemment, mais sans méprise possible. Cela semblait sous-entendre que le dictateur écoutait sans doute ; aussi les mots restaient sur un plan très verbal. Crang hésita, puis continua :

— Cependant, il est douteux que ma femme puisse vous être d'une grande utilité comme intermédiaire.

Elle a opté pour une attitude d'opposition absolue à la guerre de conquête entreprise par son frère.

Ça, c'était une information — et en regardant l'expression de Crang, Gosseyn se rendit compte que l'homme venait de la donner délibérément.

— Naturellement, dit Crang, en ma qualité de mari, je m'oppose également à la guerre sans restrictions.

Tout d'abord, ça déroutait. Telle était donc leur audace à eux, différente de la sienne, mais fondée sur le fait particulier de la parenté de Patricia et d'Enro. Puis Gosseyn se fit critique. Cette méthode présentait la même lacune que l'opposition menée par lui-même à ce moment. Comment la surmontaient-ils ? Gosseyn posa la question.

— Il me semble, dit-il lentement, qu'en adoptant cette attitude, vous et la Gorgzin restreignez grandement votre liberté d'action. Peut-être que je me trompe ?

— Partiellement, dit Crang. Dans ce système solaire, les droits légaux de ma femme sont presque équivalents à ceux d'Enro. Son Excellence est très attachée aux traditions, aux coutumes et aux habitudes du peuple et n'a en conséquence fait aucun effort pour détruire les institutions locales.

Encore une information. Et qui collait avec son propre plan. Gosseyn allait reprendre la parole lorsqu'il vit le regard de Crang se poser derrière son épaule. Il se retourna et aperçut Patricia Hardie qui venait d'entrer. Elle sourit quand leurs yeux se rencontrèrent.

— J'écoutais à côté, dit-elle. J'espère que ça ne vous embête pas.

Gosseyn fit signe que non, et il y eut un silence. Il était fasciné. Patricia Hardie, la Gorgzin Reesha de la planète Gorgzid, sœur d'Enro — la jeune femme qui se faisait passer jadis pour la fille du président Hardie, et qui plus tard devait être mariée à Gilbert

Gosseyn — avec une carrière d'intrigues comme celle-là derrière elle, certes, cela faisait quelqu'un avec qui compter. Et le mieux, c'est que, à la connaissance de Gosseyn, jamais elle n'avait flanché dans son soutien de la Ligue et du non-A.

Il lui parut qu'elle devenait de plus en plus belle. Pas tout à fait aussi grande que Leej, la Prédictrice, mais mieux faite. Ses yeux bleus offraient la même expression impérieuse que ceux de Leej, et toutes deux étaient aussi jolies. Mais ici s'interrompait la ressemblance.

Patricia irradiait la détermination. Peut-être une détermination juvénile — mais l'autre ne l'avait pas. Peut-être éprouvait-il cette impression parce qu'il *savait* ce qu'était Leej, et connaissait aussi la carrière de Patricia. Ceci pouvait avoir beaucoup d'importance. Mais Gosseyn estima que cela ne suffisait pas. Leej se laissait aller, sans aucune raison pour être ambitieuse aussi longtemps qu'elle connaissait son avenir. Même à supposer qu'elle acquît soudain un but, maintenant qu'il ne lui était plus possible de se reposer en tout sur son sens prophétique, il lui faudrait longtemps pour modifier ses habitudes et son attitude fondamentale.

Crang rompit le silence.

— Prince, dit-il d'un ton très amical, je pense que je peux satisfaire votre curiosité en ce qui concerne votre mariage à Nirène. Ma femme, ne sachant rien de la conversation de la semaine dernière, a trouvé parfaitement normal que vos relations aient été sanctionnées par l'Eglise.

Patricia rit doucement.

— Jamais il ne m'est apparu, dit-elle, qu'il pût exister des aspects inconnus de cette situation.

Gosseyn acquiesça, mais il restait tendu. Il admit qu'elle connaissait les intentions d'Enro à son égard, et qu'elle les prenait à la légère. Mais d'autres aspects inconnus lui échappaient, estima-t-il. Enro devait toujours espérer établir des relations de mariage légales avec sa sœur, sinon, il n'aurait pas essayé d'éviter qu'elle apprît son peu de considération pour ce lien lorsqu'il s'agissait d'autres personnes. Cette volte-face éclairait violemment le caractère et les desseins d'Enro.

— Votre frère, dit Gosseyn à voix haute, est un homme remarquable !

Il s'interrompit.

— Je suppose qu'il peut entendre ce que nous disons ici, s'il le désire ?

Patricia dit :

— Le don de mon frère a une curieuse histoire.

Elle s'arrêta, et Gosseyn, qui la regardait en face, vit à son expression qu'elle avait l'intention de lui donner des renseignements. Elle continua :

— Nos parents étaient très croyants — ou très habiles. Ils décidèrent que le dauphin Gorgzid mâle devait passer sa première année dans la crypte du Dieu Endormi. La réaction des gens fut hostile à l'extrême, aussi au bout de trois mois, Enro fut déplacé, réveillé, et par la suite eut une enfance normale.

« Il avait environ onze ans lorsqu'il se mit à voir et à entendre des choses à distance. Naturellement, mon père et ma mère considérèrent ceci comme un don du Dieu lui-même.

— Et que pense Enro ? demanda Gosseyn.

Il n'entendit pas la réponse. Des souvenirs d'Ashargin concernant le Dieu Endormi se mirent à parcourir sa conscience des fragments d'informations recueillies lorsqu'il était esclave au temple.

Chaque rapport différait. On autorisait les prêtres à regarder le Dieu au moment du rite de l'initiation. Aucun ne voyait jamais la même chose. Le Dieu Endormi était un vieillard, un enfant, un adolescent de quinze ans, un bébé — telle était l'incohérence du recoupement.

Ces détails passèrent dans l'esprit de Gosseyn en un éclair. Qu'il s'agît d'une illusion due à l'hypnose ou produite mécaniquement, ceci n'avait qu'une importance secondaire. Mais ce qui fit sursauter Gosseyn, parmi ces souvenirs, c'est le *détail* de l'existence quotidienne du Dieu Endormi, inconscient mais nourri et entraîné par un système complexe de machines. La hiérarchie entière du Temple était organisée pour maintenir en marche tout l'organisme.

La lumière qui éblouit Gosseyn à cet instant le laissa étonné parce que c'est de cette façon aussi que l'on devait prendre soin de ses corps successifs.

Quelques secondes, l'idée lui parut trop fantastique. Un corps de Gosseyn, ici, en ce qui était maintenant le quartier général du Plus Grand Empire. Ici, protégé par tous les moyens dont dispose une puissante religion païenne.

Crang rompit le silence.

— L'heure de déjeuner, dit-il. Ceci vaut pour nous tous, je crois. Enro n'aime pas qu'on le fasse attendre.

Déjeuner ! Gosseyn estima qu'une heure environ s'était écoulée depuis que Enro le mandait au rapport. Assez pour provoquer une crise.

Mais le déjeuner s'écoula dans un silence presque total. On débarrassa la table, et Enro resta assis, retenant tout le monde. Pour la première fois, le dictateur regarda directement Gosseyn-Ashargin d'un œil froid et inamical.

— Secoh, dit-il sans se retourner.

— Oui ? répondit l'autre promptement.

— Faites apporter un détecteur de mensonges.

L'œil d'acier restait fixé sur Gosseyn.

— Le prince a demandé une enquête et je suis heureux de l'obliger.

A considérer les circonstances, c'était à peu près vrai, mais Gosseyn aurait changé deux mots. Au lieu de « a demandé », il aurait mis « s'est attendu à ».

Enro ne resta pas assis. Tandis que l'on assujettissait les bracelets du détecteur aux paumes de Gosseyn-Ashargin, il se leva et resta debout, l'œil fixé sur la table. Il fit signe aux autres de rester assis, et commença.

— Nous nous trouvons devant une curieuse situation, dit-il. Voici une semaine, j'ai fait venir le prince Ashargin au palais. J'ai été surpris de son aspect et de ses actes.

Sa bouche se plissa.

— Visiblement, il souffrait d'un violent complexe de culpabilité, probablement né du sentiment que sa famille avait trahi les citoyens du Plus Grand Empire. Il était nerveux, tendu, timide, presque muet, un spectacle pitoyable. Plus de dix ans il avait été tenu à l'écart des affaires interplanétaires et locales.

Enro s'interrompit, le visage sérieux, les yeux brillants. Il continua du même ton soutenu.

— Dès ce premier matin, il a montré une ou deux lueurs de clairvoyance et de compréhension étrangères à son caractère. Pendant cette semaine sur le vaisseau de l'amiral Paleol, il s'est conduit, dans une certaine mesure, d'une façon que laissait prévoir son passé. Pendant sa dernière heure de présence à bord du vaisseau amiral, cependant, il a évolué radicalement, une fois de plus, montrant de nouveau une connaissance supérieure aux possibilités de son état. Entre autres choses, il a envoyé le message suivant au destroyer Y 381 907.

D'un mouvement rapide, il se tourna vers l'un des secrétaires proches et tendit la main.

— Le message, dit-il.

On lui tendit une feuille de papier.

Gosseyn écouta Enro lire le message. Chaque mot paraissait aussi compromettant qu'il le pensait. Un dictateur, le guerrier le plus puissant de la galaxie, devait abandonner ses nombreux devoirs pour s'occuper d'un individu dont il avait eu l'intention de se servir comme un pion dans son propre jeu.

Que le joueur inconnu qui similarisait l'esprit de Gilbert Gosseyn dans le cerveau du prince Ashargin eût prévu une telle crise, cela importait peu. Gosseyn pouvait être un pion, lui-même susceptible de déplacement au gré de quelqu'un d'autre, mais quand c'était à lui de jouer, il faisait ce qu'il entendait — si possible.

Enro reprenait la parole de sa voix sombre.

— Ni l'amiral Paleol ni moi-même ne nous sommes rappelé sur le moment la mission confiée à ce vaisseau. Je ne vous dirai que ceci : nous avons enfin identifié ce vaisseau, et il semble incroyable que le prince Ashargin ait jamais pu en entendre parler. Et bien que je ne veuille pas préciser la nature de cette mission, je puis signaler au prince que son message n'a pas été transmis au vaisseau en question.

Gosseyn refusa d'admettre la chose.

— Le robopérateur du vaisseau amiral a envoyé le message en ma présence, dit-il rapidement.

Le géant haussa les épaules.

— Prince, dit-il, ce n'est pas nous qui l'avons arrêté. Le message n'a pas reçu d'accusé de réception. Nous n'avons pu parvenir à contacter le Y 381 907 depuis plusieurs jours. Et j'ai peur de devoir vous demander quelques éclaircissements. Le destroyer sera remplacé sur Yalerta par un vaisseau de bataille, mais il faudra plus d'un mois de vol à ce dernier pour atteindre la planète.

Gosseyn accueillit ces deux nouvelles avec des sentiments mitigés. C'était une grande victoire que l'on n'expédiât plus de Prédicteurs de Yalerta pendant un mois entier. Les destroyers, autre affaire.

— Mais où a-t-il pu aller ? demanda-t-il.

Il pensa au Disciple, et se tendit. Un moment après, il élimina la dangereuse implication de cette idée.

Il était vrai, apparemment, que le Disciple ne pût prévoir des événements en connexion avec Gilbert Gosseyn. Mais ceci ne valait que pour ce qui concernait le cerveau second. Il paraissait raisonnable, en conséquence, de penser que le Disciple savait où se trouvait Gosseyn.

A l'instant même s'interrompait la chaîne des déductions. Il n'y aurait aucune raison pour que le Disciple se montrât soudain mystérieux à l'égard d'Enro à propos du destroyer. Gosseyn fixa Enro d'un œil calme. Le moment venait de lui assener un nouveau choc.

— Le Disciple ne sait-il rien ? demanda-t-il.

Enro allait parler. Ses mâchoires claquèrent et il regarda Gosseyn d'un œil complètement dérouté.

Au bout d'un long moment, il dit :

— Ainsi, vous connaissez le Disciple. Eh bien, ça suffit. Il est temps que le détecteur nous donne une petite idée de ce que vous avez dans le crâne.

Il manœuvra un contact.

Le silence se fit autour de la table. Même Crang, qui chipotait distraitement dans son assiette, remua sur son siège et reposa sa fourchette. Secoh, pensif, fronçait le sourcil. Patricia Hardie observait son frère avec une esquisse de sourire. C'est elle qui parla la première.

— Enro, ne sois pas si ridiculement mélo.

Le géant se tourna vers elle, l'œil sombre, la figure rouge de colère.

— Silence, dit-il brutal ; je n'ai pas besoin des remarques d'une personne qui a ridiculisé son frère.

Patricia haussa les épaules, mais Secoh, d'un ton coupant, observa :

— Votre Excellence, modérez-vous.

Enro se tourna vers le prêtre et, un instant, son visage eut une expression si horrible que Gosseyn crut le voir prêt à frapper le gardien du Temple.

— Elle vous intéresse toujours, hein ? ricana-t-il.

— Votre sœur, dit le prêtre, est la cogérante de Gorgzid et mandatée comme vous par le Dieu Endormi.

Enro passa une main dans sa crinière rouge et se secoua comme un jeune lion.

— Parfois, Secoh, dit-il, et son ricanement s'accentua, vous me faites l'effet *d'être* le Dieu Endormi. C'est une dangereuse illusion.

Le prêtre dit tranquillement :

— Je parle au nom de l'autorité qui m'a été conférée par l'Etat et le Temple. Je ne puis faire moins.

— L'Etat, c'est moi, dit froidement Enro.

Gosseyn observa :

— J'ai déjà entendu ça quelque part...

Personne ne parut entendre sa remarque. Et pour la première fois, il eut l'impression d'être le témoin d'un dissentiment d'importance. Il se raidit.

— Vous et moi, dit Secoh d'une voix chantante, ne tenons qu'un instant la coupe de la vie. Quand nous aurons bu notre part, nous resterons dans l'ombre — et l'Etat sera toujours là.

— Sous la domination de mon sang ! dit, violent, Enro.

— Peut-être...

Sa voix paraissait lointaine.

— Votre Excellence, cette fièvre qui vous a saisi, je l'entretiendrai jusqu'à la victoire.

— Et à ce moment ?

— Vous recevrez l'appel du Temple.

Enro allait dire quelque chose — il se retint et l'expression neutre de son visage céda la place à un sourire compréhensif.

— Pas bête, hein ? dit-il. Ainsi je vais recevoir l'appel du Temple, et devenir un initié. Le fait que ce soit vous qui transmettiez ces appels présente-t-il une signification quelconque ?

Le prêtre dit tranquillement :

168

— Lorsque le Dieu Endormi désapprouvera ce que je dis ou fais, je le saurai.

Le sarcasme revint contracter le visage d'Enro.

— Tiens, tiens ? Il vous le fait savoir, je suppose, et vous nous l'apprenez à votre tour ?

Secoh dit simplement :

— Vos insinuations ne m'atteignent pas, Excellence. Si je faisais état de ma position pour servir des desseins personnels, le Dieu Endormi ne supporterait pas longtemps pareil blasphème.

Enro hésita. Son visage se calmait, et Gosseyn eut l'impression que le puissant suzerain d'un tiers de la galaxie se sentait sur un terrain dangereux.

Ceci ne le surprenait pas. Les êtres humains gardent une affection persistante pour leur lieu d'origine. Derrière les réussites d'Enro, derrière l'enveloppe de cet homme dont les paroles faisaient loi pour neuf cent mille vaisseaux de guerre, se cachaient toutes les réactions d'un système nerveux humain. Si embrouillées en lui qu'en certains cas, on pouvait à peine les reconnaître pour humaines. Pourtant cet homme avait été un enfant, un enfant né sur Gorgzid. Et si fort restait ce lien que cette planète abritait maintenant la capitale du Plus Grand Empire. Un tel homme n'insulterait pas facilement aux dogmes d'une religion dans laquelle on l'avait élevé.

Gosseyn constata qu'il avait déchiffré correctement l'état d'esprit d'Enro qui s'inclina, sarcastique, vers Patricia.

— Ma sœur, dit-il, je vous demande humblement pardon.

Il se tourna brusquement vers Gosseyn-Ashargin.

— Les deux personnes, sur le destroyer, dit-il, qui est-ce ?

Le moment de l'épreuve était venu.

Gosseyn répondit rapidement :

— La femme est une Prédictrice sans importance spéciale. L'homme s'appelle Gilbert Gosseyn.

A la dérobée, il regarda Patricia et Crang tandis qu'il prononçait ce nom si familier. Il importait qu'ils ne parussent pas le reconnaître.

Ils accueillirent l'information avec beaucoup de calme, lui sembla-t-il. Ils continuaient d'observer attentivement son visage, mais leurs yeux ne manifestaient aucune surprise.

Enro se concentrait sur le détecteur.

— Pas de commentaires ? demanda-t-il.

Il y eut un silence de plusieurs secondes. A la fin, prudent, le détecteur dit :

— L'information est correcte en elle-même.

— En quoi ne l'est-elle pas ? demanda sèchement Enro.

— Il y a une confusion, répondit l'appareil.

— De quoi ?

— Identité.

Le détecteur parut se rendre compte que la réponse ne convenait pas. Il répéta.

— Il y a une confusion.

Il allait dire autre chose, mais s'interrompit, et l'on n'entendit pas même la première syllabe.

— Eh bien, je veux être..., explosa Enro.

Il hésita.

— Cette confusion a-t-elle un rapport avec les personnes du destroyer ?

— Non, dit vivement le détecteur. C'est-à-dire...

Il hésita de nouveau et reprit, déterminé :

— C'est-à-dire, pas exactement. Votre Excellence, cet homme est Ashargin et pourtant ce n'est pas lui. Il...

Il resta silencieux, puis, piteux :

— Question suivante, s'il vous plaît.

Patricia Hardie pouffa. Ceci parut déplacé. Enro lui lança un regard terrible. Il dit sauvagement :

170

— Quel est l'imbécile qui a apporté ici un détecteur détraqué ? Un autre, tout de suite.

Le second détecteur, une fois en place, répondit à la question d'Enro :

— Oui, c'est bien Ashargin.

Il s'arrêta, reprit :

— C'est-à-dire... il semble que ce soit lui.

Il conclut, incertain :

— Il y a une confusion.

Il y avait également à présent une certaine confusion dans l'esprit du dictateur.

— Ça, c'est inouï ! dit-il.

Il se ressaisit et continua :

— Eh bien, nous irons jusqu'au fond de cette affaire.

Il regarda Ashargin.

— Ces gens, sur le destroyer. J'infère de votre message au capitaine Free qu'ils sont prisonniers.

Gosscyn acquiesça :

— C'est exact.

— Et vous voulez qu'on les amène ici ? Pourquoi ?

— Je pensais que vous désiriez les questionner, dit Gosseyn.

Enro, de nouveau, sembla démonté.

— Je ne vois pas comment vous pourriez utiliser qui que ce soit contre moi, ici, sous mon pouvoir.

Il s'adressa à la machine.

— Alors, détecteur ? A-t-il dit la vérité ?

— Vous voulez dire, désire-t-il qu'on les amène ? Oui, il le désire. Quant à les utiliser contre vous ?... Tout est mélangé.

— En quel sens ?

— Eh bien, une de ses pensées montrerait qu'en un sens, l'homme du navire serait ici ; et une autre concerne le Dieu Endormi — tout ceci paraît mêlé au prince Ashargin.

— Votre Excellence, intervint Secoh tandis que

Enro, stupéfait, restait silencieux, puis-je poser une question au prince Ashargin ?

Enro acquiesça, mais ne dit rien.

— Prince, dit le prêtre, avez-vous une idée de la nature de cette confusion ?

— Oui, dit Gosseyn.

— Quelle est votre explication ?

— Je suis périodiquement possédé, dominé, contrôlé et dirigé par le Dieu Endormi.

« Que les détecteurs se débrouillent pour nier tout ça », pensa Gosseyn avec une profonde satisfaction.

Enro rit. Le rire d'un homme tendu devant qui surgit soudain quelque chose de ridicule. Il s'assit à la table, mit sa figure dans ses mains, ses coudes sur la table, et explosa. Lorsqu'il releva enfin les yeux, ils étaient pleins de larmes.

— Ainsi, vous êtes le Dieu Endormi, dit-il, et vous avez pris possession d'Ashargin.

La drôlerie de la chose le saisit de nouveau et il hoqueta cinq bonnes minutes avant de recouvrer son calme. Cette fois, il regarda Secoh.

— Seigneur gardien, dit-il, c'est le « combientième » ?

Il parut se rendre compte que sa question restait obscure pour ses voisins. Il se tourna vers Gosseyn.

— En un an, il se présente à peu près cent personnes, rien que sur cette planète, qui prétendent être possédées par le Dieu Endormi. Dans tout l'empire, il y a environ deux mille rouquins qui affirment être Enro le Rouge, et ces onze dernières années, environ dix mille individus sont venus raconter qu'ils étaient le prince Ashargin. La moitié ont dépassé la cinquantaine.

Gosseyn dit :

— Qu'arrive-t-il quand on les met en présence d'un détecteur de mensonges ?

Le géant se rembrunit.

— Bon, dit-il, allons-y. Comment ça se passe-t-il ?

Gosseyn s'attendait au scepticisme. Sauf Crang, tous étaient des thalamiques. Même Patricia Hardie, si amicale qu'elle fût pour Vénus, n'avait pas la culture Ā. De telles personnalités pouvaient avoir des idées contradictoires et discuter même cette contradiction sans être en aucune façon influencées par la réalité. L'essentiel, c'était d'avoir semé la graine.

Il vit Enro se renfrogner.

— Assez de blagues, dit le géant. Revenons aux faits. J'admets que vous m'ayez joué, mais je ne vois pas ce que vous vous attendez à en tirer. Que voulez-vous ?

— La compréhension, dit Gosseyn.

Il s'exprimait avec prudence, mais se sentait net et déterminé.

— D'après ce que je vois, reprit-il, vous désirez m'utiliser à quelque chose. Eh bien, j'accepte — dans une certaine mesure. En retour, je désire ma liberté d'action.

— Liberté de quoi ?

Ce que dit alors Gosseyn s'adressait aussi aux autres.

— En déclenchant cette guerre, dit-il, vous avez mis en danger la vie de tous les habitants de cette galaxie, y compris ceux du Plus Grand Empire. Je pense que vous devriez accepter les conseils de ceux qui partageraient votre sort au cas où cela tournerait mal.

Enro se pencha et leva le bras comme s'il allait le gifler. Un instant il resta comme ça, tendu, les lèvres serrées, les yeux fixes. Puis, lentement, il se détendit et se cala dans son fauteuil. Il sourit légèrement et dit :

— Allez-y, pendez-vous.

Gosseyn dit :

— Il me paraît que vous vous êtes concentré si complètement sur l'aspect offensif de la guerre que vous en avez négligé certains aspects tout aussi essentiels.

Enro, suffoqué, hocha la tête.

— Et tout ça, dit-il ébahi, d'un garçon qui vient de passer onze ans dans un jardin potager.

Gosseyn ignora le commentaire. Il lui parut qu'il progressait. Sa théorie était la simplicité même. On n'avait pas mis en avant le prince Ashargin à ce moment critique sans une raison essentielle. On ne l'éliminerait pas avant qu'il eût rempli le rôle pour lequel on l'avait ressuscité.

En outre, le moment se présentait bien pour se renseigner sur les intentions d'Enro envers certaines personnes.

— Par exemple, dit Gosseyn, il y a le problème du Disciple. Le Disciple est un être virtuellement indestructible. Vous ne supposez pas, la guerre gagnée, qu'un homme comme le Disciple laissera Enro le Rouge gouverner la galaxie.

Enro, sauvage, dit :

— Je m'occuperai du Disciple si ça le travaille.

— Facile à dire. Il peut entrer à chaque instant et tuer tout le monde dans cette pièce.

Le géant secoua la tête. Il paraissait égayé.

— Mon ami, dit-il, vous avez écouté sa propagande. Je ne sais pas comment il fabrique son ombre, mais j'ai conclu voici bien longtemps que tout le reste est physique ordinaire. Ça veut dire des distorseurs, et pour les armes, de l'énergie. Seuls deux distorseurs dans ce bâtiment ne sont pas sous mon contrôle, et je les tolère. Je défie qui que ce soit de construire des machines à proximité de nous sans que je le sache.

Gosseyn dit :

— Cependant, il peut prédire chacun de vos gestes.

Le sourire s'effaça du visage de l'autre.

— Il peut prédire ce qu'il veut, dit-il, coupant. C'est moi qui commande. S'il essaie de s'en mêler,

174

il va se retrouver dans la position du condamné à la pendaison : il sait le jour et l'heure, mais il ne peut rien y faire.

Gosseyn dit :

— A mon avis, vous n'avez pas réfléchi à tous ces problèmes de la façon qu'il fallait.

Enro resta silencieux, regardant la table. Enfin, il leva les yeux.

— Quoi d'autre ? dit-il. J'attends les conditions en question.

Il était temps de parler affaires.

Gosseyn sentit l'effet de toute cette scène sur le corps d'Ashargin. Il aurait voulu relâcher un peu la tension du système nerveux du prince. Il eut envie de regarder Crang, Patricia ou Secoh pour voir comment ils réagissaient à la situation. Ceci donnerait à Ashargin un moment de détente. Mais il refréna son désir. Enro avait pratiquement oublié la présence de témoins. Il ne serait pas sage de distraire son attention. Il dit à voix haute :

— Je désire avoir l'autorisation de faire des appels où que ce soit dans la galaxie à n'importe quelle heure du jour ou de la nuit. Naturellement, vous pouvez les écouter, vous ou vos agents.

— Naturellement ! dit Enro, sarcastique. Et encore ?

— Je veux la libre disposition des distorseurs de transport en tous points du Plus Grand Empire.

— Je suis heureux de vous voir restreindre ce désir au Plus Grand Empire, dit Enro.

Il s'interrompit.

— Continuez, s'il vous plaît.

— Je désire pouvoir commander tout équipement de mon choix aux Magasins généraux. Pas d'armes, naturellement.

Enro remarqua :

— Ça peut continuer longtemps comme ça. Qu'est-ce que vous offrez en retour de ces extravagantes prétentions ?

Gosseyn formula sa réponse non pas à l'adresse d'Enro, mais à celle du détecteur :

— Vous avez tout écouté. Ai-je parlé franchement jusqu'ici ?

Les tubes clignotaient à peine. Il y eut une longue hésitation.

— C'est exact, jusqu'à un certain point, au-delà duquel il y a une confusion mettant en jeu...

— Le Dieu Endormi ? demanda Gosseyn.

— Oui, et pourtant, non.

Gosseyn revint à Enro.

— Combien de révolutions avez-vous à combattre, demanda-t-il, sur les planètes du Plus Grand Empire où l'on fabrique un matériel de guerre vital ?

Le dictateur le regarda, amer, et dit enfin :

— Plus de deux mille.

— Ça ne fait que trois pour cent. Qu'est-ce qui vous embête ?

— Quelques-unes, dit Enro avec franchise, ont une importance technique hors de proportion avec leur importance réelle.

C'est ce qu'il avait désiré entendre. Gosseyn dit :

— En échange de ce que je vous ai demandé, je parlerai à la radio pour soutenir votre attaque. Pour autant que le nom d'Ashargin soit de quelque utilité au contrôle de l'empire, je le mets à votre disposition. Je coopérerai jusqu'à nouvel ordre. C'est ce que vous voulez de moi, non ?

Enro se leva.

— Vous êtes sûr, dit-il sauvagement, que c'est bien tout ce que vous désirez ?

— Encore une chose... dit Gosseyn.

— Oui.

Gosseyn ignora le ton sardonique.

— Cela concerne ma femme. Elle ne doit plus paraître au bain royal.

Il y eut un long silence. Un poing puissant s'abattit sur la table.

— Tope ! dit Enro d'une voix sonore. Vous ferez tantôt votre premier discours.

14

Non-axiomes.

Dans l'intérêt de la raison, utilisez des RÉFÉRENCES : par exemple, « le conscient » et l' « inconscient » sont deux termes descriptifs utiles ; mais il reste à prouver que ces termes eux-mêmes reflètent avec précision l' « existant » au niveau des faits. Il existe des cartes de territoires sur lesquels nous ne pourrons jamais avoir de renseignements exacts. L'entraînement $\overline{A}$ étant destiné aux individus, l'essentiel est de rester conscient de la signification « multiordinale », c'est-à-dire polyvalente, des mots que l'on entend ou que l'on prononce.

Il était tard dans l'après-midi lorsque Gosseyn revint à l'appartement de Nirène. La jeune femme, assise à une table, écrivait une lettre. Elle posa sa plume lorsqu'il entra, se leva et se dirigea vers un grand fauteuil des profondeurs duquel elle le regarda de ses yeux gris et calmes.

— Ainsi, nous avons tous environ deux mois à vivre ? dit-elle enfin.

Gosseyn-Ashargin feignit la surprise.

— Si longtemps ? dit-il.

Ce fut son seul commentaire. Peu importait ce qu'elle avait entendu de l'incident du déjeuner ou d'ailleurs. Il le regrettait pour elle, mais le destin de la jeune femme ne dépendait pas réellement de lui. Si un tyran peut ordonner à une femme de devenir la maîtresse ou l'épouse d'un étranger simplement parce qu'elle s'est arrêtée pour lui parler cinq minutes, c'est là un fait auquel on ne peut s'attendre normalement. Elle avait commis l'erreur d'être née au sein de l'ancienne noblesse et vivait au bord du puits sans fond des soupçons d'Enro.

C'est encore Nirène qui rompit le silence.

— Qu'allez-vous faire maintenant ?

Gosseyn s'était posé lui-même la question, sachant que ceci se compliquait du fait que, à tout moment, il pouvait retrouver son propre corps.

Mais à supposer que non ? A supposer qu'il reste encore ici plusieurs jours ? Alors ? Y avait-il quelque chose à faire qui pût être d'un intérêt quelconque, maintenant ou plus tard, pour Ashargin ou pour Gosseyn ?

Il y avait Vénus. Mais les Vénusiens savaient-ils même ce qui se passait ?

En outre, il fallait réellement qu'il jetât un coup d'œil sur le Dieu Endormi. Ceci nécessitait une autorisation de Secoh.

Ses pensées s'interrompirent tandis qu'il arrivait au numéro trois de la liste : entraîner Ashargin. Il regarda Nirène.

— J'ai mené le prince plutôt dur, dit-il, et je crois que je ferai bien de le laisser se reposer une heure.

— Je vous réveillerai quand il faudra, dit Nirène d'une voix si douce que Gosseyn, surpris, la regarda.

Dans la chambre à coucher, Gosseyn régla un enregistreur mural pour répéter un thème de relaxation de trois minutes. Puis il s'étendit. Durant l'heure qui suivit, pas une fois il ne s'endormit vraiment. Il y avait toujours la voix, derrière, la voix monotone d'Ashargin qui répétait, répétait encore les quelques phrases.

Il laissa son esprit rôder parmi les souvenirs plus amers des années de séquestration d'Ashargin. Chaque fois qu'il tombait sur un incident ayant produit une profonde impression, il parlait silencieusement au jeune Ashargin. Comme si à quinze ans, à seize ans, à vingt ans, Ashargin était chaque fois une entité vivant au-dedans de lui. Ashargin l'aîné parlait à ses cadets au moment où ceux-ci avaient subi un traumatisme.

Du haut de son niveau de plus grande compréhension, il assurait le plus jeune que l'incident devait être regardé d'un autre point de vue que celui d'un jeune homme craintif. Il se persuadait que la peur de la souffrance et la peur de la mort sont des émotions que l'on peut dominer, et, en résumé, que le choc si profond autrefois ne signifiait plus rien pour lui maintenant. Bien plus, dans l'avenir, il comprendrait mieux ces moments-là et jamais plus ne risquerait d'en souffrir.

Ce n'était qu'une entre autres des méthodes d'entraînement non-A, mais saine scientifiquement, en tant que système d'auto-traitement et qui produirait des résultats précis.

« Détends-toi... », disait la voix calmante. Et, combiné à ce qu'il était en train de faire, chaque mot signifiait : « Détends-toi des tensions de toute une vie. Que toutes ces craintes, que ces doutes et ces incertitudes débarrassent ton système nerveux. »

L'effet ne dépendait aucunement de la croyance que quelque chose dût arriver bien que cette conviction le renforçât. Il fallait du temps. Bien des souvenirs volontairement enterrés devraient être rapidement ramenés au grand jour avant que le remède pût agir sur eux.

Le prince Ashargin ne se détendrait pas en un jour.

N'importe, à l'heure où Nirène frappa doucement à la porte, il avait non seulement l'équivalent d'une heure de sommeil, mais une réorientation psychanalytique que les circonstances ne lui eussent pas permis d'obtenir autrement.

Il se sentit rafraîchi, prêt à affronter l'après-midi et la nuit.

Les jours passaient ; la question se posait : comment savoir pour Vénus ?

Plusieurs possibilités s'offraient. Toutes exigeaient qu'il révélât ce qu'il voulait savoir. Et Enro serait aussi à même de concevoir la signification de ces révélations que la personne à qui elles s'adressaient.

Risque impossible à prendre avant d'avoir épuisé les autres moyens.

Au bout de quatre jours, Gosseyn était un homme très embêté. Il se vit isolé dans le corps d'Ashargin, ce qui, en dépit de sa prétendue liberté d'action, lui interdisait de faire les seules choses qui importassent.

Seuls les Vénusiens Ā pourraient arrêter Enro et les Prédicteurs. Telle était sa conviction, fondée sur ses observations et sa connaissance des choses.

Mais, pour autant qu'il le sût, ils se trouvaient coupés de tout. Incapables d'agir. Facilement menacés par un dictateur sur l'ordre duquel des centaines de planètes venaient d'être pulvérisées.

Chaque jour, il espérait se retrouver dans son propre corps. Il tentait d'y aider. Il se servait des distorseurs de transport chaque fois que l'occasion se présentait. Quatre fois en quatre jours, il fit l'aller et retour jusqu'à des planètes éloignées. Mais son esprit restait dans le corps du prince Ashargin.

Il attendit un appel l'informant que l'on avait contacté le destroyer Y 381 907. Rien ne venait.

Que pouvait-il se passer ?

Le quatrième jour, il se rendit personnellement au Service des communications interplanétaires. Ce service occupait un immeuble de quatre-vingt-dix étages sur dix blocs de long. Le bureau de renseignement de l'immeuble comportait cent robopérateurs qui orientaient les appels sur le secteur convenable. Il se présenta à l'un d'eux.

— Ah ! parfaitement, répondit le robopérateur. Le prince Ashargin. Nous avons reçu des instructions vous concernant.

Gosseyn fit son enquête et allait s'éloigner, mais une idée le retint. Les détails l'intéressaient.

— Quel genre d'instructions ? demanda-t-il.

La réponse avait la franchise typique d'Enro :

— Vous pouvez appeler qui vous voulez, mais une transcription de chaque conversation sera envoyée au bureau des renseignements.

Gosseyn acquiesça. Il ne pouvait guère y échapper. Il choisit une cage de distorseur correspondant au secteur qu'il désirait et s'assit au vidéophone. Puis il dit :

— Je désire parler au capitaine Free, ou à une personne quelconque à bord de l'Y 381 907.

Il aurait pu passer son appel de chez Nirène, mais ici, il voyait le distorseur qui transmettait le message. Il put constater la tentative de liaison tandis que le robopérateur composait l'indicatif correspondant, selon la plaque transparente de trente centimètres d'épaisseur donnant la liste des destroyers, au 381 907.

Tout ceci, il le vit de ses propres yeux. S'il était possible d'éviter une interférence dans sa tentative de jonction avec le destroyer, là se trouvait une des méthodes.

Une autre consistait à appeler d'une planète prise au hasard, ce qu'il avait déjà fait deux fois sans résultat.

Une minute s'écoula. Puis deux. Toujours pas de réponse. Au bout de quatre minutes environ, le robopérateur dit :

— Un instant, s'il vous plaît.

Dix minutes en tout se passèrent, et la voix de l'opérateur reprit :

— La situation est la suivante. Lorsque l'on pousse la similarité jusqu'à la limite mécanique connue de vingt-trois décimales, on obtient une faible réaction. Ceci est purement automatique. Il est évident que l'indicatif de votre correspondant est encore partiellement similarisé, mais sa détérioration est manifeste. Visiblement, aucun effort n'est tenté par les occupants du vaisseau pour conserver l'indicatif.

— Merci, dit Gosseyn-Ashargin.

Difficile d'imaginer que son corps se trouvât quelque part là-bas tandis que son moi raisonnant restait ici, attaché au corps du dauphin Ashargin.

Le mystère restait total.

★

Le sixième jour, Enro passa un message au vidéophone public. Il jubilait visiblement, et une note de triomphe tintait dans sa voix :

« Je suis à l'instant informé par le grand amiral Paleol, chef suprême de nos forces dans la bataille du sixième décant, que la capitale de Tuul a été détruite voici quelques heures par notre invincible flotte. Ceci n'est qu'une victoire parmi la liste interminable de celles remportées par nos hommes et nos armes sur un ennemi qui résiste avec acharnement. Continuez de combattre, amiral. Le cœur du peuple et la confiance de votre gouvernement vous accompagnent. »

Tuul ? Gosseyn, à l'aide des souvenirs d'Ashargin, se rappela le nom. Tuul, la place forte du plus puissant Etat du groupe de la Ligue. Une planète entre mille... mais son étiquette de « capitale » prendrait valeur de symbole à l'égard des esprits non intégrés pour qui la carte, sémantiquement parlant, était le territoire, et le mot la chose elle-même.

Même pour Gilbert Gosseyn la destruction de Tuul signifiait un tournant. Il n'osait pas attendre. Après le dîner, il invita Nirène à l'accompagner chez Crang et Patricia.

— J'espère, dit-il en appuyant, que la Gorgzid et vous-mêmes aurez beaucoup de choses à vous dire.

Elle le regarda, momentanément surprise, mais il ne s'expliqua pas autrement. Impossible d'exprimer ouvertement son projet pour rendre inopérant le don de clairvoyance d'Enro.

Nirène fit de son mieux. Qu'attendait-elle qu'il arrivât ? Gosseyn n'en savait rien. Mais, au début, elle parla sans cesse.

Les réponses de Patricia la freinèrent d'abord. Elle semblait dépassée par cette mitrailleuse vocale qui fonctionnait avec régularité. Mais, soudain, elle dut comprendre. Elle s'avança, s'assit sur le bras du fauteuil de Crang et se mit à répondre.

Nirène, à trois mètres de là, hésita, puis s'approcha et s'assit sur les genoux d'Ashargin. La conversation qui s'ensuivit fut la plus animée que Gosseyn eût jamais entendue entre deux femmes. Pas une seconde pendant le reste de la soirée ses prudentes paroles ne cessèrent d'être couvertes par le fond sonore de ce bavardage féminin.

Gosseyn formula d'abord une de ses moindres préoccupations.

— Est-ce que vous vous y connaissez en matière de cerveaux seconds ? demanda-t-il, mentionnant le mot devant Crang pour la première fois.

Les beaux yeux jaunes de l'homme l'étudièrent, pensif. Puis il sourit.

— Un peu. Que voulez-vous savoir ?

— C'est un problème de temps, je suppose, dit Gosseyn. La première photographie est trop lente, en quelque sorte. Plus lente qu'une plaque photo-

184

graphique ; et les plus compliqués des tubes électroniques, comparés à ça, vont à la vitesse de l'éclair.

Crang acquiesça et dit :

— Il est reconnu que les machines spécialisées peuvent remplir toute fonction particulière beaucoup plus vite et souvent mieux qu'un organe ou un effecteur humain donnés. C'est la rançon de notre adaptabilité virtuellement illimitée.

Gosseyn dit très vite :

— Vous estimez le problème insoluble ?

L'autre secoua la tête.

— C'est une question de degré. Il est possible que l'entraînement initial soit parti sur une mauvaise route et qu'une orientation différente puisse donner de meilleurs résultats.

Gosseyn comprenait fort bien. Un pianiste qui a appris de mauvais doigtés ne peut devenir un virtuose à moins de réapprendre laborieusement selon la bonne méthode. Le cerveau humain et le corps peuvent être éduqués en vue de résultats très différents. Certaines méthodes sont si remarquables que l'individu ordinaire convenablement conditionné peut être regardé comme un génie.

Mais comment, se fondant sur cette vérité générale, réentraîner son cerveau second une fois son propre corps retrouvé ?

— Je dirais, dit Crang, qu'il s'agit essentiellement de développer des réflexes conditionnés.

Ils bavardèrent quelques instants sur ce sujet. Pour le moment, Gosseyn ne se souciait pas d'Enro. Même si le dictateur pouvait éliminer le « brouillage » continuel de la conversation de Nirène et de Patricia, ce qu'il entendrait ne signifierait rien pour lui.

Il ne perdait rien de sa prudence, mais se préoccupait de découvrir la nature possible d'un tel réflexe. Crang fit quelques suggestions, mais il parut à Gosseyn que le détective non-A cherchait toujours à se faire une idée de ce que savait Ashargin.

Cette pensée le décida enfin. Il orienta la conversation sur le problème de la possession d'un esprit par un autre. Il souligna que ce phénomène pouvait se réaliser avec un cerveau second, le processus de similarisation suivi étant sans doute un contact au plus haut degré entre un cerveau second complètement développé et le vestige de ce cerveau second existant dans tout être humain. Ainsi, la plus grande des deux quantités se déplaçait toujours vers la plus petite.

Crang était attentif.

— Ce que je me demande, dit-il, c'est ce que ferait le cerveau second une fois en possession du vestige. Dominerait-il les deux corps en même temps, ou le plus puissant serait-il en état de relaxation ?

— Relaxation à coup sûr, dit Gosseyn.

Voilà quelque chose qu'il avait voulu dire, et il se sentit satisfait. Malgré le handicap d'Enro, il venait d'apprendre à Crang que le corps de Gosseyn était inconscient.

Crang sachant que ce corps se trouvait à bord de l'Y 381 907, ses vues de la situation devaient s'éclairer considérablement.

— Il y eut un temps, continua Gosseyn, où j'admettais totalement qu'une situation comme celle-là ne pût résulter que d'un tiers réalisant l'échange forcé. Il paraît difficile à croire (il hésita) que le Dieu Endormi puisse laisser son esprit dans une enveloppe aussi limitée que celle d'Ashargin s'il a un moyen de l'éviter.

Il espérait faire comprendre à Crang que Gilbert Gosseyn se trouvait impuissant à agir sur sa propre destinée.

— Et naturellement, continua-t-il, Ashargin est un simple pantin qui a fait maintenant à peu près tout ce qu'il pouvait faire.

186

— Je ne suis pas d'accord, dit Crang, désinvolte.

Brutalement, ils arrivaient ainsi au but essentiel de leur prudent échange de vues.

« C'est du moins *mon* but essentiel » se dit Gosseyn, en regardant l'autre.

Car la position de Crang en tout ceci, le troublait. L'homme semblait ne rien faire. Il avait pris le risque — risque terrible à considérer son action sur Vénus — de se rendre au quartier général d'Enro. Et jour après jour il restait inactif.

Son plan, s'il existait, devait être assez étonnant pour que se justifiât une telle inaction au moment où la bataille du sixième décant approchait inexorablement de la décision finale.

Crang conclut vivement :

— A mon avis, prince, ces discussions mystiques ne peuvent aller bien loin. Il vient un moment où l'homme agit. Tenez, Enro est un exemple remarquable de l'homme d'action. Un génie militaire de premier plan. Il faudra des siècles pour retrouver son pareil dans la galaxie.

Étrange compliment, venant d'Eldred Crang. Et puisque le tout était faux — n'importe quel Vénusien Ā instruit des méthodes militaires pouvait égaler le « génie » d'Enro — il y avait là, visiblement, une intention.

Il assit Nirène plus confortablement sur ses genoux et se cala lui-même dans son fauteuil. Et à ce moment, il vit une possibilité de répondre. Il rétorqua promptement :

— Il me semble que des hommes comme vous-même laisseront leur marque sur l'histoire militaire de la galaxie. Il serait intéressant de suivre ces événements de près.

Crang se mit à rire.

— L'avenir nous dira tout ça.

Il changea de sujet et reprit :

— Il est dommage que Enro ne soit pas encore

reconnu pour le plus grand génie militaire qui ait jamais vécu.

Morose, Gosseyn acquiesça. Quelque chose se préparait, mais on n'avait pas répondu à sa propre question. Il savait à coup sûr que Crang comprenait ce qu'il essayait de dire.

« Et il ne répondra pas, pensa-t-il, furieux. Eh bien, s'il a un plan, il y a intérêt à ce qu'il soit bon. »

— Je suis sûr, dit Crang, qu'après sa mort, même ceux de la Ligue reconnaîtront et honoreront l'habileté consommée de l'attaque déclenchée contre le pouvoir central.

Et Gosseyn vit le plan : « Le plus grand qui ait jamais vécu ! après sa mort... »

Crang proposait une tentative d'assassinat d'Enro.

Gosseyn resta stupéfait. A un moment donné, l'idée de se servir d'Ashargin pour tuer Enro paraissait le seul moyen d'utiliser un individu d'aussi peu de poids. Mais tout avait changé. Le dauphin Ashargin servait à influencer des milliards de gens. On le savait en vie. En temps voulu, son influence serait décisive.

Le sacrifier maintenant au cours d'une tentative d'assassinat du dictateur, cela ressemblait à l'abandon d'une reine dans une partie d'échecs. Même au début, il trouvait que ce serait un sacrifice. Et maintenant, sachant ce qu'il connaissait d'Enro, il se sentait convaincu que la vie d'Ashargin serait perdue en pure perte.

En outre, la mort d'Enro n'arrêterait pas la flotte d'invasion. Là-bas, il y avait Paleol, dur, sauvage, décidé. Paleol, et ses milliers d'officiers, volontairement en marge de la loi et de la Ligue, prendraient les rênes du gouvernement contre tout groupe qui pourrait tenter de s'emparer du Plus Grand Empire.

Naturellement, si Ashargin mourait en tentant de

tuer Enro, Gilbert Gosseyn retournerait sans doute dans son propre corps. Pour lui, toujours persuadé que ce retour se ferait normalement, ça demandait une semaine de réflexion. Et — à tout hasard — on pouvait commencer à mettre le plan en application ; il y avait des préparatifs à faire.

A regret, avec mainte réserve, Gosseyn notifia son accord à ce complot.

Ceci termina la soirée. Il s'attendait que l'on discutât les détails, mais Crang se leva et dit :

— Ça a été une conversation très agréable. Je suis ravi que vous soyez passés nous voir.

A la porte, le détective Ā ajouta :

— Vous pourriez tenter d'imiter le réflexe utilisé à la vision nette.

Cette méthode d'entraînement était déjà venue à l'idée de Gosseyn. Il acquiesça.

— Bonsoir, dit-il brièvement.

Cette visite, tandis que, en compagnie de Nirène, silencieuse, il regagnait son appartement, lui laissait une impression d'intense déception.

★

Il attendit que Nirène fût sortie, et demanda Madrisol au vidéophone. Il se sentait nerveux. En effet, ceci pouvait passer pour une trahison. Il avait demandé à Enro l'autorisation de téléphoner à qui il voulait, mais on ne communique pas avec l'ennemi en temps de guerre sans accord spécial. Il se demandait à quel point on le surveillait lorsque la voix de l'opérateur retentit.

— Le secrétaire de la Ligue accepte de parler au prince Ashargin à la condition qu'il soit expressément entendu que c'est une autorité légale qui s'adresse à un hors-la-loi.

Gosseyn entrevit immédiatement les risques courus par Ashargin s'il acceptait cette thèse. Il entendait faire tout ce qui était en son pouvoir pour aider la Ligue à gagner la guerre ; si la victoire en résultait, Ashargin se trouverait dans une situation dangereuse.

Il en éprouva de l'ennui, mais un instant lui suffit à découvrir une échappatoire.

— Le prince Ashargin, dit-il, a des raisons impératives de parler à Madrisol et en conséquence il accepte la condition sans préjugé.

Ensuite, ce ne fut pas long. Le mince visage ascétique de Madrisol apparut sur l'écran. L'homme paraissait plus émacié encore que lorsqu'il l'avait vu avec les yeux de Gosseyn. Le secrétaire de la Ligue hurla :

— S'agit-il d'une offre de reddition ?

Question si peu réaliste que Gosseyn fut distrait de son propre dessein. Madrisol continua, d'un ton coupant :

— Comprenez qu'il ne peut y avoir d'exception aux principes. Tous les individus participant à la hiérarchie du Plus Grand Empire doivent se soumettre au jugement du tribunal de la Ligue.

Un fanatique. En dépit de sa propre opposition à Enro, Gosseyn ne put s'empêcher d'être un peu ironique en répondant :

— Monsieur, ne croyez-vous pas que vous vous pressez un peu trop de conclure ? Ceci n'est pas une offre de reddition, et d'ailleurs je ne suis pas en mesure de la formuler.

Il continua rapidement :

— La raison de mon appel vous surprendra sans doute. Mais tout d'abord, je veux vous prévenir : il est d'importance vitale que vous ne mentionniez pas nominalement le sujet dont je veux vous entretenir. Ce que j'ai l'intention de vous dire va être rapporté à Enro et toute indiscrétion de votre part pourrait avoir des effets désastreux.

— Oui, oui, allez.

Gosseyn n'abandonnait pas.

— J'ai votre parole ? demanda-t-il. Votre parole d'honneur ?

La réponse fut glaciale :

— L'honneur ne peut avoir cours entre un officiel de la Ligue et un hors-la-loi. Mais, continua Madrisol, il est évident que je ne ferai aucune révélation qui puisse être dangereuse pour une planète amie.

C'était la promesse qu'il désirait. Pourtant, maintenant qu'elle était faite, Gosseyn hésitait. Les souvenirs d'Ashargin, ces systèmes solaires entièrement détruits, lui embarrassaient la langue.

Si Enro devinait de quelle planète il était question, on pouvait être sûr qu'il agirait. Un simple soupçon suffirait. Pour l'instant, Vénus représentait un simple incident pour le dictateur. Aussi longtemps que cela durerait, les Vénusiens seraient sans doute en sécurité.

La voix impatiente de Madrisol retentit :

— Je vous prie de venir au fait.

Encore une fois, Gosseyn fit défiler dans sa tête les phrases préparées et il se lança. Il rappela l'appel de Gilbert Gosseyn à Madrisol, plusieurs semaines auparavant, et la requête formulée à l'époque. Il conclut :

— Avez-vous fait quelque chose ?

Madrisol se rembrunit.

— Je me rappelle vaguement. Je crois qu'un de mes techniciens a tenté de passer un message.

— Qu'est-il arrivé ?

— Une seconde. Je vais vérifier que ce message a bien été envoyé.

— *Attention !* rappela Gosseyn.

Les lèvres de Madrisol se pincèrent un peu plus, mais il acquiesça. Il fut de retour moins d'une minute plus tard.

— Non, dit-il, le message n'a pas encore été transmis.

Gosseyn, muet, le regarda un moment. Il n'était pas absolument convaincu. C'était beaucoup attendre d'un homme dans la position de Madrisol que de lui demander de révéler des informations au prince Ashargin. Mais il se rappela la sécheresse de son interlocuteur lorsqu'il l'avait appelé de Vénus. Ceci concordait. Et comment...

Il retrouva sa voix.

— Je vous adjure, dit-il, de prendre contact avec eux immédiatement — et personnellement.

Il coupa la communication, déprimé. Le plan désespéré de Crang, en fin de compte, n'était pas la dernière solution, mais bien la seule solution. Et pourtant, non ! Paleol exécuterait tous les habitants du palais : Nirène, Patricia, Crang...

Gosseyn se calma. A quoi bon penser à tout ça ? A moins que l'on ne se décide à une action décisive, Nirène, Crang et Ashargin — au moins — mourraient promptement de toute façon. Il fallait se rappeler le grand rôle joué par Crang sur Vénus et espérer que le détective non-A restait à la hauteur de la situation.

Il tenterait de tuer Enro si Crang le lui suggérait.

Il lui fallut plus d'une heure pour élaborer la formule qu'il désirait ; pour l'enregistrer, quatre minutes et quart suffirent.

C'était une opération complexe qu'il entreprenait là, complexe en ce sens qu'il désirait fixer des réflexes sur le plan de l'inconscient et modifier en fait les réactions du système nerveux autonome.

Cette tentative trouvait son parallèle dans les siècles anciens. Les orgueilleuses légions de Jules César avaient défait des armées de barbares supérieures en nombre parce que le système nerveux des soldats romains était entraîné pour le combat coor-

6

donné. Les légions de César auraient eu peu de chances contre les armées de l'empire romain de l'Est au VIᵉ siècle.

Les armes s'étaient peu modifiées, mais on avait amélioré l'entraînement.

En 1940, le dictateur Hitler adaptait le système nerveux de ses hommes à un système neuf et différent de guerre mécanique. Il triomphait jusqu'au moment où un nombre supérieur d'hommes et de machines adoptait ses méthodes. Les machines existaient déjà avant le Blitz, mais il fallait habituer les hommes aux machines en vue d'une nouvelle intégration. Celle-ci terminée, la supériorité naissait automatiquement.

Dans les années qui avaient suivi la paix confuse de la Seconde Guerre mondiale, de plus en plus de gens se rangeaient aux conclusions laborieusement formulées par la nouvelle science et sémantique générale à partir de la masse des expériences connues. Selon une de ces conclusions, « le système nerveux humain est uniquement susceptible d'entraînement illimité », mais c'est la méthode qui est le facteur déterminant du résultat.

L'idée de Crang et de Gosseyn reposait sur le principe de la vision. Un œil détendu voit mieux. L'œil normal reste détendu lorsqu'il cligne régulièrement. Quand, pour une raison quelconque, un œil capable de bien voir se fixe sur un objet, l'image se brouille. A la différence d'un appareil photographique, l'œil ne voit distinctement qu'à l'instant qui suit immédiatement le clignement relaxateur.

Il paraissait à Gosseyn que, s'il pouvait, tandis qu'il attendait emprisonné dans le corps d'Ashargin, découvrir une méthode automatique de relaxation pour son cerveau second, il obtiendrait des photographies plus rapides et plus précises aux fins de similarisation. Comment « détendre » un cerveau second ? Première tentative, évidente : la relaxation des tissus environnants.

Aussi, il tenta de « relaxer » les vaisseaux sanguins du cortex, le thalamus, et le sub-cortex, où devait se trouver le cerveau second embryonnaire d'Ashargin.

Par association, toutes les cellules entourant les vaisseaux sanguins se relaxeraient également, de façon automatique. C'était une théorie maintes fois vérifiée.

Chaque fois que la voix de l'enregistreur formulait la suggestion, il imitait la méthode utilisée avec son propre cerveau second pour obtenir une zone mémorisée.

Deux heures passèrent. Il parvenait au point où il pouvait suivre l'indicatif et penser à autre chose. « Détends-toi... regarde... détends-toi... regarde... »

L'assassinat devrait être planifié très soigneusement s'il était vrai que Enro vécût sous la surveillance de gardiens qui l'observaient par des trous dissimulés dans le mur. « Détends-toi... regarde... détends-toi... regarde. » Plusieurs éventualités, naturellement. Puisque Ashargin était censé attaquer, il fallait prendre en considération la position du prince dans son ensemble. A supposer que Ashargin et Gosseyn fussent tous deux morts la semaine prochaine, ceci mettrait-il en action automatiquement le corps de remplacement le plus proche de Gosseyn, en l'occurrence le Dieu Endormi de Gorgzid ?

« Détends-toi... regarde... détends-toi... regarde... »

Si c'était effectivement ce dernier, Gosseyn entrevoyait l'intérêt du plan. Il tentait d'imaginer l'effet produit par un Dieu Endormi se levant pour affronter Enro et Secoh. « Détends-toi... regarde... détends-toi... regarde. »

Il parut à Gosseyn que d'un préliminaire au moins il devait prendre soin personnellement.

Si la suite des événements se déroulait effectivement selon le plan prévu, il fallait faire une vérification. Il supposait que le Dieu Endormi était un des corps de Gosseyn.

Ceci devait être contrôlé.

★

Enro ne se montra pas au déjeuner. Secoh, arrivé en retard, expliqua :

— Il s'est rendu auprès de l'amiral Paleol.

Gosseyn étudia le prêtre tandis qu'il prenait place à table.

Agé de quarante ans, son visage trahissait la complexité des passions qui l'avaient poussé à lutter pour conquérir le rang élevé auquel il était parvenu. Mais il y avait plus. D'après la façon dont Secoh s'adressait à Enro le jour où l'on passait Ashargin au détecteur de mensonges, il paraissait probable que le seigneur gardien fût lui-même un adepte de son dogme.

Gosseyn estima que le moment serait favorable pour aborder le sujet. Mais comment ? Il opta finalement pour la franchise et parla. Lorsqu'il se tut, Secoh le regarda pensivement.

Deux fois, il faillit parler. Deux fois, il s'agita sur sa chaise comme pour se lever et partir. Enfin, il dit doucement :

— Le privilège de voir le Dieu Endormi n'est accordé qu'aux membres de l'ordre.

— Exactement, dit Gosseyn.

Secoh parut troublé, et Gosseyn espéra que dans son esprit se formait l'image de ce que signifierait la révélation publique de la conversion du dauphin Ashargin à sa religion chérie. Avait-il la vision d'une galaxie entière en extase devant l'image vidéophonique de la crypte du Dieu Vivant ? Gosseyn l'espéra.

Secoh reposa sa fourchette et son couteau et posa ses mains sur la table. Elles paraissaient fines et délicates, mais il y avait aussi en elles de la fermeté. Il dit finalement avec gentillesse :

— Mon garçon, je ne veux pas vous décourager. Votre position est anormale. Je serais heureux de vous donner personnellement l'instruction primaire de base, et grâce à l'élasticité de mes pouvoirs discrétionnaires, je pense que ceci pourrait inclure la cérémonie de la vision. Mais je dois vous avertir cependant que la protection habituelle assurée aux novices et aux initiés ne vous serait pas accordée. Nous sommes en train de créer un Etat universel, et notre grand chef a estimé nécessaire de prendre des décisions sévères concernant les individus.

Il se leva.

— Demain matin, dit-il, soyez prêt à vous rendre au Temple, à 6 heures. En considération de votre certitude d'être possédé formulée voici huit jours, il entrait dans mes intentions de vous mettre en présence du Dieu Endormi. Je suis curieux de savoir s'il y aura ou non un signe.

Il fit demi-tour et quitta la table et la pièce.

Pour Gosseyn l'instruction primaire fut représentée par quelques extraits de la cérémonie d'investiture. C'était une histoire du Dieu Endormi, fascinante à sa façon comme les traditions populaires.

Le Temple du Delta existait avant l'arrivée des hommes sur Gorgzid. Dans le passé brumeux, après avoir créé l'univers, le Dieu avait choisi la planète Gorgzid comme lieu de repos. Là, gardé par les élus de son choix, il dormait après son dur labeur. Un jour viendrait où, s'éveillant enfin de son bref assoupissement — « bref » au sens cosmique —, il se lèverait et reprendrait son œuvre.

A son peuple de Gorgzid était attribuée la tâche de préparer le monde pour son réveil. Ce jour de gloire, il désirerait un univers unifié.

A l'énoncé des rites, tandis que le tableau se précisait, Gosseyn se rendit compte pour la première fois de bien des choses. Ceci justifiait les conquêtes d'Enro. Les affirmations de base admises, tout le reste s'ensuivait.

Il était frappé. Il avait admis de son côté qu'il s'agissait là d'un corps de Gosseyn. Si telle était la folie suscitée par la présence de ce corps, lui qui se trouvait immortel grâce à l'existence d'une série de corps analogues, devrait reconsidérer tout le problème de sa propre immortalité.

Vers 9 heures, il fut revêtu d'une longue robe blanche, et la parade de la vision commença. C'est un curieux chemin qu'ils prirent ; des marches descendaient autour d'un mur incurvé. Ils parvinrent dans les profondeurs ; là se trouvait un propulseur à pile atomique, et Gosseyn reçut son second choc.

Un vaisseau de l'espace ! le Temple du Delta était un vaisseau interstellaire sphérique enterré dans les alluvions des siècles écoulés, peut-être depuis des millénaires.

Maintenant, ils remontaient le long de la paroi opposée. Ils parvinrent au plancher central et entrèrent dans une salle qui frémissait des murmures sous-jacents. Gosseyn soupçonna la présence de nombreuses machines, mais il n'avait pas son cerveau second pour vérifier cette supposition. Le mur, en face, s'incurvait dans la pièce. De chaque angle partait un pylône en arc. Les quatre piliers aboutissaient à un étroit contrefort, à peu près à huit mètres de l'endroit où eût dû se trouver le mur.

Ça aurait pu être la tête d'un cercueil. La paroi inférieure, translucide, resplendissait d'une lumière intense. Des petites marches menaient jusqu'au sommet du contrefort. Secoh monta l'un des escaliers et fit signe à Gosseyn de prendre celui qui se trouvait de l'autre côté. Comme il atteignait le sommet, un panneau glissa et démasqua la partie supérieure.

— A genoux, dit Secoh d'une voix sonore, et VOIS !

De sa position agenouillée, Gosseyn vit les épaules, une partie des bras et du thorax, et la tête de l'homme couché à l'intérieur. Le visage était mince et détendu, les lèvres légèrement entrouvertes. C'était la figure d'un quadragénaire sous le crâne volumineux ; l'expression du visage paraissait curieusement vide. L'homme était beau, mais seulement à cause de sa symétrie et de la ligne des joues et des os. Autrement, il avait l'air abruti. Pas trace de ressemblance, même vague, avec Gilbert Gosseyn.

Le Dieu Endormi de Gorgzid restait un étranger.

Ils furent de retour au palais à temps pour déjeuner, et, tout d'abord, Gosseyn ne se rendit pas compte que la grande crise se déclenchait.

★

Il y avait deux convives, outre Enro, Patricia, Crang et Nirène. Huit en tout à table. Les visiteurs portaient l'uniforme et les insignes des maréchaux. Eux et Enro menaient la conversation.

Celle-ci concernait une commission d'enquête dont les travaux s'étaient portés sur ce qu'ils appelaient une révolution. Gosseyn comprit que cette dernière avait réussi pour des raisons encore obscures. Les deux officiers constituaient la commission.

Il les observa avec curiosité. Tous deux semblaient, d'après leur comportement et leur expression, des gens sans merci. Avant même qu'ils ne formulassent leurs conclusions, il conclut lui-même que des individus aussi froidement cérébraux résoudraient inévitablement tout problème de ce genre en suggérant la destruction des planètes rebelles.

Il jeta un coup d'œil à Crang et vit le détective impassible ; mais à son côté Patricia donnait des signes d'agitation. Il se rendit compte qu'avant son

198

arrivée, on devait parler du travail accompli par le bureau. Les deux enquêteurs étaient décidément intéressés par ce qui se passait. Brusquement, Patricia se mêla à la conversation :

— Messieurs, dit-elle, sèche, j'espère sincèrement qu'en prenant votre décision, vous n'avez pas choisi la solution de la facilité.

Les deux officiers se tournèrent vers elle et, d'un commun accord, regardèrent Enro, interrogateurs. Le Gorgzid étudia le visage de sa sœur, un léger sourire aux lèvres.

— Vous pouvez être sûre, dit-il avec suavité, que les maréchaux Rour et Ugell s'en sont tenus aux preuves.

— Naturellement, acquiesça Rour.

Ugell se contenta de la fixer de ses yeux bleus glacés.

— Je désire entendre leur proposition, dit brièvement Patricia, avant de me faire une opinion là-dessus.

Enro continua de sourire. Il s'amusait.

— Je crois me rappeler, dit-il, que ma sœur s'est déjà tout spécialement intéressée au système qui fait l'objet de cette discussion.

Gosseyn s'était déjà rendu compte de la vérité : il s'agissait de Vénus ! Il se trouvait en présence de la commission d'enquête nommée pour rechercher les causes de la défaite de Thorson sur le système solaire.

— Eh bien, messieurs, dit aimablement Enro, je vois que nous sommes tous suspendus à vos lèvres.

Ugell prit une feuille de papier dans une poche intérieure et mit des lunettes. Il releva les yeux.

— Les raisons de notre décision vous intéressent-elles ?

— Très certainement, dit Enro. Je veux savoir ce qui est arrivé. Comment Thorson, un des hommes les plus astucieux de l'empire, a-t-il échoué au cours d'une mission qui ne représentait qu'un incident dans sa carrière ?

Rour se taisait. Ugell dit :

— Votre Excellence, nous avons interrogé plus de mille personnes, hommes ou officiers. Leurs récits aboutissent au tableau que voici : nos armées ont envahi avec succès les cités rebelles. Puis, à la mort du maréchal Thorson, le nouveau commandant en chef a ordonné l'abandon de Vénus. Naturellement, ces ordres ont été exécutés. Ainsi vous voyez qu'il n'y a pas là échec de nos armes, mais action d'un homme pour des raisons que nous n'avons pu découvrir.

Ce compte rendu était à peu près exact. Il omettait de mentionner que les Vénusiens $\bar{A}$ avaient défendu avec succès leur planète contre les forces assaillantes. En outre, l'enquête ne révélait pas le rôle joué par Gilbert Gosseyn dans la mort de Thorson ; cependant les faits découverts représentaient une part de la réalité.

Enro se rembrunit.

— Thorson a-t-il été assassiné par son successeur ? demanda-t-il.

— Il n'y a aucune preuve, dit Rour, comme Ugell ne répondait pas. Le maréchal Thorson a été tué durant une attaque qu'il dirigeait personnellement contre un nid de résistance sur la planète Terre.

Enro explosa de colère.

— Le sinistre imbécile ! Quelle idée de diriger une attaque lui-même.

Au prix d'un effort, il se maîtrisa.

— Cependant, messieurs, je suis très heureux d'avoir entendu ce compte rendu. Il concorde avec certaines informations précédemment recueillies et avec certaines théories personnelles. Au moment où je suis importuné en ce palais même par des gens qui complotent contre ma vie de façon ridicule, j'aimerais que vous me donniez le nom de l'officier qui a remplacé Thorson au poste de commandant en chef de nos forces sur Vénus.

Ugell dit :

— Il se nomme Eldred Crang. Nous n'avons pu trouver trace de ce traître.

Enro, l'œil fixe, continua :

— Et quelles sont vos suggestions concernant cette planète, messieurs ?

— Nous suggérons, lut Ugell d'une voix monotone, que les parties habitables de ce système soient imprégnées de n'importe lequel des isotopes radioactifs d'un an d'activité que l'on pourra se procurer sur place afin que le système en question soit rendu inhabitable.

Il releva les yeux.

— Le maréchal Rour serait assez partisan d'une nouvelle idée à lui suggérée récemment par une jeune psychologue. Il s'agit de repeupler une planète uniquement au moyen de déments criminels. Il nous paraît, bien que nous n'ayons pas incorporé ceci à nos conclusions, que ceci pourrait constituer une intéressante expérience susceptible d'être tentée sitôt que les planètes en question redeviendront habitables.

Il tendit le document à Enro qui le prit sans mot dire. Il y eut un silence tandis qu'il le lisait.

Ainsi Enro savait depuis le début. Telle fut la pensée de Gosseyn. Leur petit complot ridicule — qui n'avait jamais dépassé la période embryonnaire — l'amusait probablement au moment même où il préparait la réponse la plus dévastatrice qu'il pût opposer à leurs espoirs.

Il parut clair qu'il savait également depuis plusieurs jours qui était Eldred Crang.

Enro tendit le document à Patricia. Sans le regarder, elle le déchira.

— Messieurs, voici ce que je fais de vos suggestions.

Elle se mit debout. Elle était blême.

— Il est temps, Enro, dit-elle, que vous et vos bourreaux arrêtiez ces massacres insensés de quiconque a le courage de vous résister. Les gens de Vénus et de la Terre sont inoffensifs.

— Inoffensifs ? dit involontairement Rour. S'ils le sont tant que ça, comment ont-ils pu vaincre nos armées ?

Elle se tourna vers lui, l'œil flamboyant.

— Votre rapport déclare à la seconde qu'il n'y a pas eu défaite. Que la retraite a été ordonnée par l'officier qui a succédé à Thorson.

Elle se pencha vers lui.

— Est-il possible que vous cherchiez à dissimuler une défaite de nos forces en faisant un faux témoignage, pour flatter la vanité de mon frère ?

Hors d'elle-même, en pleine fureur thalamique, elle neutralisa d'un geste son effort pour s'expliquer, et répondit à sa propre question.

— N'importe, dit-elle, vos renseignements sont assez précis. Je suis d'accord. Parce que c'est moi qui ai donné cet ordre à l'officier successeur de Thorson. Il ne pouvait qu'obéir à la sœur de son maître. Il est là, assis à côté de moi ; c'est mon mari.

— Il s'est fait chèrement payer !

Il se tourna vers les officiers.

— Messieurs, je connais depuis plusieurs jours l'identité d'Eldred Crang. Je ne puis agir contre lui en tant que traître parce qu'ici, sur Gorgzid, l'autorité de ma sœur est analogue à la mienne ; et ma foi religieuse m'oblige à soutenir ses droits. J'essaie de persuader le seigneur gardien de... euh... lui accorder le divorce, et il examine actuellement ma requête.

Il parlait franchement. Il paraissait difficile de croire que derrière la logique et le sens apparents des mots pût se cacher la décision d'Enro de se servir de cette religion pour obliger sa sœur à suivre l'ancienne coutume de Gorgzid, le mariage incestueux. Et que tout le reste fût purement fabriqué.

Patricia, avec la même franchise, reprit la parole.

— Les habitants du système solaire ont mis au point un système d'éducation de l'ordre le plus élevé, une culture que j'aimerais voir se répandre à travers toute la galaxie.

Elle regarda son frère.

— Enro, dit-elle, il n'y a aucun intérêt à détruire un système qui s'est consacré à l'éducation. Si jamais il devenait nécessaire de prendre possession de ces planètes, cela pourrait se faire sans effusion de sang.

Enro riait.

— Un système d'éducation, vraiment ?

Il haussa les épaules, cynique.

— Secoh sera trop heureux de vous faire part du plan prévu par le Temple en ce qui concerne les planètes conquises.

Il se tourna vers les maréchaux, une note sauvage dans la voix :

— Messieurs, je m'excuse de la brutalité désagréable de ma sœur. Elle a tendance à oublier que son pouvoir en tant que Gorgzin ne s'étend pas au-delà du système planétaire dont elle et moi sommes cohéritiers. En ordonnant au lieutenant Crang de retirer nos troupes de Vénus, elle a oublié que le Plus Grand Empire est ma réalisation personnelle. En l'épousant, et en l'autorisant, lui et... (il hésita et regarda un instant Gosseyn-Ashargin) d'autres personnes, à comploter contre moi sous sa protection, elle s'est interdit tout droit qu'elle aurait pu avoir à faire appel au côté affectueux de mon caractère.

Il hurla, définitif :

— Vous pouvez être assurés que je ne désigne pas des commissions d'enquête pour ignorer ensuite leurs suggestions. Et à titre de précaution, pour m'assurer que la Gorgzin ne me place pas devant un dilemme en se rendant sur Vénus, je vais immédiatement donner l'ordre qu'on lui interdise l'accès de tout distorseur galactique jusqu'à ce que l'extermination de la population du système solaire soit terminée conformément au rapport. Merci, messieurs. Mes vœux vous accompagnent.

Gosseyn remarqua que l'ordre ne s'étendait pas au prince Ashargin. Il ne dit rien, mais, sitôt le repas terminé, il se dirigea vers le système de distorseurs extérieurs du palais. Il ne savait pas s'il était possible de se rendre sur Vénus dans une cage de distorseur. Avec un vaisseau, oui — mais il ne pouvait s'en procurer un ; son seul recours était donc d'essayer.

De sa poche, il tira les fragments du rapport sur Vénus — il admirait encore la façon dont Crang l'avait pris dans l'assiette de Patricia, étudié brièvement et passé à Ashargin d'un geste très naturel — et, vivement, il les mit à leur place.

Les coordonnées galactiques de la position de Sol dans l'espace étaient imprimées en haut de la page un. Il lut : huitième décant, R. 36 400 théta 272° Z-1 800.

A trente-six mille quatre cents années-lumière de l'axe galactique, selon un angle de 272°, par rapport à la ligne d'origine — basée sur quelque galaxie éloignée — à 1 800 années-lumière du côté moins du plan galactique. Première tâche urgente : se rendre dans le huitième décant.

Tandis qu'il tirait le levier de la « cage », Gosseyn perçut le changement. Il se sentit revenu dans son propre corps. Libéré d'Ashargin.

Il connut le rapide réveil du changement, s'assit soudain. Et retomba en gémissant, car chaque muscle de son corps engourdi protestait énergiquement contre son mouvement brusque.

Une femme, près du lit, poussa une exclamation. Leej parut dans le champ de vision de ses yeux douloureux.

— Vous êtes éveillé... dit-elle, d'une voix presque murmurante. Je pensais que quelque chose allait arriver, mais je n'étais pas sûre.

Elle eut des larmes dans les yeux :

— Il faut que je vous dise. Nous sommes perdus. Quelque chose est arrivé au distorseur du vaisseau — il est égaré. Le capitaine Free dit qu'il nous faudra cinq cents ans pour arriver à la base la plus proche.

Le mystère de la disparition du destroyer Y 381 907 était enfin résolu.

15

Non-axiomes.

Voici quelques-uns des principes opérants de la Sémantique Générale :

1) Des systèmes nerveux humains ont une similitude de structure, mais ne sont jamais exactement les mêmes ;

2) Tout système nerveux humain est modifié par les événements verbaux et non verbaux ;

3) Un événement modifie à la fois l'esprit et le corps.

Gosseyn n'essaya pas de remuer tout de suite. Ses yeux, sous la lumière subite, pleuraient, mais sa vision s'améliorait. Son corps lui faisait mal. Chaque articulation, chaque muscle, paraissaient protester contre sa tentative de s'asseoir.

Il prit conscience de ce qui était arrivé. Compte tenu de l'intervalle de temps écoulé pendant le transport par distorseur, il avait été absent du destroyer pendant près d'un mois. Tout ce temps, son corps reposait, inconscient.

Comparés à ceux que les autres corps de Gosseyn devaient recevoir dans les « incubateurs » automatiques, les soins reçus par lui durant le mois écoulé devaient avoir été d'une simplicité quasi primitive.

Il regarda Leej. Assise sur le bord du lit, elle le considérait d'un œil humide d'émotion. Mais elle ne dit rien, et, ménageant ses muscles engourdis, il jeta un coup d'œil dans la pièce.

Une chambre à coucher, plutôt bien meublée, avec des lits jumeaux. On avait dormi dans l'autre, et il supposa que Leej l'occupait. De là, il sauta immédiatement à la conclusion qu'on les avait emprisonnés ensemble.

Supposition qu'il entendait vérifier le plus tôt possible. Son regard revint à elle, et cette fois, elle parla :

— Comment vous sentez-vous ? Mes images ne sont pas nettes là-dessus.

Il eut un sourire rassurant. Il commençait à peine à entrevoir quel mois désastreux ç'avait dû être pour une femme de sa position. Malgré les tentatives du Disciplc contre elle, elle n'était pas véritablement habituée aux dangers ou aux revers.

— Je pense que ça va très bien, dit-il lentement.

Et sa mâchoire lui faisait mal tandis qu'il parlait. Un souci assombri le visage délicat de Leej.

— Une minute, dit-elle, je prends l'huile.

Elle disparut dans la salle de bains et ressortit presque aussitôt munie d'un petit tube de plastique. Avant qu'il ait pu deviner son intention, elle le découvrit. Pour la première fois il s'aperçut qu'il se trouvait entièrement nu. Elle mit un peu d'huile dans sa main et commença à le frictionner vigoureusement.

— Je fais ça depuis un mois, dit-elle en souriant. Vous vous rendez compte.

Chose bizarre, il comprit ce qu'elle voulait dire. Se représenter Leej, une Prédictrice libre, qui disposait de serviteurs pour tout, et qui se livrait elle-même à cette tâche. La stupéfaction qu'elle éprouvait à se voir elle-même agir ainsi rendait l'intimité de l'opération parfaitement normale. Lui n'était pas

Enro, qui, pour être heureux, voulait de douces mains de femmes — mais il se détendit et la laissa lui masser les jambes, les bras et le dos. Elle s'écarta enfin et observa ses tentatives hésitantes pour s'asseoir.

Pour Gosseyn, cette impuissance le déroutait. Non qu'il ne s'y attendît, mais il faudrait, dans l'avenir, prendre la chose en considération. Tandis qu'il essayait à manœuvrer ses muscles, Leej tira ses vêtements d'un tiroir.

— J'ai tout fait nettoyer dans les buanderies du vaisseau, dit-elle, et je vous ai lavé voici deux heures. Vous n'avez plus qu'à vous habiller.

Le fait qu'elle ait pu s'assurer les services de la blanchisserie intéressa Gosseyn, mais il ne fit aucun commentaire sur ce plan terre à terre.

— Vous saviez que j'allais me réveiller ?

— Naturellement.

Elle dut lire l'interrogation sur son visage et dit rapidement :

— Ne vous inquiétez pas, le brouillage va reprendre bientôt maintenant que vous êtes éveillé.

— Quand ?

Il se tendait à l'idée d'agir.

— Dans un quart d'heure à peu près.

Gosseyn se pressa de s'habiller.

Pendant cinq ou quinze minutes il marcha lentement autour de la pièce. Puis il se reposa une minute ; pendant deux minutes, il accéléra alors, balançant rythmiquement ses bras. Enfin il s'arrêta et regarda Leej, assise dans un fauteuil.

— Alors, le vaisseau est égaré dans l'espace ? demanda-t-il.

Les yeux de Leej s'attristèrent.

— Nous sommes isolés, dit-elle, sombre. Quelqu'un a disposé un relais qui a détruit la matrice du distorseur pour la base la plus proche. C'est ar-

208

rivé au moment où vous vous êtes évanoui, et la matrice n'avait été utilisée qu'une fois.

Les mots techniques paraissaient bizarres dans sa bouche, mais leur sens restait. Pendant ce premier moment du réveil, encore un peu abruti, il n'avait entrevu qu'à moitié les conséquences de ce qu'elle disait. Non qu'il n'eût pas compris. Mais son esprit s'était axé sur l'idée connexe — assez peu importante — que ceci expliquait pourquoi le destroyer était resté si longtemps sans répondre aux appels par vidéophone.

Cette fois, il frissonna.

Isolés, disait-elle. Isolés à quatre cents années-lumière de la base la plus proche. Si le distorseur du vaisseau était réellement hors de service, il faudrait s'en remettre à la propulsion atomique avec toutes les limitations de vitesse des voyages ordinaires espace-temps.

Mais Leej ne connaissait pratiquement rien à la science. Elle avait dû entendre pendant ce mois les mots dont elle se servait. Ils signifiaient sans doute très peu de chose pour elle.

Mieux valait apprendre le plus vite possible d'une source plus autorisée l'envergure exacte de la catastrophe.

Il se retourna et regarda la porte, ennuyé à l'idée d'être prisonnier. Ces gens ne se rendaient pas compte de ce qu'il pouvait faire avec son cerveau second. Aussi, des portes fermées, c'étaient d'enfantines précautions, énervantes quand il y avait tant de choses à faire. Il allait questionner Leej, mais elle dit rapidement :

— C'est ouvert. Nous ne sommes pas prisonniers.

Elle avait prévu sa question. Ça lui fit du bien de se retrouver dans le possible. Il marcha vers la porte. Elle s'ouvrit sans effort. Il hésita, franchit le seuil et se trouva dans le couloir, silencieux et désert.

Il photographia le sol devant la porte, et, comme il restait très concentré, il lui fallut une seconde avant de se rendre compte que son cerveau second était entré en action automatiquement à l'heure prévue par Leej.

Il revint à la pièce, et la regarda.

— C'était ça ? dit-il. C'était bien le moment ?

Elle s'était levée pour le regarder. Avec un soupir, elle retomba dans son fauteuil.

— Qu'avez-vous fait ?

Gosseyn, sauf une, n'aurait pas vu d'objection à le lui dire.

— Si jamais vous étiez capturée, expliqua-t-il, un détecteur de mensonges pourrait obtenir de vous des informations dangereuses pour nous tous.

Il hocha la tête, souriant. A son expression, il vit qu'elle savait ce qu'il allait dire. Il le dit néanmoins :

— Comment avez-vous fait ?

— J'ai pris votre souffleur.

— Vous aviez vu un mois d'avance ?

Elle fit signe que non.

— Oh ! non. Le brouillage a continué depuis ce moment-là, pendant tout le mois. Mais c'est moi qui vous ai vu vous effondrer sur le plancher.

Elle se leva :

— C'était très simple, je vous assure.

Gosseyn acquiesça. Il voyait ce qu'elle voulait dire. Le capitaine Free et Oreldon devaient être restés muets une seconde, ne comprenant pas ce qui se passait.

— Ils n'ont fait aucune résistance, dit Leej. Et je leur ai dit de vous transporter dans notre chambre. Mais attendez un moment, je vous ai fait du potage.

Notre chambre, pensa Gosseyn. Il voulait aborder cette question-là le plus gentiment possible. Il la regarda quitter rapidement la pièce. Elle revint un moment plus tard, portant un plateau sur lequel se trouvait un bol de soupe fumante. Elle était si gentille, si amicale, elle prenait leurs relations si à cœur qu'il décida de ne pas lui en parler maintenant.

Il mangea le potage et se sentit beaucoup mieux. Mais lorsqu'elle reprit le plateau, il se remettait déjà à penser à la terrible situation.

— Je vais aller voir le capitaine Free, dit-il.

Tandis qu'il avançait le long du corridor désert, Vénus et les événements insensés de la galaxie semblaient bien loin.

Le capitaine Free ouvrit la porte de sa chambre, et la première impression de Gosseyn fut de se trouver devant un malade. Le visage du gros commandant était très pâle et ses yeux bruns avaient un regard fiévreux. Il regarda Gosseyn comme s'il voyait un fantôme. La couleur revint brusquement à ses joues.

— Gosseyn, dit-il d'une voix rauque, qu'est-ce qui vous est arrivé ? Nous sommes perdus.

Gosseyn le regarda, se demandant si cette démonstration d'émotivité et de crainte expliquait l'incompétence qui lui avait permis de prendre possession du destroyer. A la fin, avec calme, il dit :

— On a du travail. Allons-y.

Côte à côte, ils parcoururent les couloirs silencieux du vaisseau jusqu'à la salle des commandes. En une heure, il reconstitua le tableau. On avait introduit des circuits supplémentaires dans les matrices placées dans les trois fentes de similarité du tableau de contrôle. Elles étaient interconnectées de telle sorte que, si l'une quelconque d'entre elles était utilisée, à un « arrêt », les trois indicatifs se trouvaient désorganisés.

L'arrêt était survenu pendant la similarisation également responsable de son inconscience d'un mois. Les matrices déréglées étaient celles qui correspondaient aux trois bases les plus proches.

Comme elles ne marchaient plus, il devenait impossible de gagner ces bases par similarisation.

Gosseyn constata que le capitaine Free acceptait chaque mot de ses explications. Il y croyait également, mais de façon plus qualifiée.

« Quelqu'un, se dit-il, a posé ces circuits, Qui ? »

Problème plus subtil qu'il n'y paraissait. Il semblait raisonnable de supposer que le Disciple était *responsable*. Mais l'ombre avait admis devant Janasen son incapacité scientifique.

Cette affirmation ne signifiait pas que le fait fût exact. Cependant, les gens qui utilisent les machines ne savent pas nécessairement établir des relais pouvant troubler le fonctionnement d'appareils complexes.

Gosseyn alla s'asseoir au bureau du capitaine. Il était plus fatigué qu'il ne voulait l'avouer. Mais il n'osait ralentir son effort. Dans l'espace lointain, on venait de donner un ordre fatal : détruire Vénus ! ou, plutôt, détruire les habitants du système solaire.

De tels ordres, il faut un certain temps pour les appliquer. Mais cela pressait.

S'étant reposé deux minutes, il se remit debout. Une seule méthode rapide et logique, pour résoudre le problème ; il lui semblait qu'il était prêt à le faire.

Il mémorisa un certain nombre de points clefs à bord du vaisseau, et plusieurs sources d'énergie. Puis il pressa le bouton qui commandait l'ouverture d'un des panneaux à glissière obturant la section inférieure du vaisseau. Il fit signe au capitaine Free de le précéder.

Sans un mot, ils descendirent l'escalier.

Ils entraient dans un monde différent. Là, des hommes riaient, là on entendait des cris, le bruit de divers mouvements. Pour Gosseyn, cela signifiait la perception d'un flux nerveux confus.

Les portes des dortoirs étaient ouvertes et des hommes étaient debout le long des couloirs. Ils se mettaient au garde-à-vous au passage du capitaine Free, mais reprenaient, sitôt après, la position de repos. Gosseyn dit :

— Les hommes savent-ils la vérité ?

Le commandant fit signe que non.

— Ils pensent que nous faisons un tour entre deux planètes. J'ai été en contact quotidien avec les sous-officiers de service ; tout va bien.

— Ils ne se sont même pas demandé pourquoi les portes restaient fermées depuis un mois ?

— Ils ne montent que sur ordre, et d'habitude c'est pour travailler. Aussi je ne pense pas qu'ils soient très tourmentés.

Gosseyn ne fit aucune observation. Selon lui, quelqu'un était monté sans ordre, et avait travaillé dur, sans nul doute. Il aurait pu repérer le coupable en questionnant les quatre cent quatre-vingts hommes avec un détecteur de mensonges, mais le temps de le faire et la flotte d'Enro, parvenue au système solaire, répandrait dans les cieux brumeux de Vénus et de la Terre les isotopes radioactifs, et trois milliards d'êtres mourraient d'une mort horrible sans même avoir été avertis.

C'est sans Prédicteurs qu'il prévoyait tout ça, mais ça avait tout de même bien la réalité d'un cauchemar. Gosseyn frissonna et reporta son attention sur l'immédiat. A sa suggestion, le capitaine Free ordonna un rassemblement général dans les dortoirs.

— Dois-je faire fermer les portes ? demanda-t-il.

Gosseyn secoua la tête.

— Il y a plusieurs sorties, insista le commandant. Je suppose que vous avez un but en venant ici. Dois-je poster des sentinelles aux portes ?

— Non, dit Gosseyn.

Le capitaine le regarda, l'œil rond.

— Ça m'embête, dit-il. Personne de libre là-haut, sauf la Prédictrice. Ça serait désagréable que quel qu'un se faufilât et montât l'escalier pour fermer les panneaux entre les deux sections.

Gossey sourit d'un sourire dur. L'autre n'avait pas la moindre idée de la situation. Ce n'était pas *ça* le danger.

— C'est un point que j'ai considéré, dit-il seulement.

Ils passèrent dans chacun des dortoirs. Tandis que les sous-officiers et le capitaine Free faisaient l'appel, Gosseyn parlait aux hommes. Il adopta une formule :

— Comment vous appelez-vous ? Quelles sont vos impressions ? Ennuyé de quelque chose ?

A chaque réponse, il guettait non seulement le visage, mais le flux nerveux émané de l'homme comme une aura.

Ceci rendait le travail rapide, surtout quand les matelots commencèrent à répondre : « Ça va bien, toubib. — Oui, toubib », Gosseyn ne fit rien pour les détourner de se croire devant un psychiatre.

Il était dans le troisième dortoir quand un relais se ferma dans son cerveau second. Quelqu'un montait l'escalier qui menait à la section supérieure. Il voulut parler au capitaine Free, mais ne le vit pas. Un sergent s'avança.

— Le capitaine se lave les mains. Il revient tout de suite.

Gosseyn attendit. Il faudrait, estima-t-il, une minute et demie à l'agent du Disciple pour aller de l'escalier à la salle de commandes, et à peu près autant pour se rendre à la salle des distorseurs d'où l'on envoyait les Prédicteurs à leur destination. Comme tous ces distorseurs secondaires utilisaient la matrice principale, il *devait* d'abord se rendre à la salle de contrôle.

Il aurait voulu parler à Leej, mais la transporter ici par similarité serait trop surprenant. En outre, il n'avait pas le temps. Il dit qu'il allait revenir, passa dans le couloir, s'aplatit sur le sol et, dans cette position, se similarisa derrière le bureau du capitaine dans la salle de contrôle.

Prudemment, il regarda par-dessus le bureau, mais pendant un moment, ne fit aucun effort pour bouger — il restait agenouillé et observait. L'homme enlevait le panneau supérieur du tableau du distorseur, au-dessus des fentes de similarité. Il travaillait vite, regardant de temps en temps l'une ou l'autre des deux entrées par-dessus son épaule. Cependant Gosseyn n'eut pas l'impression d'une hâte frénétique. Pas étonnant. Les traîtres de ce genre ont toujours une certaine qualité d'audace qui les distingue du commun. Un homme comme ça devait être traité avec certaines précautions.

Sous ses yeux, l'homme déposa l'un des panneaux de métal. Rapidement il retira la matrice de sa fente, la posa sur le sol et prit un objet cintré et brillant. À cause de son éclat, un moment passa avant que Gosseyn ne la reconnût tant elle différait de la précédente : une matrice de distorseur en bon état, chargée.

Gosseyn sortit de sa cachette et s'avança en direction de l'homme. Il était à trois mètres quand l'autre dut l'entendre. Il se raidit et se détourna lentement.

— Je vous demande pardon, monsieur, dit-il, mais j'ai reçu l'ordre de venir travailler à cet...

Il s'interrompit et le soulagement se peignit sur ses traits. Il dit :

— Je croyais que vous étiez un des officiers.

Il semblait sur le point de reprendre son travail, mais l'expression de Gosseyn dut l'avertir. Peut-être ne prenait-il pas pas de risques. Sa main eut un geste convulsif et reparut armée d'un souffleur.

Gosseyn se similarisa à six mètres du tableau de contrôle. Il entendit le sifflement du souffleur, et un cri de stupéfaction derrière lui. Se retournant rapidement, il vit l'autre, de dos, contracté. Dans la main de l'homme luisait la crosse du souffleur. Rapidement, il la photographia et, tandis que l'homme se retournait en sursaut, il similarisa l'arme dans sa propre main. Maintenant, il prenait son temps.

Il obtint bien l'effet de terreur maniaque désiré, mais autre chose aussi. Grognant comme une bête, l'homme tenta d'atteindre les contacts du distorseur. Trois fois, Gosseyn le re-similarisa sur sa position de départ. Mais, la troisième fois, l'autre cessa ses tentatives démentes. Il s'arrêta, tira d'une poche secrète un couteau et, avant que Gosseyn ait pu prévoir son geste, se plongea la lame dans le cœur.

Il y eut un bruit de course. Le capitaine Free, suivi de près par Leej, se rua dans la pièce.

— Qu'est-il arrivé ? demanda-t-il, hors d'haleine.

Il s'arrêta, muet, tandis que le traître, le visage contracté, chancelait et tombait mort.

Le commandant le reconnut pour un des aides de l'ingénieur des transmissions. Il vérifia que la matrice disposée par l'homme dans la fente correspondait effectivement à la base située à quatre cents années-lumière de là.

Maintenant, on avait le temps pour les explications. Gosseyn put exposer aux autres les points essentiels du raisonnement grâce auquel il venait de tendre ce piège.

— S'il s'agissait d'un agent du Disciple, il était toujours à bord. Pourquoi ? Parce que personne ne manquait. Comment le savais-je ? Eh bien, vous, capitaine, vous êtes resté en contact avec les sous-officiers responsables des dortoirs et ils vous l'auraient certainement fait savoir.

« Ainsi, il était toujours à bord. Un mois durant, il a attendu en bas du vaisseau, isolé de la salle de commande. Vous pouvez vous représenter son angoisse ; car il n'avait certes pas l'intention d'attendre si longtemps avant de s'échapper. Avait-il donc

216

un moyen de le faire ? Je l'ai pensé, parce qu'un homme prévoit toujours une voie de retraite lorsqu'il fait ses plans, et n'accepte l'idée de la mort que lorsqu'il se sent pris au piège.

« Toutes ces raisons font qu'il est monté sitôt les portes ouvertes.

« Evidemment, la nouvelle matrice doit comporter un circuit destructeur qui fonctionnerait à la seconde de son évasion. Mais là, il y a quelque chose qui me tracasse. Le capitaine Free me dit qu'il faut nous arrêter à une base distante de dix-huit mille années-lumière d'ici pour y prendre les matrices de Vénus, à 36 400 théta 272° Z-1 800 — et quand nous y arriverons, nos papiers devront être corrects.

« Ce qui me tracasse, c'est comment un mécanicien a pu prévoir d'arriver à une base sans présenter des papiers quelconques ? Vous me direz que le Disciple le protégeait, mais ce n'est pas vraiment logique. Je ne crois pas que le Disciple tienne à ce que Enro sache qu'il était responsable de la cessation des envois de Prédicteurs aux flottes combattantes pendant un mois entier.

Il leva les yeux.

— Sitôt que vous aurez arrangé ce circuit, capitaine, venez me voir. Je serai dans ma chambre.

16

Non-axiomes.

Dans l'intérêt de la raison, apprenez à apprécier un événement en fonction de ses répercussions d'ensemble. Ceci inclut les modifications viscérales et nerveuses ; les réactions émotionnelles, les pensées relatives à l'événement, le commentaire formulé, l'action réprimée, l'action résultante, etc.

Sitôt dans sa chambre, Gosseyn retira ses chaussures et s'étendit sur son lit. Il sentait une nausée l'envahir, depuis plus d'une heure. Et l'effort accompli pour prendre le saboteur lui avait causé une tension presque insupportable.

Il était très désireux de ne pas montrer sa faiblesse. Aussi, lui fut-il agréable de sentir ses forces lui revenir. Vingt minutes de repos les yeux fermés, et il s'étira, bâilla et ouvrit les yeux.

Il s'assit et respira. Ce fut comme un signal. Leej entra, portant un autre bol de potage. Un tel minutage impliquait une prévision précise. Gosseyn y pensa en mangeant la soupe, et il terminait lorsque le capitaine Free entra dans la pièce.

— Eh bien, dit-il, nous sommes parés. A votre commandement, nous partons.

Gosseyn regarda Leej, mais elle secoua la tête.

— N'attendez rien de moi, dit-elle. Aussi loin que je puisse voir, tout va bien, mais je ne peux pas voir à la distance où nous allons.

Le capitaine Free dit :

— Nous sommes prêts à traverser le reste du neuvième décant à destination de la base marginale la plus proche du huitième. Là, naturellement, nous devrons nous arrêter.

— Approchez la base avec un arrêt anticipé, dit Gosseyn, et nous rediscuterons.

Dix-huit bonds de similarisation, un peu plus de dix minutes, temps apparent, et le capitaine Free fut de retour.

— Nous sommes à six années-lumière trois quarts de la base, dit-il. Pas mal. Ça nous met à onze mille années-lumière de Vénus.

Gosseyn se leva et, les jambes raides, alla jusqu'à la salle des commandes. Il s'assit sur le divan devant le dôme transparent. Une question se posait à lui : devaient-ils foncer droit dans la base ? Ou devaient-ils se rapprocher par l'extérieur ? Il jeta un coup d'œil interrogateur à Leej.

— Alors ? dit-il.

La jeune femme alla au panneau de contrôle. Elle s'assit sur le fauteuil tournant et dit :

— On y va.

Elle tira le levier. La seconde d'après, ils se trouvaient dans la base.

Il faisait sombre autour d'eux. Tandis que ses yeux s'accoutumaient à la lumière diffuse, Gosseyn constata que l'énorme caverne de métal était bien plus vaste que celle du Plus Grand Empire sur Vénus.

Il reporta son attention sur le capitaine Free. Ce dernier donnait des instructions par vidéophone. Il vint à Gosseyn au moment où Leej se levait. Il dit :

— Un sous-ordre du commandant du port montera à bord d'ici une demi-heure environ. Dans l'intervalle, j'ai donné des ordres pour que l'on transporte à bord l'équipement nécessaire. Ceci passe pour simple routine.

Gosseyn acquiesça, mais, tandis qu'il observait l'officier, il restait pensif. Non qu'il fût tracassé en ce qui concernait le capitaine Free et son opposition possible. Avec Leej et lui-même travaillant en tandem pour éliminer tout danger, avant qu'il puisse survenir, il était à peine besoin de penser aux risques présentés par des hommes ou des machines.

Cependant, Free semblait se comporter non comme un prisonnier, mais comme un associé délibéré. Gosseyn ne désirait nullement lui faire remarquer qu'il trahissait ses devoirs d'officiers du Plus Grand Empire, mais pourtant il fallait qu'on s'entende franchement.

Il opta pour cette franchise et parla ; lorsqu'il s'interrompit, il attendit près d'une minute. Enfin, le capitaine Free lui répondit :

— Gosseyn, un homme dans votre situation, avec votre puissance particulière, ne peut avoir une idée de ce qu'ont subi des centaines de milliers d'officiers du Plus Grand Empire lorsque Enro a pris le commandement. Cela fut fait très habilement, et si ça a été pour les autres ce que ça a été pour moi, ils ont dû se sentir coincés. Il était virtuellement impossible de savoir quoi faire. Des espoirs partout, et l'écrasante majorité des équipages pour Enro. Quand il était ministre de la Guerre, il avait eu l'occasion de placer des hommes à lui dans toutes les positions clefs.

Le capitaine Free haussa les épaules.

— Très peu d'entre nous ont résisté. On exécutait des gens à droite et à gauche, selon qu'ils faisaient ou non des remarques, ce qui paraissait être le seul critère. Après un test au détecteur de mensonges, j'ai été classé comme personne douteuse, et averti. Mais on m'a laissé vivre parce que je n'avais résisté en aucune façon.

Il conclut :

— Le reste fut assez simple. J'ai pratiquement cessé de prendre intérêt à ma carrière. Ça m'ennuyait. Et quand je me suis rendu compte de la signification de ce voyage à Yalerta, j'ai peur d'avoir laissé la discipline se relâcher à bord. Il me paraissait que les Prédicteurs assureraient la victoire à Enro. Quand vous vous êtes présenté, pendant quelques minutes, ça m'a donné un choc. Je me suis vu traduit en cour martiale et exécuté. Et puis j'ai eu l'impression que vous pourriez me protéger. C'est tout ce qu'il me fallait. De ce moment j'ai été votre homme. Ceci répond-il à votre question ?

Effectivement. Et Gosseyn tendit la main.

— Une vieille coutume de ma planète, dit-il, sous sa forme la plus élevée, c'est une façon de sceller une amitié.

Ils se serrèrent la main. Vivement, Gosseyn se tourna vers Leej.

— Que voyez-vous venir ? demanda-t-il.

— Rien.

— Pas de brouillage ?

— Aucun. Les papiers du bord indiquent que nous accomplissons une mission spéciale, vaguement indiquée, ce qui donne au capitaine Free une autorité considérable.

— Cela signifie que nous allons quitter la base sans la moindre anicroche ?

Elle acquiesça, mais resta sérieuse.

— Bien sûr, dit-elle avec franchise, je vois une image du futur que vous pourriez altérer par quelque interférence voulue. Par exemple, vous pourriez essayer de créer un brouillage uniquement pour me donner tort. Je n'ai pas idée de ce qui pourrait se produire dans ces conditions. Mais mon image ne présente aucun brouillage.

Gosseyn aimait les expériences, mais le moment était mal choisi. Et la situation présentait d'autres aspects.

L'ensemble du problème de la prévision paraissait de plus en plus troublant à mesure qu'il l'approfondissait. Si Enro, les Prédicteurs et Gilbert Gosseyn lui-même étaient tous des produits d'un même entraînement, pourquoi, lui qui s'était trouvé dans un incubateur trente fois plus longtemps qu'un Prédicteur — et plus de cent fois plus longtemps que Enro — pourquoi ne pouvait-il voir à distance comme Enro et dans l'avenir comme les Prédicteurs ?

« Entraînement », pensa-t-il. Le sien. Car eux n'en avaient reçu aucun. Mais le sien était resté partiel, et prévu pour un dessein ultérieurement modifié.

Dès qu'il aurait averti les Vénusiens, il lui faudrait consulter le Dr Kair et les autres savants. Et cette fois, ils travailleraient sur ce problème avec une nouvelle compréhension de ses possibilités.

Un peu moins d'une heure après leur arrivée, ils quittèrent la base. Dix étapes et dix mille années-lumière, les amenèrent au voisinage de Géla.

Prochain arrêt, Vénus.

Sur la suggestion de Gosseyn, Leej manœuvra les cadrans d'arrêt anticipé. Ou plutôt, elle passa plusieurs secondes à les régler. Puis brusquement, elle se rejeta en arrière, secoua la tête et dit :

— Il y a quelque chose qui ne va pas. C'est au-delà de ma portée, mais j'ai le sentiment que nous n'arriverons pas aussi près de la planète que de la base précédente. J'ai le sentiment d'une... interférence.

Gosseyn n'hésita pas.

— On va leur téléphoner, dit-il.

Mais le vidéophone et la plaque restèrent muets, sans vie.

Ils réfléchirent, mais pas longtemps. Il n'y avait rien d'autre à faire que de mener le vaisseau jusqu'à Vénus.

Comme précédemment, le bond de similarisation parut instantané. Le capitaine Free regarda les indicateurs de distance, et dit à Leej :

— Bon travail. Huit années-lumière de la base de Vénus. On ne peut guère faire mieux.

Il y eut une explosion sonore, et une voix tonitruante aboya :

— Ici le robopérateur de service — appel d'urgence !...

Non-axiomes.

Dans l'intérêt de la raison, n'oublions pas *l'inter-réaction.* Un jugement peut concerner la réalité — mais il peut concerner un jugement concernant un jugement concernant la réalité.

Gosseyn, en cinq pas rapides, fut au tableau de contrôle et resta derrière le capitaine Free, alerte et tendu. Son regard se posa successivement sur les vidéophones de l'avant, de l'arrière et des flancs. Le robopérateur reprit, de sa voix « des urgences » :

— Appels dans l'espace ! beugla-t-il. Des robots échangent des messages.

— Transmettez-les, ordonna le capitaine Free.

Il jeta un coup d'œil à Gosseyn.

— Croyez-vous que la flotte d'Enro soit déjà là ?

Gosseyn en voulait d'autres preuves.

« J'ai été libéré d'Ashargin, pensa-t-il, quelques minutes après l'ordre donné par Enro. Il m'a sans doute fallu quarante heures pour regagner le destroyer, deux de plus pour le remettre en marche, moins d'une heure jusqu'à la base et un peu moins de quatre-vingts heures pour venir ici — environ cent vingt-deux heures dont trois seulement peuvent être considérées comme perdues. »

Cinq jours ! La flotte d'exécution, sans doute, pouvait avoir été détachée d'une base bien plus voisine de Vénus — l'avait été probablement. C'était ça qui le gênait dans ses prévisions. Les communications vidéophoniques par similarité impliquaient un déplacement des électrons selon des schémas relativement simples. Les électrons étant naturellement identiques jusqu'à la dix-huitième décimale, la « marge d'erreur » de la transmission correspondait seulement à quatorze secondes pour quatre mille années-lumière — contre dix heures pour les objets matériels sur la même distance.

La flotte d'Enro *pourrait* se trouver là devant eux, compte tenu du temps gagné par l'envoi d'ordres téléphoniques. Mais des attaques contre des bases planétaires impliquent une autre préparation. Il faudrait du temps pour embarquer le matériel nécessaire au genre de destruction atomique qui devait pleuvoir sur la Terre et sur Vénus.

Il y avait un autre point encore plus important. Enro visait un but personnel. Même maintenant, il pourrait retarder ses ordres de destruction des peuples du système solaire dans l'espoir que la menace d'une telle attaque forçât sa sœur à l'épouser.

De nouveau, le robopérateur hurla :

— Je transmets présentement, dit-il, les messages des robots.

Sa voix se calma, se fit plus nette.

— Vaisseau par CR - 94 - 687 - 12 - bzzz - similarisez - Attaque convergente — cinq cents êtres humains à bord - bzzz - Zéro 54 secondes... Capturez.

Gosseyn dit à voix basse :

— Mais nous sommes attaqués par un barrage de robots.

Le soulagement qu'il éprouva comportait orgueil

et excitation, tout aussi bien que prudence. A peine deux mois et demi depuis la mort de Thorson, et déjà se dressaient des défenses contre les assauts interstellaires.

Les Ā avaient dû reconnaître la situation, s'apercevoir qu'ils se trouvaient à la merci d'un dictateur névrosé et concentrer sur leur protection les ressources productives du système. Cela pouvait être titanesque.

Gosseyn vit que les doigts du capitaine Free tripotaient le levier qui les ramènerait à la base de Géla, l'étoile située à mille années-lumière derrière eux.

— Attendez ! dit-il.

Le commandant paraissait contracté.

— Vous n'allez pas rester là ?

— Je veux voir ça, dit Gosseyn, rien qu'un instant.

Pour la première fois, il regarda Leej.

— Que pensez-vous ?

Elle avait l'air inquiet. Elle dit :

— Je vois l'attaque, mais je ne comprends pas sa nature. Il y a un brouillage dès le début. Je pense...

Elle fut interrompue. Tous les radars de la salle de contrôle se mire à luire et à sonner. Il y avait tant d'images sur les vidéoplaques que Gosseyn ne put les regarder toutes.

Car, en même temps, quelque chose tenta de s'emparer de sa conscience.

Son cerveau second repéra la présence d'un réseau massif d'énergie complexe et nota que ce réseau tentait de court-circuiter les impulsions émanées des centres moteurs de son cerveau ou celles y aboutissant. Tentait ? Il y parvenait.

Il eut une vision rapide de la nature et des limites de cette phase de l'attaque. Brusquement, il fit la pause cortico-thalamique.

La pression s'interrompit instantanément.

Du coin de l'œil, il vit Leej debout, rigide, une expression torturée sur le visage. Devant lui, le capitaine Free, raidi, les doigts contractés comme des griffes de marbre à moins de deux centimètres du levier qui les ramènerait à Géla.

Au-dessus de lui, le robopérateur transmit :

— Unité CR - bzzzz - hors d'état de nuire - Tout le monde à bord sous contrôle sauf un - Concentrez-vous - sur le récalcitrant.

D'une pichenette, Gosseyn fit basculer le levier qui devait les ramener à mille années-lumière de là.

Ce fut le noir.

★

Le destroyer Y 381 907 flottait dans l'espace, hors de danger, à un peu plus de huit cents années-lumière de Vénus. Dans le fauteuil de pilotage, le capitaine Free commençait à perdre sa rigidité anormale.

Gosseyn pivota et courut à Leej. Il l'atteignit juste à temps. La contracture qui la maintenait debout disparaissait. Il la soutint comme elle s'affalait.

Tandis qu'il la transportait sur le divan en face de la coupole transparente, il se représenta le reste du vaisseau. Par centaines, les hommes devaient s'affaler ou se retrouver par terre. S'ils étaient restés étendus pendant le moment critique, maintenant, ils étaient complètement mous, les muscles relâchés, comme si toute tension venait de disparaître de leurs corps.

Le cœur de Leej battait. Elle avait été si abandonnée dans ses bras qu'un moment il l'avait crue morte. Comme Gosseyn se redressait, il vit ses paupières papilloter et ses yeux tenter de s'ouvrir. Mais il fallut près de trois minutes pour qu'elle pût s'asseoir et dire d'un ton las :

— Nous n'y retournons pas, tout de même ?

227

— Un instant, dit Gosseyn.

Le capitaine Free s'agitait et Gosseyn craignit qu'il ne se jetât sur les commandes, croyant le vaisseau toujours en danger. Vivement il le souleva de son fauteuil.

Son esprit travaillait tandis qu'il portait l'homme jusqu'au divan à côté de Leej, pensant à ce qu'elle venait de dire. Il demanda :

— Vous nous voyez y retourner ?

Elle acquiesça à regret.

— Mais c'est tout. Cela dépasse mon entendement.

Gosseyn hocha la tête, s'assit et la regarda. Son sentiment de soulagement s'atténuait. La méthode vénusienne de défense était si particulière, si bien calculée pour prendre uniquement les étrangers au non-A, une fois engagés, que seule sa présence avait sauvé le vaisseau.

En somme, il lui était apparu que les Vénusiens possédaient une défense invincible.

Mais s'il ne s'était pas trouvé à bord, il n'y aurait pas eu de brouillage pour dérouter Leej. Elle aurait prévu l'attaque largement à temps pour permettre au vaisseau d'échapper.

De la même façon, la flotte d'Enro, avec ses Prédicteurs, esquiveraient le premier choc. Et peut-être les prédictions seraient-elles si précises que la flotte pourrait continuer vers Vénus.

Possible que le système de défense tout entier, si merveilleux qu'il fût, restât sans valeur. En construisant leurs robots, les Vénusiens n'avaient pas tenu compte des Prédicteurs. Ce fait ne le surprenait pas. Même Crang ne savait rien d'eux. Bien sûr, il pouvait se faire qu'il ne se trouvât pas de Prédicteurs dans la flotte détachée par Enro. Mais, certes, il ne fallait pas trop y compter.

Parvenu à ce point, son esprit revint à ce que Leej venait de dire. Il hocha la tête, se présentant la situation. Puis il dit :

228

— Il faut essayer encore, parce qu'il faut que nous passions à travers ces défenses. C'est plus important que jamais.

Déjà, en effet, se formait dans son esprit l'image de robots défensifs comme ceux-ci s'opposant à la flotte géante de Enro dans le sixième décant. Et si l'on pouvait trouver une méthode pour accélérer leurs réactions, de façon que l'attaque survînt non pas cinquante-quatre secondes, mais une seconde après, peut-être alors les prévisions des Prédicteurs elles-mêmes arriveraient-elles trop tard.

Gosseyn envisagea plusieurs possibilités, puis expliqua prudemment à Leej la nature de la pause cortico-thalamique. Ils s'exercèrent plusieurs fois, effleurant à peine le sujet, mais le temps manquait pour faire mieux.

Ces précautions pouvaient rester inopérantes, mais mieux valait les prévoir.

Les préliminaires terminés, il s'assit lui-même au fauteuil de pilotage et jeta un coup d'œil autour de lui.

— Parés ? demanda-t-il.

Leej dit d'un ton plaintif :

— Je crois que je n'aime pas du tout me trouver dans l'espace.

Ce fut son seul commentaire.

Le capitaine Free ne dit rien. Gosseyn continua :

— Bon, cette fois, nous allons aussi loin que nous pouvons.

Il poussa le levier.

L'attaque survint trente huit secondes après leur sortie de l'obscurité. Gosseyn observa les nuances de son déroulement, annula instantanément l'effet de l'assaut sur son esprit propre. Cependant, cette fois, il fit un pas de plus.

Il tenta de surimposer un message à la force complexe :

— Ordonnez la cessation de l'attaque !

Il le répéta plusieurs fois, attendant que l'ordre fût repris par le robopérateur, mais celui-ci continua de transmettre les échanges entre les cerveaux robots extérieurs du navire. Il envoya un second message :

— Rompez tout contact ! ordonna-t-il d'un ton ferme.

Le robot du vaisseau dit vaguement que tous les éléments, sauf un, étaient hors d'état de nuire, et, sans la moindre mention de l'ordre, ajouta :

— Concentrez-vous sur le récalcitrant.

Gosseyn pressa le levier et arrêta la similarisation au bout de cinq minutes-lumière.

Seize secondes plus tard, l'attaque reprit. Il jeta un coup d'œil rapide à Leej et au commandant. Tous deux s'effondraient sur leur siège. Leur entraînement non-A avait été trop bref pour donner des résultats.

Il les laissa pour surveiller les vidéophones, s'attendant à une attaque au souffleur. Rien ne se produisant, il se rapprocha d'un jour-lumière vers Sol.

Un coup d'œil sur les compteurs lui montra que Vénus restait encore éloignée d'un peu plus de quatre journées-lumière.

Cette fois, l'attaque reprit au bout de huit secondes.

Ça ne suffisait toujours pas, mais cela lui servit à compléter l'image qui se formait dans son esprit. Les Vénusiens tentaient de capturer des vaisseaux sans les détruire. Les instruments réalisés dans ce dessein auraient été merveilleux pour une galaxie d'êtres humains normaux. En outre, ils étaient remarquables dans leur façon de distinguer les amis des ennemis ; par contre ils n'avaient qu'une valeur limitée contre des cerveaux seconds ou des Prédicteurs. Gosseyn pensa qu'on s'était dépêché de les fabriquer en se disant que le temps pressait.

Cette vérité s'affirmait de minute en minute, il

tenta un nouvel essai. Il envoya un message à l'unité qui s'efforçait toujours avec une obstination mécanique et aveugle de le capturer.

— Considérez-nous comme pris tous, tant que nous sommes.

De nouveau, rien ne prouva que son message ait été entendu. Encore une fois, il poussa le levier de similarité dont le réglage avait été si soigneusement fait par Leej.

« Maintenant, pensa-t-il, on va voir. »

Lorsque l'obscurité temporaire se dissipa, les indicateurs de distances le situaient à quatre-vingt-quatorze minutes-lumière de Vénus. En trois secondes, l'attaque se déclencha et cette fois de façon totalement différente.

Le vaisseau frémit dans toute sa structure. Sur la vidéoplaque, l'écran protecteur luisait d'un orange vif. Le roboradar, pour la première fois, émit un hurlement gémissant.

— Bombes atomiques par l'avant !

D'un geste du doigt, Gosseyn ramena en arrière le levier et similarisa le vaisseau à neuf cent onze années-lumière de là en direction de Géla.

Sa seconde tentative pour pénétrer les défenses de Vénus avait échoué.

Gosseyn, pensant déjà aux détails de la troisième attaque, ranima Leej. Elle reprit conscience et secoua négativement la tête.

— Hors de question, dit-elle. Je suis trop fatiguée.

Il allait dire quelque chose, mais se contenta d'étudier son visage. Il trahissait une fatigue indéniable. Son corps s'affaissait visiblement.

— Je ne sais pas ce que ces robots m'ont fait, dit-elle, mais j'ai besoin de repos avant de faire ce que vous voulez. En outre, ajouta-t-elle, vous n'en pouvez plus vous-même.

Ces mots lui rappelèrent son propre épuisement.

Il écarta l'obstacle, voulant parler, mais Leej fit un signe de dénégation.

— Ne discutez pas avec moi, dit-elle d'une voix lasse. Je puis vous affirmer maintenant même qu'il y a une interruption d'un peu plus de six heures avant le prochain brouillage et que nous en profiterons pour prendre un repos absolument nécessaire.

— Vous voulez dire que nous restons là, assis dans l'espace.

— Couchés ! corrigea-t-elle. Et cessez de vous en faire pour ces Vénusiens. Quiconque les attaquera devra reculer pour examiner la situation comme nous l'avons fait nous-mêmes.

Il pensa qu'elle devait avoir raison. La logique de sa remarque était aristotélicienne et ne reposait sur aucune preuve, mais sa conception générale était plausible. Fatigue physique. Réflexes lents. Besoin impérieux de récupérer après les frictions de la bataille.

L'élément humain entrait dans la liste des combattants.

— Ce brouillage, demanda-t-il, c'est à quel propos ?

— Nous vous réveillons, dit Leej, et il est là. Gosseyn la regarda.

— Sans avertissement ?

— Pas un mot.

★

Gosseyn s'éveilla dans l'obscurité et pensa : « Il faut vraiment que j'étudie le phénomène de ce cerveau second. » Immédiatement, il trouva curieux d'avoir eu une telle pensée pendant son sommeil.

Après tout, son idée — idée raisonnable — n'avait-elle pas été de laisser tomber ce problème jusqu'à ce qu'il atteignît Vénus ?

On remua dans le lit voisin. Leej alluma.

— J'ai l'impression d'un brouillage continu, dit-elle. Que se passe-t-il ?

A ce moment, il perçut une activité à l'intérieur de lui-même. Son cerveau second fonctionnait comme lorsqu'un processus automatique se déclenchait à la suite d'une impulsion. Simple sensation, plus forte que la conscience des battements de son cœur ou la dilatation suivie de contraction de ses poumons, mais aussi régulière. Cette fois, cependant, il n'y avait pas eu impulsion.

— Quand le brouillage a-t-il commencé ? demanda-t-il.

— Maintenant.

Elle était sérieuse.

— Je vous avais dit qu'il y en aurait un à cette heure-là, mais je pensais que ce serait, comme d'habitude, un blocage momentané.

Gosseyn acquiesça. Il avait décidé de dormir jusqu'au moment du brouillage. Moment venu. Il se recoucha, ferma les yeux, et, délibérément, détendit les muscles des vaisseaux sanguins de son cerveau, selon un processus hypnotique simple. Ceci paraissait la méthode la plus normale de réduction du flux cérébral.

Et puis il commença à ne plus savoir que faire. Comment peut-on arrêter la vie de son cœur et de ses poumons — ou le flux interneuronique émis subitement et sans avertissement par son cerveau second ?

Il s'assit, regarda Leej. Il allait lui avouer son échec, quand il vit une chose étrange. Elle sembla se lever, aller tout habillée jusqu'à la porte. Il la voyait assise à une table où se trouvaient déjà Gosseyn et le capitaine Free. Son visage vacilla. Il la revit, plus loin cette fois. Son visage était plus vague, ses yeux grand ouverts, elle disait quelque chose qu'il n'entendit pas.

Sursautant, il se retourna dans la chambre, et

Leej était toujours là, assise au bord du lit et le regardant, stupéfaite.

— Qu'est-ce qui se passe ? dit-elle. Ça continue. Le brouillage ne s'arrête pas.

Gosseyn sauta sur ses pieds et commença à s'habiller.

— Ne me demandez rien maintenant, dit-il. Je vais peut-être quitter le vaisseau, mais je reviendrai.

Il lui fallut alors un moment pour se souvenir d'une des zones mémorisées sur Vénus deux mois et demi auparavant.

Il percevait le flux faible et rythmique de son cerveau second. Délibérément il se détendit comme il l'avait fait sur son lit. Il sentit la modification du souvenir. Il s'était altéré, visiblement. Il sentit son cerveau suivre le schéma toujours modifié. Il y avait des petites interruptions, des sauts. Mais chaque fois, l'image photographiée dans son esprit naissait, précise et claire — quoique différente.

Il ferma les yeux. Aucun changement. La transformation continuait. Il savait que trois semaines avaient passé, puis un mois, puis le temps écoulé depuis son départ de Vénus. Cependant, sa photo des zones restait exacte à vingt décimales.

Il ouvrit les yeux, se secoua, et volontairement se força à reprendre conscience de ce qui l'entourait.

Ce fut plus aisé la seconde fois, encore plus la troisième. Au huitième essai, il y avait toujours quelques trous, mais lorsqu'il reporta son attention sur la chambre, il se rendit compte que la phase involontaire de sa découverte était passée. Il avait cessé d'éprouver cette sensation de flux à l'intérieur de son cerveau second.

Leej dit :

— Le brouillage s'est arrêté.

Elle hésita :

— Mais un autre reprend presque aussitôt.

234

Gosseyn acquiesça.

— Je m'en vais, maintenant, dit-il.

Sans la moindre hésitation, il se concentra sur l'ancien mot clef de la zone mémorisée. Aussitôt, il se trouva sur Vénus.

Il arriva, comme il s'y attendait, derrière le pilier utilisé pour se dissimuler le jour de son arrivée sur Vénus à bord du *Président-Hardie*.

Lentement, sans hâte, il jeta un regard circulaire pour voir si son arrivée avait été observée. Deux hommes se trouvaient en vue. L'un d'eux se dirigeait vers une sortie partiellement visible. L'autre le regardait en plein.

Gosseyn et lui se mirent simultanément en marche l'un vers l'autre. Ils se rejoignirent à mi-chemin. Le Vénusien fronçait le sourcil.

— Je crains d'avoir à vous demander de rester ici jusqu'à ce que j'appelle un détective, dit-il. Je regardais l'endroit où vous... (il hésita :) ... Où vous vous êtes matérialisé.

Gosseyn répondit :

— Je me suis souvent demandé quel effet cela pouvait faire à un observateur.

Il ne fit aucun effort pour nier ce qui s'était produit.

— Conduisez-moi immédiatement auprès de vos experts militaires.

L'homme le regarda pensif :

— Vous êtes un non-A ?

— Je suis un non-A.

— Gosseyn ?

— Gilbert Gosseyn.

— Je m'appelle Armstrong, dit l'homme en tendant la main avec un sourire. Nous nous demandions ce qui vous était arrivé.

Il s'interrompit.

— Mais dépêchons-nous.

Il ne se dirigea pas vers la porte, ainsi que Gos

235

seyn s'y attendait, et ce dernier ralentit et demanda pourquoi. Armstrong lui expliqua :

— Je m'excuse, dit-il, mais si vous voulez aller vite, vous ferez bien de me suivre. Le mot « distorseur » a-t-il un sens pour vous ?

Il en avait un sans doute.

— Nous n'en avons encore que quelques-uns, continua Armstrong. Nous en avons construit des tas, mais pour d'autres emplois.

— Je sais, dit Gosseyn. Le vaisseau sur lequel je me trouvais a pris contact avec quelques-uns des résultats de vos travaux.

Armstrong s'arrêta tandis qu'ils arrivaient du distorseur. Son regard se figea et sa figure pâlit.

— Vous voulez dire, demanda-t-il, que nos défenses ne valent rien ?

Gosseyn hésita :

— Je n'en suis pas encore sûr, dit-il, mais je crains que non.

Ils franchirent en silence l'opacité du distorseur. Lorsque Armstrong ouvrit la porte de la cage, ils se trouvaient à l'extrémité d'un corridor. Ils allèrent rapidement, Gosseyn suivant l'autre, jusqu'à un endroit où plusieurs hommes assis à des bureaux scrutaient des piles de documents. Gosseyn ne fut pas particulièrement surpris de découvrir que Armstrong ne connaissait aucun d'entre eux. Les Vénusiens A étaient des individus pleinement responsables et pouvaient à volonté se rendre dans les usines où s'accomplissaient les travaux les plus secrets.

Armstrong se nomma au Vénusien le plus voisin de la porte, puis il présenta Gosseyn.

L'homme, resté assis jusque-là, se leva et tendit la main.

— Je m'appelle Elliott, dit-il.

Il se tourna vers un bureau voisin, et appela :

— Hé, Don, appelle le Dr Kair. Gilbert Gosseyn est là.

236

Gosseyn n'attendit pas l'arrivée du Dr Kair. Ce qu'il avait à dire était trop urgent. Vite, il mentionna l'attaque ordonnée par Enro. Ceci fit beaucoup d'effet, mais pas celui qu'il avait prévu.

Elliott dit :

— Ainsi, Crang a réussi. Type formidable !

Gosseyn, sur le point de continuer, s'arrêta et le regarda, ébloui un moment par sa compréhension finale.

— Vous voulez dire que Crang s'est rendu sur Gorgzid pour persuader Enro de déclencher une attaque sur Vénus ?

Il s'interrompit, pensant au complot mort-né pour l'assassinat d'Enro. Expliqué maintenant. Jamais on n'avait prévu qu'il réussît.

Sa joie s'évanouit. Brièvement, il parla des Prédicteurs aux Vénusiens. Il conclut avec la plus grande franchise :

— Je n'ai pas effectivement vérifié si un Prédicteur peut franchir vos barrages, mais logiquement, je le crois.

Il y eut une brève discussion, puis on l'emmena jusqu'à un vidéophone où un homme, pressant des boutons, parlait à mi-voix à un robopérateur. L'homme leva le nez.

— C'est un enregistreur, dit-il. Répétez votre histoire.

Cette fois, Gosseyn entra dans le détail. Il décrivit les Prédicteurs, leur culture, la nature thalamique prédominante des individus rencontrés, et il continua en brossant un tableau du Disciple et de ce qu'était selon lui cette forme d'ombre. Il décrivit Enro, la situation à la cour de Gordzid et la position d'Eldred Crang.

— Vous venez seulement de m'apprendre, continua-t-il, que Crang s'est rendu là-bas dans le dessein d'induire Enro à envoyer sa flotte pour détruire Vénus. Je puis vous assurer qu'il a accompli sa mission, mais, malheureusement, il ignorait l'existence des Prédicteurs. Ainsi, l'attaque qui est maintenant sur le point de se déclencher sera menée par l'ennemi dans des conditions plus favorables que quiconque aurait pu l'imaginer, connaissant la nature du système défensif mis au point sur Terre et sur Vénus.

Il conclut tranquillement :

— Je vous laisse méditer là-dessus.

Elliott se rassit sur sa chaise et dit, sérieux :

— Transmettez vos observations par la voie normale au robot récepteur.

Gosseyn apprit alors que la méthode usuelle consistait à discuter par petits groupes, pour revenir avec autant de suggestions raisonnables qu'il avait été possible d'en découvrir. Un des membres du groupe se réunissait alors avec les délégués des autres groupes et les observations passaient ainsi d'étage en étage. Trente-sept minutes après la suggestion d'Elliott, le robot récepteur appela et lui fournit quatre suggestions principales, par ordre de priorité.

1) Selon une ligne joignant Vénus et Géla, la base d'où viendraient les vaisseaux galactiques, concentrer toutes les défenses, de façon que la réaction des robots se produise dans un délai de deux ou trois secondes.

La destruction complète étant l'autre terme de l'alternative, leur espoir devait être qu'une ligne de défense de ce genre, prenant l'ennemi par surprise, fût suffisante à la capture de la première flotte entière, Prédicteurs ou non ;

2) Faire venir Leej et le destroyer et voir ce que pouvait faire un Prédicteur *au courant* de la nature des défenses ;

3) Abandonner le plan consistant à se dresser secrètement contre Enro en faveur de la Ligue et offrir à la Ligue toutes les armes secrètes sans perdre de

238

vue que ces renseignements pourraient être mal utilisés et qu'une paix imposée par une Ligue irritée serait peu différente de la reddition inconditionnelle à Enro. En retour, exiger l'accueil des émigrants vénusiens ;

4) Abandonner Vénus.

Gosseyn revint au destroyer, et les préparatifs furent faits pour le troisième essai de percée des défenses. Il aurait aimé rester à bord, mais Leej elle-même refusa sa présence.

— Une seconde de flou, et nous sommes perdus. Pouvez-vous m'affirmer qu'il n'y en aura pas ?

Gosseyn ne le pouvait pas. Dans une certaine mesure, il était capable d'utiliser sa faculté nouvelle de prédiction de l'avenir, en ce qui concernait les brouillages.

— Mais s'il y en a un pendant que je suis au sol ? demanda-t-il. C'est dans votre portée ?

— Mais ça ne vous concerne pas, souligna Leej. Comme je vous l'ai dit, tout ceci a des limites.

Son habileté, en tout cas, parut n'en pas avoir lorsqu'à 2 heures moins une, le Y 381 907 se matérialisa à cinq kilomètres au-dessus de la base galactique de Vénus, et fonça à angle aigu dans l'atmosphère. Il fut suivi un instant plus tard d'une série de torpilles. Comme une étoile filante, il traversa l'atmosphère de la planète, hors de vue la plupart du temps, sauf sur les vidéophones montrant son vol spasmodique.

Une douzaine de fois, des torpilles atomiques explosèrent à la place qu'il occupait la seconde d'avant, mais, à chaque explosion, le destroyer se trouvait déjà hors de portée. Au bout d'une heure de chasse infructueuse, le robot central de contrôle ordonna à tous les robots d'interrompre la poursuite.

Gosseyn se similarisa à bord, reprit les commandes à Leej, exténuée, et amena le vaisseau jusqu'au dépôt de la section Industrie militaire.

Il ne fit aucune observation aux Vénusiens. Le passage du vaisseau suffisait : les Prédicteurs *pouvaient* franchir les défenses.

Plus de trois heures après, tandis qu'ils dînaient, elle se raidit soudain :

— Des vaisseaux ! dit-elle.

Pendant quelques secondes elle resta assise, rigide, et se détendit alors.

— Ça va bien, dit-elle, ils sont pris.

Ceci près d'un quart d'heure avant que le robo-contrôle ne confirmât que cent huit vaisseaux de guerre, y compris deux vaisseaux de bataille et dix croiseurs, venaient d'être pris par une unité concentrée de quinze millions de robots cérébrocontrôleurs.

Gosseyn accompagna la mission d'enquête qui examina l'un des vaisseaux de bataille. Aussi vite que possible, les officiers et l'équipage furent évacués. Durant ce temps, des savants non-A étudiaient les organismes du vaisseau. Dans ce secteur, Gosseyn se montra très utile. Il fit devant un groupe considérable de futurs officiers un exposé de tout ce qu'il avait appris concernant la manœuvre du destroyer.

Ensuite, il fit plusieurs tentatives pour utiliser sa nouvelle faculté de prédiction des événements, mais les images dansaient trop. L'état de relaxation auquel il était parvenu devait encore se trouver incomplet. Et il avait trop de travail pour faire plus que discuter superficiellement le problème avec le Dr Kair.

— Je pense que vous êtes sur la bonne piste, dit le psychiatre ; mais nous verrons ça plus à fond quand nous aurons le temps.

Le temps : le mot clef durant les jours qui suivirent. On découvrit pendant les interrogatoires, Leej devançant la découverte de vingt-quatre heures, qu'il n'y avait pas de Prédicteurs avec la flotte.

Aucune différence pour le plan vénusien. Un contrôle de l'opinion vénusienne montra qu'en général on pensait qu'une nouvelle flotte arriverait dans les semaines à venir, qu'il se trouverait des Prédicteurs à bord et qu'elle pourrait être prise en dépit de la présence des prophètes mâles et femelles de Yalerta.

Cela ne changeait rien. Vénus devrait quand même être abandonnée. Des groupes de savants se relayèrent de vingt-quatre en vingt-quatre heures, montant des distorseurs auxiliaires sur chacun des vaisseaux capturés, distorseurs semblables à ceux utilisés pour expédier les Prédicteurs de Yalerta à la flotte du sixième décant.

La capture des vaisseaux de guerre du Plus Grand Empire rendait possible la constitution d'une chaîne de vaisseaux s'étendant jusqu'à huit cents années-lumière de la base de la Ligue la plus proche, distante d'un petit peu plus de neuf mille années-lumière. De ce point, on établit une communication vidéophonique.

L'accord avec la Ligue se révéla étonnamment aisé. Un système planétaire qui, bientôt, atteindrait un maximum quotidien de production de douze millions d'unités robodéfensives d'un nouveau modèle, cela parut particulièrement intéressant à l'inflexible Madrisol.

Une flotte de douze cents vaisseaux de la Ligue utilisa le relais des vaisseaux capturés pour se similariser avec arrêt anticipé vers Géla. Les quatre planètes de ce soleil furent maîtrisées en quatre heures ; ainsi les attaques ultérieures d'Enro se trouvaient-elles rendues impossibles jusqu'à ce qu'il eût reconquis sa base.

Cela ne changeait rien. Pour les Vénusiens, les membres de la Ligue présentaient presque le même danger que Enro. Aussi longtemps que les $\bar{\text{A}}$ resteraient localisés sur une planète, ils se trouveraient à la merci de gens qui prendraient peur d'eux parce qu'ils étaient différents des gens qui, bientôt, inven-

teraient des excuses à l'exécution de milliers de névrosés pareils à eux-mêmes, et qui s'apercevraient
également que les armes nouvelles qu'on leur offrait
n'entraînaient pas l'invincibilité.

Impossible de deviner leur réaction devant une
découverte de ce genre. Ceci pouvait ne rien signifier.
Mais dans le même temps, tous les avantages des
unités de défense risquaient d'être méconnus si elles
ne parvenaient pas à cette perfection absolue si chère
au cœur des non-intégrés.

Les Ā ne soulignèrent point la faiblesse possible
de leur apport au cours des conférences qui décidèrent que des groupes de deux cents à deux cent
mille individus seraient immédiatement autorisés à
émigrer sur chacune des quelque dix mille planètes
de la Ligue.

On discutait encore les détails que le mouvement
d'émigration s'amorçait.

Gosseyn suivit l'événement avec des émotions
diverses. Il ne mettait pas en doute sa nécessité,
mais, cette concession faite, la logique cédait la place
au sentiment.

Vénus abandonnée. Il avait du mal à croire que
deux cents millions de gens s'éparpillent de cette
façon jusqu'aux confins de la galaxie. Il ne doutait
pas de la sécurité collective résultant de cet épar-
pillement. Certes, des individus périraient sans doute,
car d'autres planètes, chaque jour, seraient détruites
dans cette guerre immense.

Il était possible aussi que d'autres subissent des
brimades, çà et là. Mais ceci serait l'exception, non
la règle. Ils étaient trop peu pour qu'on les estimât
dangereux, et chaque Ā s'adapterait rapidement à la
situation locale pour agir en conséquence.

Partout, maintenant, il y aurait des hommes et
des femmes Ā à la pleine maturité de leurs forces
intégrées, qui jamais plus ne se trouveraient isolés
en un groupe sur un système solitaire.

Gosseyn choisit plusieurs groupes qui se rendaient sur des planètes relativement proches, et les accompagna par distorseurs pour vérifier qu'ils arrivaient à bon port.

Chacune des planètes ainsi visitées avait un gouvernement démocratique. Ils furent absorbés dans la masse des populations qui, pour la plupart, ignoraient jusqu'à leur existence.

Gosseyn ne put suivre que quelques éléments. Plus de dix mille planètes recevaient ces réfugiés très spéciaux, et il aurait fallu un millier de vies pour les observer tous. Un monde se trouvait évacué, à l'exception d'une colonie d'un million d'individus qui restaient sur place. Le rôle de ces derniers consistait à servir de noyau pour les milliards de Terriens encore ignorants de ce qui s'était passé et pour qui l'éducation $\bar{A}$ se poursuivrait sans changement.

Ce fut un fleuve, puis une rivière, puis un mince ruisseau de $\bar{A}$ qui franchit les relais de distorseurs.

Avant que les derniers fussent passés, Gosseyn se rendit sur New Chicago où l'on préparait un des vaisseaux de bataille capturés, rebaptisé *Vénus*, pour les emmener, Leej, le capitaine Free, un équipage de techniciens $\bar{A}$ et lui-même, à travers l'espace.

Il pénétra dans une ville quasi déserte. Seules les usines invisibles et le centre militaire présentaient une flamboyante activité. Elliott accompagna Gosseyn sur le vaisseau et lui communiqua les dernières informations.

— Nous n'avons pas entendu parler de la bataille ; mais nos unités doivent probablement entrer tout juste en action.

Il sourit, et secoua la tête.

— Je doute que qui que ce soit se donne le mal de nous renseigner sur ce qui arrive. Notre influence s'affaiblit rapidement. L'attitude, à notre égard, est un mélange de tolérance et d'impatience. D'un côté on nous donne une grande claque dans le dos pour avoir inventé des armes que dans l'ensemble on regarde comme décisives, ce qu'elles ne sont pas. D'un autre côté, on nous morigène pour nous rappeler que nous ne sommes après tout qu'un peuple minuscule et sans importance et que nous devons laisser le détail aux soins des experts ès affaires galactiques.

« Qu'ils le sachent ou non, continua-t-il, amusé mais sérieux, presque chacun des non-A va tenter de modifier le destin de la guerre. Naturellement, nous agirons dans le sens de la paix. Ceci peut ne pas sembler évident tout de suite, mais nous ne tenons pas à voir la galaxie divisée en deux groupes qui se haïssent violemment l'un l'autre.

Gosseyn acquiesça. Il restait encore aux chefs galactiques à s'apercevoir — en fait, ils ne s'en apercevraient peut-être jamais, le processus serait trop subtil — que ce qu'un Ā comme Eldred Crang avait fait serait à bref délai multiplié par deux cents millions. La pensée d'Eldred Crang rappela à Gosseyn la question qu'il voulait poser depuis quelques jours.

— Qui a mis au point votre arme nouvelle ?

— L'institut de Sémantique Générale, sous la direction de feu Lavoisseur.

— Je vois.

Gosseyn resta silencieux un moment, réfléchissant à la question suivante. Il dit enfin :

— Qui a dirigé votre attention sur le point particulier que vous avez utilisé avec un tel succès ?

— Crang, dit Elliott. Lavoisseur et lui étaient bons amis.

Gosseyn tenait sa réponse. Il changea de sujet.

— Quand partons-nous ?

— Demain matin.

— Bon !

La nouvelle l'excitait. Depuis des semaines, il était trop occupé pour penser, et cependant, jamais il n'avait complètement oublié que des individus comme le Disciple et Enro constituaient certaines forces avec lesquelles il fallait encore compter.

Et il restait un problème encore plus vaste, celui de l'être qui similarisait son esprit dans le système nerveux d'Ashargin.

Autant de choses d'importance vitale.

18

Non-axiomes.

Dans l'intérêt de la raison, *souvenez-vous que* : la carte n'est pas le terrain, le mot n'est pas la chose qu'il exprime. Chaque fois que l'on confond la carte avec le territoire, un « trouble sémantique » s'enracine dans l'organisme. Ce trouble persiste tant que l'on n'a pas reconnu les limitations de la carte.

Dans l'obscurité interstellaire, le matin suivant, le puissant vaisseau fonça. Outre son équipage $\overline{A}$, il emportait cent mille éléments cérébro-contrôleurs.

Ils arrêtèrent le vaisseau à la requête du Dr Kair après le premier « anticipé ».

— Nous vous avons observé à diverses reprises, dit-il à Gosseyn, bien que vous soyez aussi fugace qu'il soit possible de l'être. Mais nous avons cependant obtenu quelque chose.

Il tira quelques photographies de sa serviette, et les fit passer.

— Cette photo du cerveau second C a été prise la semaine dernière.

La surface luisait de millions de lignes finement entrelacées.

— Brillant d'excitation, dit le Dr Kair. Si vous

vous souvenez que, un moment, les seules communications de votre cerveau avec le reste de votre corps et le tissu cérébral semblaient être les vaisseaux sanguins qui l'irriguaient et les connexions nerveuses relatives au flux sanguin, son état actuel correspond à une activité considérable.

Il s'interrompit.

— Maintenant, dit-il, en ce qui concerne votre entraînement futur, mes collègues et moi avons réfléchi à vos affirmations, et nous pouvons vous présenter une suggestion.

Gosseyn l'interrompit :

— Une question d'abord.

Il hésita. Ce qu'il voulait dire, en un sens, importait peu. Mais ça le tracassait depuis sa conversation de la veille avec Elliott.

— De qui, demanda-t-il, venaient les premières suggestions concernant l'entraînement que j'ai reçu du temps de Thorson ?

Le Dr Kair réfléchit :

— Ma foi, de nous tous — mais, selon moi, l'apport le plus important provenait d'Eldred Crang.

Encore Crang ! Eldred Crang, qui savait comment cultiver les cerveaux seconds, qui transmettait les messages de ce dernier avant la mort de cette ancienne enveloppe de Gosseyn — le problème de Crang revenait au premier plan, plus complexe que jamais.

Brièvement, avec objectivité, il esquissa le cas de Crang devant le groupe. Lorsqu'il eut fini, le Dr Kair secoua la tête.

— Crang est venu se faire examiner chez moi juste avant de quitter Vénus. Il se demandait si la tension qu'il subissait en permanence ne l'affectait pas. Je puis vous assurer que c'est un non-A parfaitement normal, sans facultés spéciales, bien que ses réflexes et son intégration atteignent un niveau que je n'ai rencontré qu'une fois ou deux dans ma carrière entière de psychiatre.

Gosseyn dit :

— Il n'a décidément pas de cerveau second.

— Absolument pas.

— Je vois, dit Gosseyn.

Une autre porte se fermait. En un sens, il avait espéré que Eldred Crang fût le joueur qui similarisait son esprit dans celui d'Ashargin. Cette possibilité n'était pas éliminée, mais, apparemment, il fallait trouver une autre explication.

— Ceci est un point, dit une psychiatre, que nous avons discuté précédemment, mais dont M. Gosseyn n'a peut-être pas entendu parler. Si c'est Lavoisseur qui a fourni à Crang ses renseignements sur les cerveaux seconds et leur entraînement, et s'il apparaît maintenant que ce n'est pas une très bonne méthode, devons-nous croire que Lavoisseur et tous les corps précédents Lavoisseur-Gosseyn n'avaient été entraînés que selon ce qui nous paraît maintenant une méthode insuffisante ?

Elle conclut, très calme :

— La mort de Lavoisseur semble indiquer qu'il n'était pas capable de prévision, et cependant, vous, vous êtes déjà au bord de cette faculté et de bien d'autres encore.

— Nous pourrons voir ces détails plus tard, dit le Dr Kair. Pour l'instant, je désirerais que Gosseyn fît un essai.

Lorsqu'il se fut expliqué, Gosseyn répondit :

— Mais c'est à dix-neuf mille années-lumière d'ici !

— Essayez, insista le psychiatre.

Gosseyn hésita, puis se concentra sur une de ses zones mémorisées dans le poste de commande de l'aéroulotte de Leej. Il vacilla, comme pris de vertige. Etonné, il combattit une impression de nausée. Il regarda les autres, stupéfait.

— J'ai dû atteindre une similitude tout juste inférieure à la vingtième décimale, dit-il. Je crois que j'y arriverai si j'essaie encore.

— Essayez, dit le Dr Kair.

— Et que ferai-je là-bas ?

— Examinez la situation. Nous vous suivrons jusqu'à la base la plus proche.

Gosseyn acquiesça. Cette fois, il ferma les yeux. L'image changeante de la zone mémorisée surgit, précise et claire.

Lorsqu'il ouvrit les yeux, il se trouvait à bord de l'aéroulotte.

Il ne bougea pas tout de suite, mais, immobile, recueillit des sensations. Un flux nerveux tranquille émanait du voisinage. « Les domestiques, pensa-t-il, toujours occupés à leur tâche. »

Il regarda dehors. En dessous d'eux s'étendait une plaine plate. Loin sur la droite il entrevit l'éclat de l'eau. Sous ses yeux, la mer disparut. Ceci le fit penser à quelque chose.

Il se pencha sur les commandes et se redressa presque immédiatement en constatant leur orientation. L'appareil suivait toujours l'orbite circulaire fixée par ses soins juste avant sa tentative couronnée de succès pour s'emparer du destroyer.

Il n'essaya pas de modifier la route. On avait pu tripoter tout ça, bien que le vaisseau parût être resté exactement en l'état.

Son cerveau tâtonna à la recherche de courant magnétique, et ne trouva rien d'anormal. Il se détendit, et s'efforça de voir ce qui allait se passer. Mais la seule image qu'il obtint du poste ne montrait toujours personne.

Ceci le conduisit à poser la question : « Où vais-je aller maintenant ? »

Retourner au vaisseau de bataille ? Ce serait perdre son temps. Il aurait voulu savoir combien il lui avait fallu de temps pour parvenir à Yalerta, mais ça, il pourrait s'en occuper plus tard.

De grands événements se produisaient. Des hommes et des femmes de la sécurité desquels il se sentait partiellement responsable se trouvaient toujours en terrain dangereux. Crang, Patricia, Nirène, Ashargin.

Un dictateur à renverser, une immense machine de guerre à arrêter par tous les moyens.

Brusquement, il se décida.

Il prit pied dans la retraite du Disciple sur sa zone mémorisée, juste à la porte de l'usine. Il atteignit l'étage supérieur sans encombre, et s'arrêta pour demander à un homme le chemin de l'appartement du Disciple.

— J'ai rendez-vous, dit-il, et c'est pressé.

Le domestique fut compréhensif.

— Vous avez pris le mauvais chemin, dit-il, mais en suivant ce couloir latéral, vous allez arriver à une grande salle d'attente. On vous dira là-bas où il faut aller.

Gosseyn doutait qu'on pût lui dire ce qu'il voulait savoir. Mais il arrivait à une pièce moins grande qu'il ne le prévoyait et si ordinaire qu'il se demanda, étonné, s'il ne s'était pas trompé d'endroit.

Un certain nombre de gens attendaient sur des banquettes et en face de lui, derrière une petite barrière de bois, se trouvaient huit bureaux à chacun desquels était assis un employé.

Plus loin, un bureau clos de glaces, avec une grande table.

Tandis qu'il franchissait la barrière, plusieurs des employés se levèrent en signe de demi-protestation. Gosseyn les ignora. Il déplaçait mentalement le câble dans le poste de commande de l'aéroulotte, et il désirait parvenir au bureau de glace avant que Yanar se fût aperçu de sa présence.

Il ouvrit la porte ; il la refermait quand le Prédicteur s'aperçut de sa présence. L'homme leva les yeux et sursauta.

Il y avait une autre porte derrière Yanar, et Gosseyn se dirigea vers elle. Bondissant sur ses pieds, Yanar lui barra la route et le défia.

— Il faudra me tuer avant d'entrer là.

Gosseyn s'arrêta. Il avait déjà sondé la pièce derrière la porte. Aucune impulsion vitale. Ceci ne prouvait pas à coup sûr qu'elle fût inoccupée. Mais cela atténua considérablement son impression d'urgence.

Il regarda Yanar, n'ayant aucune intention de tuer l'homme, d'autant qu'il possédait bien d'autres moyens de s'occuper de lui. En outre, il voulait l'interroger. Plusieurs questions le troublaient depuis quelque temps. Il dit :

— Vous étiez à bord du vaisseau de Leej en qualité d'agent du Disciple ?

— Naturellement, dit Yanar, haussant les épaules.

— Je suppose que vous voulez dire que, sans ça, le vaisseau ne se serait pas trouvé là pour nous attendre ?

Yanar acquiesça, morose, l'œil aux aguets.

— Mais pourquoi m'avoir laissé un moyen de fuir ?

— Le Disciple vous trouvait trop dangereux pour vous maintenir ici. Vous auriez pu mettre sa retraite en pièces.

— Alors pourquoi m'amener à Yalerta ?

— Il désirait que vous fussiez sous le contrôle de Prédicteurs qui puissent surveiller vos gestes.

— Et ça n'a pas marché.

— Effectivement. Ça n'a pas marché.

Gosseyn ne dit plus rien. Ces réponses sous-entendaient quelque chose qui le troubla.

Encore une fois, plus sévèrement, il regarda le Prédicteur. Il avait pensé à bien d'autres questions, spécialement en ce qui concernait Leej. Mais, en fait, elles importaient peu. Leej s'était fort bien conduite et les détails attendraient.

Ça réglait la question. Il similarisa Yanar dans

la cellule qu'il avait partagée des semaines plus tôt avec Leej et Jurig. Puis il ouvrit la porte et pénétra dans le bureau personnel présumé du Disciple.

Comme il l'avait perçu, l'endroit était inoccupé.

Curieux, Gosseyn regarda autour de lui. Un énorme bureau faisait face à la porte. Il y avait des fichiers dans l'épaisseur du mur gauche et un système complexe — complexe et apparemment un peu particulier — de mécanismes et de commandes de distorseurs à sa droite.

A la fois soulagé et désappointé, Gosseyn se demanda que faire, Yanar éliminé. Certes, ce dernier point ne changeait pas grand-chose : l'homme était une gêne et non un danger.

Gosseyn se dirigea vers les fichiers. Tous avaient des fermetures magnétiques, mais il ne lui fallut qu'un moment pour ouvrir les circuits grâce à son cerveau second. Chaque tiroir céda à sa traction. Les dossiers consistaient en plaques de plastique analogues à l'annuaire du palais que Nirène lui avait montré lorsqu'il se trouvait dans le corps d'Ashargin. L'équivalent d'innombrables pages se trouvait imprimé sur des couches successives de molécules. Chaque « page » apparaissait l'une après l'autre quand on manipulait l'index à la glissière de l'angle. Gosseyn chercha et trouva une plaque à son nom. Il y avait quatre pages, un rapport très objectif détaillait pour le principal les faits auxquels il s'était trouvé mêlé. La première page portait la référence : *Nom transféré de GE-4-408 C*. Ceci semblait indiquer la présence d'une autre fiche en un autre lieu. Puis suivait une mention de son entraînement sous la direction de Thorson avec la note suivante : « Ai été incapable de trouver un seul des individus qui ont participé à l'entraînement et ai connu ce dernier trop tard pour agir. »

Il y avait plusieurs références à Janasen, puis une description du relais distorseur utilisé pour transporter Gosseyn depuis l'appartement de Janasen. « Ai fait construire l'instrument par les mêmes techniciens qui ont établi F., de façon qu'il ait l'air d'une table de cuisine ordinaire. » Ceci était imprimé, mais en marge se trouvait une note à la main : « Très astucieux. »

Gosseyn lut les quatre pages avec un sentiment de désappointement. Il s'attendait à trouver quelque chose qui complétât l'image qu'il se formait lui-même de ses rapports avec le Disciple, mais le compte rendu était trop bref et trop positif. Au bas de la quatrième page se trouvait la note : « Voir Ashargin. »

Gosseyn prit le dossier d'Ashargin. Plus long. Dans les premières pages, le narrateur examinait en particulier la vie d'Ashargin depuis le moment où il était arrivé au Temple du Dieu Endormi. C'est à la dernière page seulement qu'il trouva une référence au dossier Gosseyn. Bref commentaire : « Questionné au détecteur de mensonges par Enro, Ashargin a fait plusieurs allusions à Gilbert Gosseyn. » A côté se trouvait la note manuscrite : « A examiner. »

Le paragraphe final concernant Ashargin portait : « Le mariage forcé du prince et de la princesse Ashargin paraît avoir donné suite à des rapports de fait aussi bien que de nom. Le changement survenu en cet homme appelle une enquête, bien que Enro semble penser qu'un Ashargin bien disposé puisse être utile, même après la guerre. Durant les trois prochaines semaines, les Prédicteurs estiment sa conduite exemplaire. »

Aucune indication de la date où débutaient ces trois semaines, aucune mention du voyage sur Vénus entrepris par Gosseyn-Ashargin, aucun indice qu'il soit de retour au palais.

Gosseyn remit le dossier en place dans son tiroir et continua son examen de la pièce. Il découvrit une porte étroite habilement dissimulée dans les panneaux du distorseur. Elle menait à une minuscule chambre à coucher meublée d'un simple lit proprement fait.

Pas de penderie, mais une salle de bains exiguë, avec tub et W.-C. Une douzaine de serviettes pendaient à un séchoir de métal.

Le Disciple, si tel était son saint des saints, ne se dorlotait pas trop.

Il lui fallut presque tout le jour pour explorer la retraite. Rien d'anormal dans le bâtiment. Quartier des domestiques, plusieurs sections dévolues au travail d'un tas d'employés, usine génératrice au sous-sol, une aile aménagée en cellules.

Les employés et les mécaniciens vivaient dans des cottages le long de la côte, loin du bâtiment principal. Yanar et cinq autres Prédicteurs avaient leurs appartements le long d'un couloir. Derrière l'édifice, un hangar assez vaste pour recevoir une douzaine d'aéroulottes. Lorsque Gosscyn y jeta les yeux, il s'y trouvait sept grandes machines et trois petits avions, ces derniers du type qui l'avait attaqué à son évasion de prison.

Personne ne le dérangea. Il se déplaçait à son gré parmi les bâtiments et dans l'île. Personne ne semblait disposer d'une autorité ou d'une énergie suffisante pour s'occuper de lui. Telle chose n'avait jamais dû se produire sur l'île, et sans doute chacun attendait-il que le Disciple vînt s'occuper de ça.

Gosseyn attendit également, non sans quelques doutes. Mais avec la ferme décision de ne pas s'en aller. Il éprouvait un désir d'action, et l'impression que les événements allaient se dessiner beaucoup plus vite que son existence presque passive sur la retraite ne semblait l'indiquer.

Ses plans étaient faits, il ne restait qu'à attendre l'arrivée du vaisseau de bataille.

Il passa sa première nuit dans la petite chambre contiguë au bureau du Disciple. Il dormit tranquille, son cerveau second réglé pour répondre à toute manœuvre du matériel distorseur. Il ne savait pas encore positivement que le Disciple suscitait son étrange forme d'ombre par le moyen de relais distorseurs, mais toutes les preuves semblaient converger dans ce sens.

Et il avait une idée de ce qu'il allait faire pour vérifier sa théorie.

Le lendemain, il se similarisa à bord de l'aéroulotte de Leej, déjeuna au milieu des trois servantes empressées à satisfaire son moindre désir, et qui paraissaient troublées par sa politesse. Gosseyn manquait de temps pour leur enseigner le respect d'elles-mêmes. Il termina son repas et se mit à l'ouvrage.

D'abord, il roula à grand-peine le tapis du studio. Puis il se mit à découper les plaques de métal du plancher aussi près qu'il put se le rappeler de l'endroit où s'était matérialisé le Disciple.

Il découvrit le distorseur à quelques centimètres de l'endroit auquel il s'attendait à le trouver.

Ceci semblait assez convaincant. Il vérifia le fait pour la seconde fois dans la cellule qu'il occupait à son arrivée sur Yalerta. L'œil furieux, Yanar le guettait à travers les barreaux tandis qu'il éventrait le bat-flanc de métal apparemment massif et découvrait un second distorseur.

L'image se précisait décidément. La crise devait être proche.

La seconde nuit fut aussi calme que la première. Gosseyn passa le troisième jour à fouiner dans les dossiers. Deux pages sur Secoh l'intéressèrent, car les informations qu'elles renfermaient ne figuraient pas parmi les souvenirs d'Ashargin. Les quarante-sept pages concernant Enro, divisées en sections, ne firent que confirmer ce qu'il savait déjà, avec des détails supplémentaires. Madrisol recevait l'étiquette « homme dangereux et ambitieux ». Le grand amiral Paleol se trouvait catalogué comme tueur. « Un individu implacable », avait écrit le Disciple, terme expressif de la part d'un individu lui-même doué de quelque implacabilité.

Il ne chercha que les noms qu'il connaissait, et ne vérifia que quelques références secondaires. Il faudrait une armée d'experts pour fouiller les dizaines de milliers de dossiers et établir un rapport compréhensif.

Le quatrième jour, il abandonna les fiches et étudia un plan pour lui-même et pour le vaisseau de bataille. Peu économique, du point de vue temps, pour le vaisseau, de le suivre dans toute la galaxie, alors que son but, comme celui d'Elliott et de **tous** les autres, constituait à parvenir à Gorgzid.

Il écrivit :

« Enro a sauvegardé sa planète natale par une répartition des matrices correspondant à la base de Gorgzid selon un système si strict qu'il est très improbable que l'on puisse s'en procurer aucune par des méthodes normales. »

Mais un homme à cerveau second devait pouvoir se procurer une matrice...

Il en était là de son résumé quand le relais longtemps attendu se ferma dans son cerveau ; il sut alors que le vaisseau venait de se similariser sur une position d'arrêt anticipé près de la base, à onze cents années-lumière.

Instantanément, il franchit la distance qui le séparait du *Vénus*.

★

— Vous avez dû vous similariser du vaisseau sur Yalerta en un peu plus d'une heure, estima le Dr Kair.

Ils ne purent le préciser exactement. Mais la vitesse était si grande, la marge d'erreur si restreinte au regard des quatre-vingt-dix heures mises par le vaisseau, que le temps exact importait peu.

Une heure et quelque chose. Troublé, il parcourut les trente mètres qui le séparaient de la coupole transparente du poste de commande du vaisseau. Il n'était pas précisément l'homme à qui il soit nécessaire d'expliquer l'immensité de l'espace, et ceci rendait la puissance nouvelle de son cerveau d'autant plus impressionnante.

L'obscurité se collait au verre. Il n'avait pas une telle impression d'éloignement en voyant toutes ces étoiles. C'étaient de petits points brillants à quelques centaines de mètres. Et voilà l'illusion : la proximité. Maintenant, cependant, pour lui, elles *étaient* proches. En cinq heures et demie il pouvait parcourir par similarisation les cent mille années-lumière de diamètre de la galaxie tourbillonnante de deux cents millions de soleils — pour peu qu'il sût une zone mémorisée où se retrouver.

Elliott vint le rejoindre. Il lui tendit une matrice que prit Gosseyn.

— Il vaut mieux que je parte, dit-il. Je ne me sentirai pas à l'aise tant que ces dossiers ne seront pas à bord du *Vénus*.

Il vérifia que la matrice se trouvait bien dans sa boîte et se similarisa dans le bureau du Disciple.

Il tira la matrice de la boîte et la posa soigneusement sur le bureau. Ça serait un peu embêtant si le vaisseau se similarisait réellement *sur* la matrice... Mais Leej, à bord, devait s'assurer que le *bond* du vaisseau vers Yalerta s'arrête avant.

Comme il s'y attendait, le *Vénus* arriva heureusement au-dessus de l'île un peu moins de trois heures plus tard. Des unités de recherche furent débarquées et Gosseyn retourna conférer à bord.

A sa surprise, le Dr Kair ne lui proposa ni expériences ni entraînement.

— On va vous traiter par le travail, exposa le psychiatre. Vous vous exercerez en agissant.

Il développa brièvement son point de vue :

— Franchement, Gosseyn, vous entraîner demanderait du temps, et vous vous débrouillez parfaitement. L'avantage que vous semblez avoir sur Lavoisseur, c'est que vous avez découvert que l'on pouvait faire bien d'autres choses, et que vous avez essayé de faire les choses en question. Il paraît assuré qu'il ne savait rien des Prédicteurs, sinon il les eût mentionnés à Crang. En conséquence, jamais il n'a eu aucune raison de croire qu'il arriverait à prédire l'avenir.

Gosseyn répondit :

— Ceci signifie que je m'en retourne immédiatement et que je vais emprunter le distorseur du bureau du Disciple.

Il lui restait encore une chose à faire, et il la fit au moment même où il se retrouva dans la retraite. Il similarisa Yanar sur une des zones mémorisées de l'île de Crest.

Ce devoir humain rempli, il se joignit au groupe qui étudiait le distorseur privé du Disciple avec, déjà, quelques résultats intéressants.

— C'est le montage le plus calé que nous ayons encore vu, lui dit un des Ā. Le plus complexe. Il faudra du temps pour repérer certains circuits imprimés.

Précédemment, ils étaient convenus de travailler en utilisant l'hypothèse selon laquelle les distorseurs du Disciple opéraient avec une précision supérieure à la similitude de vingt décimales.

— Aussi, nous allons rester un moment sur Yalerta et vous donner une chance de revenir. En outre, il nous faut attendre ce vaisseau de bataille envoyé par Enro et qui ne devrait plus tarder.

Gosseyn convint que ce dernier point au moins

présentait une certaine importance. Il restait vital qu'aucun Prédicteur ne fût envoyé vers Enro.

Quant à attendre son retour, il se sentait moins affirmatif. L'action qu'il allait entreprendre pouvait se révéler complexe et demander des efforts prolongés. Maintenant, il avait la certitude de pouvoir se similariser en retour vers le vaisseau avec le minimum d'erreur dans le temps, puis de repartir pour son point d'arrivée.

Selon l'opinion générale, il ne fallait pas perdre une minute, et une étude sérieuse des instruments demanderait pas mal de délais.

Encore une fois Gosseyn était d'accord. Son propre. examen lui avait montré que le câblage se divisait en deux sections. L'une d'elles comportait trois distorseurs avec des contrôles réglables selon n'importe quel indicatif.

La seconde section ne comprenait qu'un instrument. La commande consistait en un tube unique, que l'on pouvait tirer ou pousser au moyen d'un petit levier. Dans le passé, Gosseyn avait découvert que ce genre de distorseurs ne fonctionnaient que dans la direction d'une matrice permanente. Il espérait que celui-ci était réglé sur le quartier général personnel du Disciple dans la galaxie.

Il tira le levier sans hésiter.

★

Sitôt émergé du vide, Gosseyn resta tout d'abord immobile. Il se trouvait dans une vaste pièce tapissée de livres.

Par une porte entrouverte, il apercevait l'angle d'un lit.

Il laissa son cerveau second se pénétrer des éléments vivants du bâtiment. Il y en avait un grand nombre, mais de l'ensemble émanait une impression de tranquillité et de paix. Autant qu'il puisse s'en rendre compte, personne ne se trouvait dans la pièce voisine.

Il vit que le distorseur grâce auquel il s'était similarisé faisait partie d'un groupe de deux appareils à angle droit l'un de l'autre dans un coin.

Ceci paraissait compléter le tableau général.

Il mémorisa une zone de plancher, puis alla prendre un des livres de la bibliothèque. Le livre était imprimé dans la langue de Gorgzid.

Il eut un instant d'exaltation, mais tandis qu'il tournait la page de garde, il pensa : « Ceci ne signifie pas nécessairement que je sois sur Gorgzid. Bien des gens dans le Plus Grand Empire peuvent avoir des livres imprimés dans la langue de la capitale. »

A cet instant, ses pensées s'interrompirent. Il sursauta devant le nom inscrit sur la feuille, secoua la tête et remit le livre sur l'étagère.

Cinq autres volumes choisis au hasard portaient le même nom.

Le nom d'Eldred Crang.

Gosseyn alla lentement vers la chambre à coucher, troublé, mais pas très ennuyé. Tandis qu'il la traversait, il perçut la présence de gens dans la pièce voisine. Prudemment, il entrebâilla la porte. Un couloir. Il poussa encore la porte, se glissa par l'ouverture et referma le panneau derrière lui. Si nécessaire, il pourrait battre en retraite à la vitesse de similarisation. Mais il n'était pas encore fixé sur son terrain de repli.

Il atteignit l'extrémité du couloir et s'arrêta. De sa place, il voyait le dos de quelqu'un qui ressemblait à Patricia Hardie. Elle parla, et ceci confirma son impression.

Ce qu'elle disait n'avait pas d'importance, non plus que la réponse de Crang. Ce qui comptait, c'est qu'ils soient là, et que dans la bibliothèque adjointe à la chambre à coucher se trouve un distorseur relié à celui de la retraite du Disciple sur Yalerta.

Découverte troublante ; Gosseyn décida de ne pas se montrer à eux avant d'en avoir parlé à Elliott et aux autres.

Mais il ne voulait pas encore abandonner Gorgzid. Il revint à la bibliothèque et considéra le second distorseur. Comme celui de la retraite, c'était encore un appareil à commande unique.

Il paraissait logique de chercher où il aboutissait. Il manœuvra le levier.

★

Il se trouva dans une petite resserre. Il y avait des piles de casiers en métal dans un coin, plusieurs étagères. Une porte fermée unique paraissait la seule entrée normale.

Pas de distorseur autre que celui dont il venait de se servir.

Rapidement, il mémorisa une section du sol et tenta d'ouvrir la porte, qui céda et démasqua un bureau plutôt nu. Un bureau, deux chaises et un tapis en constituaient l'ameublement.

Derrière le bureau, une autre porte.

Gosseyn, avant de s'y rendre, essaya les tiroirs du bureau. Fermés à clef, ils ne pouvaient être ouverts au moyen d'un cerveau second sans énergie extérieure.

La porte du bureau donnait sur un couloir de trois mètres de long au bout duquel il y en avait un autre. Gosseyn, sans hésiter, l'ouvrit toute grande, la franchit et s'arrêta.

La vaste pièce qui s'ouvrait devant lui vibrait sourdement de résonances sous-jacentes. Un étroit arc-boutant jaillissait d'un mur à huit mètres de haut, si soigneusement encastré qu'il paraissait un prolongement du mur lui-même, en surplomb.

La partie extrême de cet arc-boutant translucide, brillait d'une lumière resplendissante. De petits escaliers partis du sol rejoignaient le sommet de la châsse du Dieu Endormi.

L'ensemble ne lui fit pas du tout le même effet que lorsqu'il le voyait avec les yeux d'Ashargin. Maintenant, grâce à son cerveau second, il percevait la pulsation des courants qui faisaient agir les machines invisibles. Maintenant, il prenait conscience d'un léger flux vital, un courant nerveux humain, régulier, léger, ne présentant que d'infimes variations d'intensité.

Gosseyn grimpa l'escalier, se passant de toute cérémonie cette fois, et regarda le Dieu Endormi de Gorgzid. Son examen du visage et de la châsse fut différent de celui d'Ashargin, plus vif et plus aigu. Il se rendit compte de choses restées lettre morte pour les sens plus obtus du prince.

Le « cercueil » comportait de nombreux éléments. Le corps se trouvait maintenu par une série de bras et de pinces en forme d'étau, dont il devina la destination : conserver leur souplesse aux muscles. Si le Dieu Endormi venait jamais à s'éveiller de son long sommeil, il ne risquerait pas de se trouver ankylosé et affaibli comme Gilbert Gosseyn au bout d'un mois d'inconscience à bord du destroyer Y 381 907.

La peau du dormeur semblait saine. Son corps paraissait ferme et puissant. Ceux qui avaient réalisé son conditionnement disposaient de plus de moyens que Leej n'en pouvait trouver à bord du destroyer.

Gosseyn descendit les marches et examina la base du cercueil. Comme il s'y attendait, les marches étaient mobiles et les panneaux du socle pouvaient glisser.

Il les manœuvra et démasqua une machine. Presque aussitôt, il se rendit compte qu'il était parvenu au terme d'une piste. Dans tous ses voyages, sur les plus puissants vaisseaux du Plus Grand Empire, jamais il n'avait vu une machine tout à fait analogue à celle-là.

Après l'avoir considérée un instant, il hocha la tête, stupéfait. Le câblage des circuits était complexe mais une douzaine au moins des fonctions de la machine lui restaient intelligibles.

Il reconnut un circuit distorseur, un détecteur de mensonges, un relais-robot, et d'autres schémas plus simples. Mais le cerveau électronique ne comportait pas moins de cent quarante-sept circuits principaux dont chacun constituait une unité à trois dimensions ; l'intérieur et la surface de chacune se trouvaient interconnectés par des milliers de circuits secondaires.

Même les robots presque humains construits par Lavoisseur et utilisés comme armes par les Vénusiens ne comportaient que vingt-neuf circuits principaux.

Attentif, maintenant, Gosseyn scruta le cerveau artificiel. Cette fois, il s'aperçut que plusieurs des câbles semblaient grillés. Cette découverte l'inquiéta et, rapidement, il constata plusieurs autres ruptures. Comment un instrument aussi bien construit et protégé pouvait-il avoir été abîmé, cela paraissait malaisé à comprendre, mais on ne pouvait se méprendre sur le résultat final.

Il faudrait une habileté fantastique pour réparer la machine et éveiller le Dieu Endormi.

C'est sans doute à d'autres qu'incomberait ce travail. Lui travaillait en première ligne, et pas dans le service technique. Il était temps qu'il revînt au vaisseau de bataille.

Il se similarisa et se retrouva sur le *Vénus* pour entendre retentir les cloches d'alarme.

★

Elliott lui expliqua que la bataille était terminée.

— Lorsque nos robots sont entrés en action, je crois qu'ils ne se sont même pas rendu compte de ce qui arrivait. Nous avons capturé l'équipage entier.

Victoire très satisfaisante pour plusieurs raisons. Le vaisseau capturé était celui envoyé par Enro plus d'un mois auparavant pour remplacer l'Y 381 907. Il venait assurer l'envoi d'une nouvelle cohorte de Prédicteurs à la flotte du Plus Grand Empire. Il faudrait du temps pour qu'un nouveau vaisseau le remplaçât. Premier résultat.

Second résultat, encore plus intéressant semblait-il à Gosseyn, le *Vénus* se trouvait libre de le suivre sur Gorgzid.

Aucun Ā ne put fournir une explication au mystère Eldred Crang. Elliott dit :

— Nous pouvons uniquement supposer qu'il ignorait l'existence des Prédicteurs, et par conséquent n'a pu faire de déclaration concernant l'existence possible d'une prévision positive. Votre découverte paraît indiquer que Crang est plus au courant de ce qui se passe que nous ne le soupçonnions.

Un peu plus tard, on remit à Gosseyn une seconde matrice, et Elliott lui dit :

— Nous allons partir maintenant, et nous vous retrouverons dans trois jours à peu près.

Gosseyn acquiesça. Il voulait explorer plus en détail le Temple du Dieu Endormi.

— Je veux voir si les propulseurs atomiques sont toujours en état de marche. Peut-être pourrai-je m'envoler avec le Temple entier.

Il sourit.

— Peut-être qu'ils penseraient que c'est une manifestation du Dieu marquant sa désapprobation de l'agression commise.

Il conclut plus sérieusement :

— A part ça, je vais me tenir tranquille, jusqu'à votre arrivée à tous.

Avant de quitter le vaisseau, il alla voir le Dr Kair. Le psychiatre lui offrit un fauteuil, mais Gosseyn déclina l'offre. Debout, le front soucieux, il dit :

— Docteur, il y a quelque chose, au bout du chemin, qui sera différent de tout ce que nous pouvons prévoir. J'ai vu des images vagues.

Il s'arrêta, puis reprit :

— Deux fois déjà mon esprit s'est similarisé dans le corps du prince Ashargin. Apparemment, on dirait que quelqu'un m'apporte une aide bénévole pour me permettre une vue d'ensemble des événements, et j'incline presque à croire que c'est là le motif. Mais pourquoi à travers les yeux d'Ashargin ? Pourquoi est-il nécessaire, *lui* ? Vous comprenez, ça revient à ça. S'il est possible de transférer mon « esprit » dans le corps d'autres gens, pourquoi ne pas le transférer dans celui d'Enro ? Avec Enro sous mon contrôle, je suis *sûr* que je pourrais arrêter la guerre comme ça !

Il fit claquer ses doigts.

— C'est d'une logique si implacable, acheva-t-il, que je ne puis que conclure ceci : nous voyons les choses sous un angle incorrect. Il doit y avoir une autre réponse, peut-être une réponse plus grande que la guerre elle-même...

Il restait debout, le sourcil froncé, puis il tendit la main. Le Dr Kair la secoua silencieusement. Gosseyn s'écarta et, toujours muni de la matrice, se similarisa dans la petite resserre du Temple du Dieu Endormi de Gorgzid.

Au moment même où il émergeait du vide, il se rendit compte avec un sentiment de frustration thalamique qu'il allait s'éveiller dans le corps du prince Ashargin pour la troisième fois en trois mois.

19

Non-axiomes.

Dans l'intérêt de la raison, rappelez-vous ceci : d'abord se produit l'événement, le stimulus initial ; en second lieu, le choc nerveux de l'événement, par le canal des sens ; en troisième lieu, la réaction émotionnelle fondée sur l'expérience passée de l'individu, en quatrième lieu, la réaction verbale. La plupart des individus identifient la troisième et la quatrième étape et ignorent l'existence de la seconde et de la troisième.

— Il est l'heure de dîner, dit Nirène.

Gosseyn-Ashargin se mit debout et, en silence, ils parcoururent le corridor. Elle avait un visage pensif ; lorsqu'il passa sa main sous son bras, cela sembla un geste automatique. Mais l'inconscience même de ce geste précisa pour Gosseyn ce dont il s'était déjà rendu compte d'après les souvenirs d'Ashargin : son mariage avait donné naissance à d'affectueuses relations.

— Je ne suis pas très sûre, dit Nirène, que le privilège de me trouver à la table royale soit de ceux que j'apprécie. Je me demande si c'est un avancement ou une corvée.

Gosseyn-Ashargin ne répondit pas. Il pensait au

corps de Gilbert Gosseyn étendu dans la resserre du Temple du Dieu Vivant. A tout moment, Secoh pouvait entrer et le découvrir.

Au regard de cette éventualité, la vie privée du prince et de la princesse Ashargin paraissait très insignifiante.

Ni Enro ni Secoh n'assistaient au dîner, ce qui n'était pas pour rassurer Gosseyn. Il croyait voir Secoh choisir, entre toutes, de passer cette nuit-là au Temple. Il n'avait aucun doute sur ce qu'il convenait qu'il fasse lui-même, mais les détails de cette action occupèrent son attention pendant la majeure partie du repas.

Cependant, il leva les yeux soudain, sentant que quelque chose ne tournait pas rond, et vit les deux femmes très pâles. Patricia disait :

— Je ne croyais pas que cela me ferait cet effet, mais la possibilité d'une victoire complète de la Ligue me met presque aussi mal à l'aise que lorsque je pensais à une victoire sans condition de mon frère.

Nirène dit :

— Il y a quelque chose de terrible, lorsque l'on est entraîné dans une guerre contre son gré ; le rôle qu'on y joue peut être minime, mais on découvre en fin de compte que l'on est lié au destin de son camp.

Subitement, Gosseyn se voyait arraché à ses préoccupations personnelles. Il comprenait ce qu'elles pensaient, et il avait fallu sans doute un revers sérieux pour les émouvoir si violemment.

Une défaite serait un désastre personnel pour tous les habitants du Plus Grand Empire. Il y aurait l'humiliation, les armées d'occupation, une poursuite sans merci des criminels de guerre, un esprit de vengeance dénué de toute compréhension des effets possibles sur le système nerveux des vainqueurs ou des vaincus.

Il allait parler, mais une pensée le frappa. Si la

situation était réellement sérieuse, ceci pouvait expliquer l'absence du dictateur à ce dîner.

Avant d'avoir pu ouvrir la bouche, il en eut la confirmation. Patricia lui dit :

— Enro est avec la flotte. Quatre divisions ont disparu sans laisser de traces, et la bataille du sixième décant est arrêtée le temps de mettre au point des contre-mesures.

— Et où est Secoh ? demanda Gosseyn.

Personne ne le savait, mais Crang lui lança un regard acéré et interrogateur. Il se contenta de dire :

— Il importe, bien entendu, que la victoire ne soit pas totale. Une reddition sans conditions n'est qu'une illusion.

Gosseyn n'hésita pas. Autant qu'ils connaissent les faits. Brièvement, succinctement, sans indiquer ses sources, sans décrire les armes-robots et leur pouvoir, il exposa leur effet possible sur le cours de la guerre.

Il conclut :

— Plus vite Enro se rendra compte qu'il a une longue guerre d'usure sur les bras, plus vite il fera ou examinera des offres de paix, et plus vite il sera certain que le destin ou un accident n'entraîneront pas sa ruine complète.

Il se leva.

— Si Enro revient avant moi, dites-lui que je veux le voir.

Il s'excusa et quitta rapidement la pièce.

Une fois dans le couloir, il se dirigea vers le toit. Plusieurs avions se trouvaient garés près de la cage d'escalier d'où il émergea. Tandis qu'il s'asseyait sur le siège de pointe du plus proche, le cerveau électronique de l'appareil lui adressa la parole par un haut-parleur.

— Où ?

— Au-delà des montagnes, dit Gosseyn, et je te dirai à ce moment-là.

268

Ils décollèrent dans l'ombre et passèrent en trombe sur la ville. Gosseyn, impatient, avait l'impression que l'étendue illuminée au-dessous de lui ne finirait pas. Cependant, l'obscurité se fit enfin et fut bientôt totale, sauf quelques taches de lumière qui ponctuaient l'horizon.

Le roboplane reprit la parole :

— Nous survolons les montagnes. Où maintenant ?

Gosseyn regarda à ses pieds, mais ne vit rien. Le ciel était nuageux et la nuit d'encre.

— Tu vas atterrir sur une petite route à peu près à un kilomètre de ce côté-ci du Temple du Dieu Endormi, dit-il.

Il la décrivit en détail, estimant les emplacements de divers bouquets d'arbres et donnant une image du tournant de la route fondée sur les souvenirs précis qu'Ashargin avait de la scène.

Leur vol se poursuivit en silence. Ils atterrirent dans l'ombre et parvinrent à un arrêt.

— Reviens toutes les heures !... dit Gosseyn en s'en allant.

Il descendit sur la route, fit quelques pas et s'arrêta. Il attendit alors que l'avion prît son envol presque en silence — un tourbillon d'air, et le sifflement léger du propulseur —, puis il s'engagea sur la route.

La nuit était brûlante et calme. Il ne rencontra personne, mais il s'y attendait. Ashargin connaissait cette route depuis bien longtemps. Mille nuits comme celle-là, il s'y était traîné pour regagner sa paillasse en revenant de son travail aux champs de pommes de terre.

Il parvint aux ombres plus noires encore du Temple, et s'arrêta de nouveau. Un long moment, il guetta des sons qui indiquent une activité.

Aucun bruit.

Hardiment, mais avec précaution, il tira à lui la

porte de métal et suivit l'escalier de métal monté le jour de la cérémonie de la parade. Il atteignit sans encombre la chambre intérieure, et la trouva ouverte, à sa grande surprise. Cette surprise dura peu. Il s'était muni d'un instrument pour crocheter les serrures, mais mieux valait ne pas laisser les doigts malhabiles d'Ashargin s'occuper de ça.

Il se faufila à l'intérieur et ferma sans bruit la porte derrière lui. La crypte maintenant familière s'étendait devant lui. Vite, il se dirigea vers le petit corridor qui menait au bureau privé du seigneur gardien.

Devant cette porte, il s'arrêta une seconde fois et prêta l'oreille. Le silence. Une fois en sécurité à l'intérieur, il gagna la porte de la resserre. Il retenait son souffle en entrebâillant la porte pour scruter le clair-obscur ; il poussa un soupir de soulagement en voyant le corps étendu sur le sol. Il arrivait à temps. Maintenant, le problème consistait à mettre en sûreté son corps inconscient.

Tout d'abord, il cacha la matrice sous un coffret de métal en haut d'une étagère. Puis, très vite, il s'agenouilla près de la forme immobile et prêta l'oreille à son souffle. Il entendit le cœur battre, perçut le pouls et sentit la respiration lente et mesurée de Gosseyn inconscient. Ce fut une des expériences les plus étranges de sa vie que de rester là, guettant son propre corps.

Il se remit debout, se pencha et empoigna l'autre sous les aisselles. Il prit son élan et tira. Le corps inerte remua de cinq centimètres.

Il s'était attendu à avoir du mal, mais pas à ce point-là. Il lui parut que, s'il arrivait à démarrer, le plus dur serait fait. De nouveau il essaya, sans s'arrêter cette fois. Mais ses muscles commencèrent à lui faire mal quand il eut traversé la petite pièce. Et il fit une première halte à la porte.

Sa seconde halte, un peu plus longue, survint à

l'extrémité du petit corridor. Lorsqu'il atteignit le milieu de la salle de la châsse, vingt minutes plus tard, il était si fatigué que la tête lui tournait.

Déjà il avait déterminé le seul endroit du Temple où il pût cacher le corps pesant. Il commençait cependant à se demander s'il aurait la force d'y arriver.

Il monta les marches jusqu'à la châsse. De là, il observa la constitution du revêtement, non pas les plaques transparentes au voisinage de la tête du dormeur, mais les portions translucides qui prolongeaient ce cercueil de sept mètres de long.

Elles s'effaçaient, tout simplement, démasquant des tubes, des courroies, des systèmes d'accrochage pour trois corps supplémentaires. Deux d'entre eux paraissaient plus petits que l'autre ; la compréhension illumina Gosseyn : ils étaient prévus pour des femmes.

Ce vaisseau avait pour destination de transporter deux hommes et deux femmes à travers l'immensité des espaces interstellaires, pendant les années qui séparaient des systèmes solaires non encore reliés par similarisation.

Il ne perdit pas son temps en vaines considérations, mais contraignit ses muscles à la tâche pénible de traîner le corps de Gosseyn en haut des marches pour l'introduire dans la châsse.

Combien de temps lui fallut-il ? Sans cesse, il devait se reposer. Une douzaine de fois, il eut le sentiment qu'Ashargin était à bout de forces. Mais il parvint enfin à lier le corps à la place voulue. Le lier, parce qu'un mécanisme devait avoir été prévu pour éliminer les corps endommagés. Certaines parties de cette machine semblaient si défectueuses que le circuit destiné à leur faire savoir si un corps était ou non vivant devait avoir cessé de fonctionner. Ceci pouvait expliquer pourquoi les femmes et l'un des hommes n'avaient pas été remplacés.

Autant prendre quelques précautions.

Il remit les panneaux en place, ramena les marches à leur position première ; debout, en haut de l'escalier, il vérifiait l'absence de traces de son activité, lorsqu'un bruit retentit du côté de la resserre. Il pivota, crispé.

Eldred Crang entra.

Le détective $\overline{A}$ s'arrêta net et mit un doigt sur ses lèvres en un geste de prudence. Il s'avança, rapide, poussa l'autre escalier vers l'extrémité de la châsse et y monta.

D'un geste, il fit glisser les panneaux du compartiment où Gosseyn-Ashargin venait de dissimuler le corps de Gosseyn. Plusieurs secondes il observa le corps, puis il referma les panneaux, redescendit et ramena l'escalier à sa position initiale.

Pendant ce temps, Ashargin était descendu à son tour. Crang lui prit le bras.

— Je regrette de ne pas avoir pu venir vous aider, dit-il à voix basse, mais je n'étais pas dans mon appartement lorsque la machine m'a envoyé un avertissement. Je suis venu aussitôt pour m'assurer... (il sourit) ... que vous l'aviez bien caché où il fallait. Mais maintenant, venez, dépêchons-nous.

Gosseyn le suivit sans un mot. Pas un $\overline{A}$ à bord du *Vénus* ne discutait les consignes de Crang, et il n'allait pas commencer maintenant. Son cerveau bouillonnait de questions, mais il acceptait d'office l'allusion implicite de Crang à la nécessité de faire vite.

Ils traversèrent en hâte le petit bureau et la resserre. Crang lui fit place lorsqu'ils parvinrent au distorseur.

— Vous d'abord, dit-il.

Ils arrivèrent dans la bibliothèque de Crang, qui, parvenu au milieu de la pièce, s'arrêta et se retourna, indiquant le distorseur par le moyen duquel Gosseyn était venu du Yalerta.

272

— Où cela mène-t-il ? demanda-t-il.

Gosseyn le lui dit, et il acquiesça.

— Je pensais que c'était quelque chose comme ça. Mais je n'ai jamais pu en être sûr. Pour s'en servir, il faut manœuvrer une commande à distance que je n'ai pas réussi à découvrir.

Entendre Crang poser une question à propos de quelque chose qu'*il* ne connaissait pas, voilà une expérience inédite pour Gosseyn. Avant que ce dernier pût en poser une à son tour, Crang dit :

— Enro est absent depuis huit jours, mais il doit revenir d'une minute à l'autre. Ceci du moins conformément aux renseignements reçus peu après le dîner. Aussi, retournez dans votre chambre le plus vite possible, et... (il hésita, pesant visiblement la suite de sa phrase) ... et dormez, conclut-il, décisif. Mais dépêchez-vous, maintenant.

Du salon, Patricia dit doucement :
— Bonne nuit.

A la porte du dehors, Crang, sérieux, lui dit :
— Une bonne nuit de repos. Et *dormez*, hein !

Gosseyn suivit tranquillement le couloir. Il se sentait étrangement vide, et il avait le sentiment que trop de choses arrivaient à la fois. Pourquoi Crang s'assurait-il que le corps de Gosseyn était à la « bonne » place, après avoir été averti par une machine ? Quelle machine ? A sa connaissance il n'en existait qu'une ici, et c'était le cerveau électronique abîmé de la châsse.

Crang s'était-il rendu maître de cet appareil ? Il le semblait.

Mais qu'est-ce qu'il entendait par « dormir » ?

Il était parvenu deux étages plus bas et abordait le couloir menant à l'appartement de Nirène et d'Ashargin, lorsqu'un robot vénusien attaqua sa conscience.

Il eut le temps de penser, troublé :

— Ça ne peut pas être le *Vénus* ; ils n'ont pas eu le temps d'arriver.

Cela ne pouvait donc résulter que d'une attaque de front de la Ligue. Mais comment étaient-ils passés ?

Ses réflexions s'interrompirent. Maintenant, il luttait désespérément pour éviter au corps d'Ashargin d'être dominé.

20

Non-axiomes.

Dans l'intérêt de la raison, chaque individu doit éliminer les « blocages » de son système nerveux. Un blocage est une perturbation sémantique en raison de laquelle des réactions adéquates cessent de prendre naissance. Des blocages peuvent fréquemment être éliminés par l'usage convenable de la réaction cortico-thalamique « retardée », par auto-analyse, ou par hétéro-analyse.

Il se trouva presque vaincu avant de pouvoir penser. L'effet de la force complexe était réellement plus considérable que lorsqu'il l'avait éprouvé dans son propre corps qu'il s'arrêta involontairement.

Il est possible que ceci l'ait sauvé à ce moment. Il dut rester immobile et il repensa à la vieille méthode de détente cortico-thalamique, méthode utilisée pour conditionner les néophytes.

« Je suis en train de me détendre, se dit-il à lui-même, et tous les stimuli parcourent l'ensemble de mon système nerveux, le long de ma moelle, jusqu'au thalamus, ils *franchissent* le thalamus, et parviennent au cortex, et *traversent* le cortex, et c'est à ce moment, à ce moment seulement, qu'ils repassent par le thalamus et reviennent au système nerveux.

« Et en permanence, je perçois ces stimuli à mesure qu'ils passent et repassent à travers mon cortex. »

Telle était la solution. Ceci constituait toute la différence qui séparait les surhommes non-A des hommes-animaux de la galaxie. Le thalamus siège des émotions et le cortex centre de la discrimination, intégrés, équilibrés dans une association étroite et merveilleuse. Des émotions non pas éliminées, mais enrichies et détendues par leur association avec cette part de la conscience, le cortex, capable de goûter un nombre infini de subtiles variations dans le flux des impressions.

A travers tout le palais, des hommes luttaient sans doute, pris d'une panique croissante, contre la force puissante qui les frappait. Une fois cette panique amorcée, elle se développerait jusqu'à l'hystérie. Et, de seconde en seconde, elle se développait. Les stimuli jaillissant à la vitesse de l'éclair d'un thalamus craintif, accélérant le cœur, la respiration, tendant les muscles, excitant les glandes — et chaque organe surexcité renvoyant en retour un nouveau stimulus au thalamus. Très vite, le cycle s'accélérait et s'intensifiait.

Et pourtant, il suffisait de s'arrêter un instant, de penser : « Le stimulus, en ce moment, traverse mon cortex. Je pense et je ne me borne pas à percevoir... »

Ainsi il accomplit pour Ashargin une pause cortico-thalamique totale.

La force complexe, cependant, continuait de lutter contre lui, et il se rendit compte qu'il faudrait faire très attention pour s'assurer que Ashargin ne succombait pas à un choc émotionnel imprévu.

Sans encombre, il courut jusqu'à l'appartement et fonça vers la chambre à coucher. Il savait dans quel état il allait trouver Nirène. Il laissa cette réflexion parvenir consciente à son esprit, de façon qu'Ashargin sache à son tour et ne soit pas surpris. Comme il s'y attendait, Nirène reposait sur son lit, rigide et inconsciente. Elle s'éveillait apparemment au moment de l'attaque, car il y avait un air de stupéfaction horrifiée sur son visage déformé.

C'est son expression qui produisit un choc sur Ashargin — angoisse, inquiétude, peur — comme l'éclair, les émotions entrèrent en danse.

Comme l'éclair, le champ de forces s'imposa et s'empara de sa conscience.

Dans un effort désespéré, Gosseyn se jeta en travers du lit de façon à pouvoir se détendre. Sans résultat. Ses muscles se raidirent. Rigide, il gisait au pied du lit.

Il s'était demandé quel effet cela pouvait faire, et ce que sentait et pensait un individu sous contrôle. En réalité, cela n'avait rien de compliqué. On dormait.

Et il fit un rêve étrange.

★

Il rêva que le corps de Gosseyn, dans la châsse, se trouvait maintenant dans un état de réceptivité jamais atteint, et qu'en cet état de pleine inconscience, au milieu de la crypte des souvenirs, il arrivait à établir l'incroyable « rapport » enfin possible malgré son peu d'entraînement.

Les pensées ne venaient pas de Gosseyn, mais passaient à travers lui.

« C'est *moi*. La mémoire du passé... »

Le concept parvint à son esprit par l'intermédiaire du corps inerte.

« C'est en *moi* seule, la machine de la crypte, que restent les souvenirs de la Migration — et si je puis me souvenir, c'est en raison d'un accident.

« Toutes les machines furent endommagées lorsqu'elles passèrent à travers des nuages immenses de matière dont on ne soupçonnait pas l'énergie — et le résultat c'est que presque tous les souvenirs furent détruits. Ce qui préserva les *miens,* c'est qu'un circuit principal avait brûlé avant que le grand dommage pût survenir. Malgré les dégâts, la plupart des machines qui parvinrent au terme du voyage purent réanimer les corps qu'elles contenaient, car il s'agissait là d'une simple fonction mécanique. J'aurais pu réanimer le seul corps qui restait à ma garde, mais malheureusement, il se serait trouvé incapable de survivre. Et je n'ai pas le droit de détruire volontairement un corps avant sa mort. Ceux qui m'ont honoré au cours des années passées, ont oublié que leurs ancêtres parvinrent sur cette planète de la même façon que cet être humain qu'ils révèrent encore, sous le nom de Dieu Endormi.

« Les ancêtres arrivèrent privés de souvenirs, et, très vite, oublièrent les circonstances de leur arrivée. La lutte pour la vie, sévère, exigeait toutes leurs forces. Les vaisseaux qui les ont transportés gisent enfouis et oubliés sous le limon des siècles. J'atterris plus tard, et le mien n'est pas encore enterré.

« Partout, leurs descendants ont construit des images erronées de leur évolution fondée sur l'étude de la faune de leur nouvelle patrie. Ils ne se sont pas encore rendu compte que toute vie tend au mouvement, et que le mouvement à l'échelle du macrocosme est limité à un certain nombre de formes, et que la tendance à se tenir debout est partie intégrante de la volonté de mouvement d'espèces données.

« La Grande Migration fut entreprise à partir d'une hypothèse pas nécessairement exacte, mais jusqu'ici non infirmée. L'hypothèse selon laquelle le système nerveux humain, avec ses développements corticaux supérieurs, est unique dans l'espace-temps. Il n'a jamais été égalé et, si l'on considère toute sa complexité, ne le sera sans doute jamais... »

Deux corps — deux systèmes nerveux réagissant

l'un sur l'autre — le plus puissant pénétrant le second selon la loi de similitude — la première image naquit alors, celle d'hommes qui observaient un point lumineux approchant du bord d'une substance d'ombre.

Ce qu'était cette substance, ni l'homme de la crypte ni la machine dont les vibrations se diffusaient à travers lui ne le savaient.

Un point lumineux, se mouvant lentement — et des hommes qui le guettaient, pensifs. Des hommes nés et morts des millions d'années auparavant. Le point brillant resta un instant au bord de l'ombre, et le franchit enfin.

Il disparut instantanément.

La structure de l'espace environnant se modifia légèrement. Il y eut une tension soudaine, qui introduisit une variation dans un rythme de base. La matière se mit à se transformer.

Une galaxie entière changeait son équilibre dans le temps, mais, longtemps avant la crise elle-même, le moment décisif était venu pour ses habitants. L'alternative semblait peu engageante. Rester et mourir, ou occuper une autre galaxie.

Ils savaient que le temps nécessité par un tel voyage allait bien au-delà des pouvoirs du génie mécanique ou humain. Au cours des âges, même les structures électroniques se modifieraient de façon essentielle et ne signifieraient plus rien en bien des cas.

Plus de dix mille millions de vaisseaux partirent, chacun avec sa châsse, chacune avec ses machines, complexes, prévues pour assurer le cycle vital de deux hommes et deux femmes pendant un million d'années ou plus. Ces vaisseaux, merveilleusement construits, s'envolèrent dans l'ombre à une vitesse voisine des trois quarts de celle de la lumière. Car il ne s'agissait pas de transports aux allures de la distorsion ; pas de matrices établies, pas de zones mémorisées sur lesquelles hommes et machines pouvaient foncer rapides comme la pensée. Tout ceci restait à élaborer peu à peu.

★

Encore une fois, le rêve changeait. Plus détendu, plus personnel. Cependant les réflexions qui naissaient ne s'adressaient spécialement ni à Ashargin ni à Gosseyn.

« C'est *moi* qui ai similarisé l'esprit de Gosseyn dans le corps d'Ashargin. Gosseyn possède le seul cerveau second de la galaxie, outre celui du Dieu Endormi — qui ne compte pas. Le Dieu pourrait sans doute être éveillé maintenant, mais certains mécanismes nécessaires à son développement sont restés hors de service pendant longtemps, si bien qu'il ne pourrait rester vivant plus de quelques minutes.

« Pourquoi choisir Ashargin ? Parce qu'il était faible. Par expérience, je sais qu'une personnalité plus forte aurait pu combattre consciemment la volonté de Gosseyn. Et sa présence à proximité fut également un facteur de ce choix.

« Le premier contact établi, peu importait, naturellement, qu'il se trouvât ou non au voisinage.

« Mais c'est pour une raison plus importante encore que Ashargin était la personne logique. Etant donné les plans d'Enro, le prince pouvait se trouver en position plus favorable que n'importe qui pour faire venir Gosseyn dans la crypte. Et, naturellement, il semblait raisonnable de croire qu'il pût être également utile à Gosseyn.

« A quel point la réussite est éclatante, vous vous en rendez compte si je vous dis que, pour la première fois, je viens de pouvoir raconter l'histoire de la Migration à un survivant direct de l'expédition.

Bien des fois j'ai tenté d'amener dans cette crypte un corps Lavoisseur-Gosseyn de la même façon que Gosseyn s'y trouve actuellement. Mais je n'ai réussi qu'à rendre méfiantes des générations successives de Gosseyn. Ma tentative précédente a eu des répercussions extrêmement dangereuses.

« J'ai réussi à similariser l'esprit du vieux Lavoisseur dans le corps du prêtre dont la tâche consistait à balayer cette salle intérieure. Mon dessein était de fournir à Lavoisseur une occasion de réparer les dégâts subis par des éléments vitaux de ma structure. Ce plan s'est montré impraticable, pour deux raisons. *Primo*, le prêtre n'était pas en mesure de se procurer le matériel nécessaire. *Secundo*, il ne s'est pas laissé « posséder ».

« D'abord, sa résistance n'a pas été trop grande, il y a eu du travail de fait, et Lavoisseur a pris une connaissance particlle de la nature des machines de la crypte. Par la suite, il est apparu regrettable que cette brève occasion se soit présentée. Car Lavoisseur a réparé un instrument sur lequel je n'ai pas d'action, un instrument qui déclenche la transformation de la matière qui causa la destruction de l'autre galaxie. Cet instrument avait été monté sur un vaisseau tous les dix mille, uniquement dans un dessein de recherche, et il intéressa Lavoisseur parce que rien de tel ne se trouvait sur le vaisseau qui l'avait transporté lui-même.

« Bien que Lavoisseur l'ait ignoré, l'instrument s'accorda automatiquement sur le corps du prêtre, résultat des précautions prises par ses constructeurs pour s'assurer qu'il est toujours sous le contrôle d'un être humain.

« Naturellement, ils supposaient que cet être serait l'un des leurs.

« A ce moment, il suffisait au prêtre de se *penser* déphasé dans le temps, et la modification, heureusement limitée, se produisait. En se servant de distorseurs, il pouvait diriger la matière d'ombre en n'importe quel point de la galaxie où il possède un distorseur.

« Lorsque la résistance du prêtre au contrôle de Lavoisseur devint trop grande, il fut nécessaire de rompre le contact. Ce qui s'ensuivit est quelque chose que j'admets ne pas avoir prévu. Lorsque le prêtre se remit de sa terreur devant ce qui s'était produit, il finit par croire qu'il avait été possédé par le Dieu Endormi.

« Son aptitude à revêtir la forme d'ombre parut confirmer sa croyance — et en un sens, naturellement, c'est du Dieu Endormi que lui vient cette faculté. Mais de la même façon que je suis le joueur qui a manipulé votre esprit. Les vrais « dieux », les vrais joueurs, sont morts depuis près de deux millions d'années.

« Mais maintenant, vous allez bientôt vous éveiller. Votre position est délicate — vous avez un devoir à remplir cependant : tuer le prêtre qui possède ce pouvoir. Comment le ferez-vous lorsqu'il est sous sa forme d'ombre, je l'ignore.

« Vous devez le tuer pourtant.

« Et il ne me reste plus grand-chose à dire. Ashargin n'a qu'à passer dans un distorseur, je le délivrerai aussitôt du contrôle de Gosseyn, et Gosseyn s'éveillera. Ou Ashargin peut être tué, et l'esprit de Gosseyn retournera automatiquement à son propre corps. Ce sont les deux seules méthodes.

« Eldred Crang fut le confident de Lavoisseur ; voici quelques années, à la suite des renseignements fournis par Lavoisseur, il est venu ici et il a tenté de réparer une partie des dégâts de ma structure. A cette époque, il n'a pas réussi. Plus récemment, il a pu remettre en état un relais grâce auquel je suis en mesure de lui adresser des signaux sonores et lumineux — genre de signaux grâce auxquels je l'ai appelé ici au moment où Ashargin cachait le corps de Gosseyn.

« Un dernier mot. L'attaque dirigée contre le palais n'est qu'en apparence menée par la Ligue. En fait, c'est le prêtre qui a décidé de frapper de la sorte pour acquérir le pouvoir en discréditant Enro... »

★

Le rêve commençait à s'effilocher. Il tenta de le rattraper, mais tout disparaissait. Puis il s'aperçut qu'on le secouait.

Gosseyn-Ashargin ouvrit les yeux et vit Nirène.

Elle était pâle, mais calme.

— Chéri, Secoh est ici pour vous voir. Levez-vous, je vous en prie.

Il y eut du bruit à la porte de la chambre à coucher. Nirène recula lentement et Gosseyn put embrasser la scène du regard.

Secoh, le seigneur gardien du Dieu Endormi, venait d'entrer dans la pièce et le regardait d'un œil sérieux. Secoh, pensa Gosseyn, le prêtre autrefois balayeur de la salle intérieure du Temple.

Secoh, le Disciple.

21

Non-axiomes.

Il ne suffit pas de connaître les techniques d'entraînement non-A. Elles doivent être assimilées jusqu'à devenir automatiques, c'est-à-dire non-conscientes.. La période « discursive » doit faire place à la période « active ». Le but doit être une souplesse totale des démarches mentales, en deçà du plan verbal, à l'égard de n'importe quel événement. La Sémantique Générale a pour objet de donner à l'individu un sens de l'orientation et non pas un nouveau cadre indéformable.

En un instant, il comprit alors l'ensemble des faits. Indépendamment du « rêve », tant de choses concordaient ! Le mécanicien du destroyer se tuant plutôt que de courir le risque d'un interrogatoire. Quelle émotion personnelle aurait pu le pousser à un tel geste ? Fanatisme religieux, évidemment.

Et qui se trouvait mieux placé que Secoh pour découvrir les coordonnées d'une nouvelle planète comme Yalerta ? En tant que conseiller principal d'Enro, il avait les ressources d'un empire à sa disposition.

Des milliers de bribes d'information pouvaient être cataloguées, condensées, organisées, et, à volonté, transmises ou non à Enro. Les progrès techniques aussi bien que l'actualité lui étaient soumis pour qu'il les communique au dictateur. Ainsi, des instruments distorseurs radicalement nouveaux se trouvaient signalés à l'attention d'un homme pratiquement nul du point de vue scientifique, et qui n'attendait que cela pour étendre ses desseins personnels à l'échelle galactique.

Un homme qui se nommait lui-même le Disciple, nom plein de signification religieuse.

Le reste du tableau, les raisons de chaque acte, pouvaient résulter de la religion elle-même. Il paraissait naturel que le seigneur gardien du Dieu Endormi se fût trouvé stimulé par l'ambition d'un empereur planétaire comme Enro et l'ait poussé à conquérir le Plus Grand Empire et à unifier la galaxie pour lui étendre sa religion.

Tableau encore incomplet sur certains détails, mais il parut logique à Gosseyn de l'accepter comme point de départ sur lequel fonder son action future.

Secoh, le Disciple. Secoh, adepte sincère de la religion du Dieu Endormi. Secoh, un fanatique, habile et vif dans tous les domaines de la pensée, sauf le domaine religieux — encore que là même sa conviction dût lui permettre une adaptation aisée aux faits.

Mais c'était — s'il en existait une — la faiblesse de l'homme. Gosseyn-Ashargin s'assit lentement tandis que Secoh s'approchait du lit pour s'y installer en face de lui. Le prêtre dit d'une voix pleine :

— Prince, une opportunité va se présenter pour vous de regagner pour votre famille une position digne de votre passé.

Gosseyn s'attendit à ce qui allait suivre. Il ne se trompait pas. Il écouta l'offre de vice-royauté, « le Dieu Endormi, expliqua prudemment Secoh, devant être la seule autorité au-dessus de la vôtre »,

C'est-à-dire Secoh lui-même. Et pourtant, sans aucun doute, il croyait ce qu'il disait.

Il ne chercha pas à prétendre que la prise de Gorgzid fût due aux forces de la Ligue. Le seigneur gardien fut franc.

— Il a semblé à Crang que ce serait une bonne base de discussion que de laisser croire à une victoire de la Ligue.

D'un geste, il écarta cet aspect du problème.

— Je puis vous dire, assura-t-il avec sincérité, que Enro avait cessé de donner satisfaction au Dieu Endormi, et j'ai à peine besoin de souligner que les messages reçus par vous du Temple furent pour moi une indication précieuse du point où je devais porter mes regards.

Il y croyait. Il croyait à sa religion étrange. Ses yeux luisaient de l'éclat de l'honnêteté. Gosseyn l'observa et ne se rendit que trop bien compte de la déraison de l'homme.

Il demanda :

— Enro est-il mort ?

Secoh n'hésita qu'un instant.

— Il a dû se douter de quelque chose, avoua-t-il. Je me suis rendu à son appartement la nuit dernière après son retour au palais, espérant le retenir en lui parlant jusqu'à ce qu'il soit trop tard pour qu'il s'enfuie. Nous avons eu une conversation plutôt orageuse. Et puis, dès le début de l'attaque, il s'est similarisé à bord du vaisseau amiral de Paleol.

Secoh s'interrompit et ses yeux perdirent un peu de leur feu. Il dit, pensif :

— Enro est un homme très habile.

Il l'admettait à contrecœur. Mais le fait qu'il l'admît donnait la mesure de son habileté propre. Ne pas avoir pu capturer Enro, c'était une défaite majeure ; et cependant, déjà il s'y adaptait.

— Alors, dit Secoh, vous êtes pour ou contre moi ?

Façon brutale de présenter les choses, d'autant qu'il ne précisait pas les conséquences d'un refus possible. Gosseyn choisit de ne pas poser directement cette question. Il dit :

— Qu'auriez-vous fait d'Enro si vous l'aviez pris ?

Le seigneur gardien sourit. Il se leva et s'en fut à la fenêtre. Il fit un signe à Gosseyn-Ashargin qui le rejoignit sans hésiter.

Debout à côté du prêtre, Gosseyn regarda dans la cour, qui se transformait. On élevait des gibets. Une douzaine se trouvaient déjà en place, et à neuf d'entre eux pendaient des formes inertes. Gosseyn regarda pensivement les morts, ni frappé ni impressionné. Partout où les hommes agissent de façon thalamique, on trouve un bon contingent de pendus.

Secoh reprit la parole.

— Enro à réussi à filer, mais j'ai pris un certain nombre de ses amis les plus acharnés. J'essaie encore d'en persuader quelques-uns.

Il soupira.

— Je suis facile à satisfaire, mais au bout du compte, je veux une certaine coopération. En conséquence, des images comme celle-ci (il désigna la cour) sont les concomitantes nécessaires à l'élimination des forces du mal.

Il hocha la tête.

— On ne peut pas avoir de pitié pour les individus rétifs.

Gosseyn tenait sa réponse. C'est ce qui arrivait à ceux qui se déclaraient « contre ».

Maintenant, il savait contre quoi il devait lutter. Mais il faudrait risquer gros — la vie d'Ashargin entre autres — sur la profondeur des sentiments religieux de Secoh.

Il n'eut aucun mal à proférer les imbécillités voulues. Il lui fallut quelques instants pour deviner pourquoi : le système nerveux d'Ashargin avait dû établir des circuits réflexes correspondant à des formules abstraites et fausses concernant le Dieu Endormi — chose à ne pas perdre de vue dans ses plans ultérieurs à l'égard du prince, visiblement peu avancé encore en sémantique générale.

Mais il dit ce qu'il fallait dire, et souligna qu'il avait reçu un message du Dieu Endormi précisant qu'un grand honneur se préparait pour Secoh. Il devait se rendre au Temple, en compagnie d'Ashargin, muni d'un distorseur — Gosseyn observa attentivement la réaction du seigneur gardien à la mention du distorseur, ce qui constituait une modification des rites traditionnels établis. Mais, en apparence, Secoh acceptait tout ordre direct de son Dieu sans tenir compte des formes du passé.

La première étape, la plus simple, était franchie.

22

Non-axiomes.

La sémantique générale est une discipline, et non une philosophie. On peut concevoir un nombre quelconque de nouvelles philosophies non-A. Le plus important pour notre civilisation serait sans doute la mise au point d'une économie politique non-A. On peut affirmer catégoriquement qu'il n'existe pas à l'heure actuelle un tel système. Le champ est ouvert aux hommes et aux femmes audacieux et imaginatifs qui désirent créer un système devant libérer l'humanité de la guerre, de la pauvreté et de la tension. Pour cela, il faudra éliminer du pouvoir ceux des êtres humains qui identifient.

Secoh décida de faire une cérémonie imposante. Trois heures plus tard, des files d'avions chargés de troupes et de prêtres venus de la capitale sillonnaient le ciel au-dessus de la route de montagne qui menait au Temple du Dieu Endormi.

Gosseyn-Ashargin espérait faire le voyage au moyen du distorseur de l'appartement de Crang et Patricia. Ceci ne se produisant pas, il demanda que Crang soit dans le même appareil que lui.

Ils s'assirent l'un près de l'autre.

Il y avait beaucoup de choses que Gosseyn désirait

savoir. Cependant, il pensait aux systèmes d'écoute possibles et commença gravement :

— C'est seulement à la longue que je me suis rendu compte de la nature de l'amitié qui vous lie au seigneur gardien.

Crang acquiesça et dit avec la même prudence :

— Je suis honoré de cette confiance.

Pour Gosseyn, l'aspect fascinant de ces relations brusquement révélées, c'est que Crang ne s'était pas trompé en choisissant, quatre ans plus tôt, de s'attacher à la personne de Secoh et non à celle d'Enro.

La conversation se poursuivit de cette façon conventionnelle, mais, peu à peu, Gosseyn réunit les renseignements qu'il voulait. Stupéfiant roman que celui d'un détective vénusien, Crang, ayant traversé l'espace secrètement pour découvrir la nature des menaces dirigées contre le non-A.

Secoh, en sa qualité de conseiller d'Enro, avait fait nommer Crang au commandement de la base secrète d'Enro sur Vénus. Pourquoi ? Pour que la Gorgzin Reesha échappe à la volonté de son frère qui désirait en faire sa femme.

A ce moment, Gosseyn se souvint brusquement des accusations d'Enro :

« Vous avez toujours été amoureux d'elle », disait, à Secoh, le dictateur.

Il se représenta le prêtre obscur aspirant à la main de la plus grande dame de la planète. Et du fait que cette émotion s'était « fixée » sur le plan inconscient, tous les triomphes remportés depuis ne signifiaient rien en regard de l'amour passionné de sa jeunesse.

Une autre phrase de Crang fit naître une image nette de la façon dont on avait présenté à Secoh le mariage comme un faux mariage destiné à la protéger. On la « gardait en réserve » en vue du jour où le Disciple pourrait la réclamer comme la sienne.

Une affirmation ultérieure de Crang, paraissant

sans rapport avec ce qui précédait, justifiait cette dangereuse manœuvre.

— Dès que l'on a éliminé la crainte de la mort, dit tranquillement le détective, on est libéré des petites frayeurs et des petites aventures. Seuls ceux qui désirent la vie dans n'importe quelles conditions sont victimes de mauvaises conditions.

Il était clair que, si les choses en venaient au pire, M. et Mme Eldred Crang choisiraient la mort.

Mais pourquoi l'attaque éliminant Enro ? La réponse à cette question nécessita plus de prudence encore — mais elle stupéfia Gosseyn. Il était essentiel que le dictateur se trouvât dans un état d'esprit tel qu'il voulût bien envisager et même entamer des négociations pacifiques. Enro, chassé de sa planète natale, sa sœur au pouvoir de l'ennemi, trouverait là une raison de faire la paix à l'extérieur de façon à pouvoir se concentrer sur la reprise du pouvoir dans son propre empire.

Crang, ce type stupéfiant, avait effectivement trouvé un moyen de terminer la guerre.

Crang hésitait. Et l'on pouvait repérer une très légère trace d'angoisse dans sa voix tandis qu'il ajoutait :

— Ce sera un grand privilège que d'être présent au Temple pour une cérémonie aussi importante — mais n'est-il pas possible que quelques-uns de ceux dont l'équilibre émotif est particulièrement précaire soient troublés par la proximité même de leur Dieu ?

— Je suis persuadé, dit Gosseyn-Ashargin, que le Dieu Endormi veillera *en personne* à ce que tout se déroule comme il convient.

Il ne pouvait guère en laisser entendre plus sur son plan.

Une lumière éblouissante, issue de sources invisibles. Des prêtres, alignés le long de chaque mur, munis de lances étincelantes et de bannières de tissu précieux. Ainsi se terminait le rituel préliminaire dans la vaste crypte du Dieu Endormi.

A l'instant de l'action, Gosseyn-Ashargin posa la main sur le levier de contrôle du distorseur. Avant de le manœuvrer, il regarda autour de lui une dernière fois avec les yeux d'Ashargin.

Il était inexorablement décidé à l'action, mais se força à observer encore le champ dans lequel il allait manœuvrer.

Les invités étaient massés près de la porte. Il y avait aussi des prêtres, dirigés par Yeladji, le seigneur surveillant, vêtu de son manteau d'or et d'argent. Sa figure bouffie paraissait morose, comme s'il n'appréciait guère ce qui se passait. Mais, apparemment, il estimait préférable de ne rien dire.

Les autres restaient muets comme lui. Des fonctionnaires de la cour, que Gosseyn-Ashargin connaissait de vue, d'autres, inconnus. Et Nirène, Patricia et Crang.

Ils seraient en danger si Secoh faisait appel à une source d'énergie, mais c'était un risque à courir. Le dernier acte se jouait. Beaucoup de choses en dépendaient et on ne pouvait reculer devant rien.

Secoh, seul, debout, devant la châsse, était nu, humble attitude décrétée des années auparavant pour toutes les cérémonies de la chambre intérieure, celles en particulier où l'objet des honneurs devait être revêtu d'une robe de cérémonie. Son corps se révélait ainsi, mince, mais ferme. Ses yeux noirs brillaient d'une attente fiévreuse. Il semblait peu probable qu'il conçût des soupçons en cette ultime minute, mais Gosseyn ne voulut pas courir de risques.

— Très noble seigneur gardien, commença-t-il, lorsque je me serai similarisé par le moyen de ce distorseur jusqu'à celui de la porte, le silence le plus complet devra régner.

— Le silence régnera ! dit Secoh.

Il y avait dans sa voix une menace à l'adresse de tous les assistants.

— Bon. Eh bien... *Maintenant !* dit Gosseyn-Ashargin.

En même temps, il actionna le distorseur.

Il se retrouvait, comme la machine l'avait promis pendant son « rêve », de retour dans son corps, à l'intérieur de la châsse. Il gisait tranquille, conscient de la présence du Dieu. Puis il émit une pensée :

— Machine ?

— Oui ?

La réponse s'inscrivait, immédiate, dans son cerveau.

— Tu m'as indiqué qu'à partir de maintenant, nous pouvions communiquer à volonté ?

— C'est exact. La relation, une fois établie, est permanente.

— Tu as dit aussi que le Dieu Endormi pouvait être éveillé, mais mourrait très vite.

— Sa mort surviendrait en quelques minutes, répondit la machine. En raison de divers accidents matériels, certaines glandes endocrines sont atrophiées et j'ai suppléé artificiellement à leurs fonctions. Au moment où cet approvisionnement artificiel s'interrompra, le cerveau commencera à se détériorer.

— Crois-tu le corps physiquement capable de répondre à mes ordres ?

— Oui. Comme tous les autres, ce corps a été soumis à des exercices prévus pour lui permettre de fonctionner une fois le vaisseau parvenu à destination.

Gosseyn respira profondément et dit :

— Machine, je vais me similariser dans la resserre adjacente à cette salle. A ce moment, fais passer mon esprit dans le corps du Dieu Endormi.

Tout d'abord, ce fut le vide. Comme si sa conscience était absorbée par une matière engloutissante.

Mais il agissait sous une tension trop forte pour que cet état pût durer. Il eut enfin conscience d'une fuite rapide du temps — et sa première pensée jaillit dans le nouveau corps...

« Lève-toi !

« Non. Pas ça d'abord. Fais glisser le couvercle. D'abord le couvercle. L'action doit se dérouler dans l'ordre. Assieds-toi et fais glisser le couvercle. »

Une vague lueur, et la sensation de mouvement. Et puis, lui emplissant les oreilles et paraissant lui résonner dans la tête, un cri d'émerveillement jailli de mille bouches.

« J'ai dû remuer. Le couvercle doit glisser. Tire plus fort. Plus fort. »

Il eut conscience de tirer — son cœur battait très vite — son corps souffrait d'une souffrance générale.

Et puis il se leva. La sensation se précisait avec la vision. Il aperçut des visages vagues, dans un brouillard, et une vaste salle.

L'incitation à l'action, une pensée plus rapide, grandissait en lui. Il pensa, angoissé — *ce corps n'a que quelques minutes à vivre...*

Il tenta de murmurer les mots qu'il voulait dire, de contraindre au mouvement ce larynx ankylosé. Et comme la parole, ainsi que la vision, naît de l'esprit et pas seulement de l'organe, il put effectivement former les mots prévus.

Alors, pour la première fois, il se demanda comment Secoh prenait le réveil de son « Dieu ».

L'effet devait déjà être terrifiant. Car il s'agissait là d'une religion particulièrement malsaine et dangereuse pour un homme. Comme l'ancienne idolâtrie sur Terre, à laquelle elle ressemblait, elle se fondait sur l'identification des symboles ; mais, à la différence de ses analogues dans l'espace et le temps, elle risquait d'entraîner un genre particulier de catastrophes, car il s'agissait d'une « idole » vivante bien qu'inconsciente.

Pour accepter cette religion en permanence, il fallait que le Dieu restât endormi...

Son acceptation temporaire par Secoh, à supposer que l'éveil survînt, impliquait que le Dieu admît la parfaite probité de son seigneur gardien.

Or, ce dieu s'éveilla devant les notables assemblés, pointa un doigt accusateur vers Secoh et dit d'une voix lente :

— Secoh ! Traître ! Tu dois mourir !

En cet instant, la volonté innée de vivre du système nerveux de Secoh exigeait qu'il rejctât sa croyance.

Impossible. Elle était trop profondément enracinée. Elle était associée trop étroitement à chaque cellule de son corps.

Impossible ? Cela signifiait qu'il fallait accepter sans discussion la sentence de mort proférée par son Dieu.

Et il ne pouvait pas.

Il avait passé toute sa vie en équilibre précaire comme un danseur de corde — mais, en guise de balancier, il se soutenait de mots. Et ces mots se trouvaient en conflit avec l'évidence. Comme si l'homme, sur sa corde, perdait tout à coup son balancier. Il chancela. Avec la terreur naissaient d'innombrables stimuli, dangereux, troublants, étroitement associés entre eux. Gesticulant violemment, il perdit pied.

La folie.

La folie, née d'un conflit interne insoluble. A travers des siècles d'existence humaine, de tels conflits tourmentaient l'esprit de millions d'individus. Hostilité au père en conflit avec un désir de sécurité et de protection ; attachement à une mère trop possessive se heurtant au désir de grandir et de devenir indépendante — haine d'un employeur se heurtant à la nécessité de gagner sa vie. La première étape était toujours la *non*-sanité... et l'équilibre devenant trop difficile à maintenir, la fuite vers la sécurité relative de l'*in*-sanité.

La première tentative de Secoh pour résoudre le conflit fut purement physique. Son corps se brouilla, et, tandis que des spectateurs naissait un léger murmure, il s'assombrit.

Le Disciple se tenait devant eux.

Gosseyn, toujours aux « commandes » du système nerveux non entraîné du « dieu », s'attendait à la transformation de Secoh.

Mais c'était la fin.

Lentement, il descendit les marches. Lentement, parce que les muscles du Dieu restaient trop ankylosés pour lui permettre des gestes rapides. L'exercice reçu dans l'espace confiné de la « chambre » de sommeil conservait en état les voies nerveuses vitales, mais dans une mesure limitée.

Si Gosseyn n'avait pas su comment tout se passait, cette chose humaine presque sans conscience eût à peine pu ramper — encore moins marcher.

Et il était poussé par l'impression encore plus désespérée qu'il n'avait que quelques minutes. Minutes pendant lesquelles il fallait vaincre le Disciple. Il descendit maladroitement les marches et s'avança sur la forme d'ombre tremblante.

Voir son Dieu marcher vers vous avec des intentions hostiles, ce doit être une expérience destructrice. Saisi d'une terreur frénétique, le Disciple tenta de se sauver par la seule méthode dont il disposât.

De l'énergie jaillit de la silhouette obscure. Dans une gerbe de flammes blanches, le corps du Dieu s'anéantit. A cet instant, Secoh fut l'homme qui avait détruit son Dieu. Aucun système nerveux conditionné comme le sien ne pouvait accepter une culpabilité aussi terrible.

Aussi, il l'oublia.

Il oublia qu'il venait de le faire. Et comme il fallait pour cela oublier tous les événements connexes de son existence, il les oublia également. Depuis son enfance, on le destinait à la prêtrise. Tout ceci devait disparaître, de façon que le souvenir de son crime fût à jamais banni.

L'amnésie est facile, pour un système nerveux humain. Sous l'hypnose, on peut la produire avec une simplicité presque alarmante. Mais l'hypnose n'est pas nécessaire. Rencontrez un individu qui vous déplaît, et, très vite, vous serez incapable de vous souvenir de son nom. Faites une expérience désagréable, et elle s'effacera comme s'efface un rêve.

L'amnésie est la meilleure méthode pour fuir la réalité. Mais elle a des formes diverses et l'une d'elles au moins est dévastatrice. Vous ne pouvez oublier les souvenirs et l'expérience d'une vie entière en restant adulte.

Et Secoh devait oublier tout cela. Il s'effondra — de seconde en seconde plus totalement. Et Gosseyn, revenu immédiatement dans son propre corps au moment où le Dieu était tué, avait prévu ce qui se passait maintenant devant ses yeux tandis qu'il se tenait debout dans le petit couloir du bureau.

La forme obscure du Disciple disparut et Secoh redevint visible, oscillant sur des jambes qui le supportèrent à peine un instant.

Il tomba, inerte. Physiquement, il avait un mètre quatre-vingts à parcourir — mais mentalement, il tombait toujours. Tandis qu'il gisait sur le sol, ses genoux rejoignirent sa poitrine, ses pieds se pressèrent contre ses cuisses, sa tête s'abandonna mollement. D'abord, il sanglota un peu, mais, très vite, il se tut. Lorsqu'on l'emporta sur un brancard, il reposait, inconscient de ce qui l'entourait, recroquevillé sur lui-même, silencieux, sans larmes.

Un enfant qui n'est pas né ne pleure pas encore.

POSTFACE

Dans cette suite du *Monde des Ā* il y a une idée à laquelle le lecteur risque de ne pas prêter autant d'attention que je le souhaiterais.

Je fais allusion à la société sans Etats qui existe sur la Vénus non aristotélienne. Il en était déjà question dans *le Monde des Ā* mais elle y était considérée comme un but suprême et lointain, un rêve, un prix pour lequel luttaient les hommes et les femmes qui devaient s'entraîner, et prouver qu'ils l'avaient fait avant d'aller là-bas.

Où veut-il en venir ? se demandera-t-on. Pour bien des peuples, le plus grand rêve du monde, au cours de ce demi-siècle, auquel croient aujourd'hui des millions de Russes et de Chinois et qu'ils espèrent réaliser, cst l'idéal communiste de la disparition de tout gouvernement, c'est-à-dire d'une société sans Etat.

Quand j'ai conçu la lointaine utopie de Vénus dans les récits du *Monde des Ā*, mon propos était d'étudier discrètement cette admirable possibilité. Ce qui m'intéressait avant tout, c'était ce que nous deviendrions, vous et moi, quels êtres nous serions si ce rêve devenait réalité.

Lors de la première publication de ce présent ouvrage, j'avais déjà deux fois dix-huit ans et je venais de terminer ma thèse sur la sémantique générale, un système non aristotélicien, non euclidien, non newtonien. Cette même année, je devins membre de la *Société Internationale de Sémantique Générale*, dont le siège se trouvait à l'époque à San Francisco. J'y suis toujours inscrit, mais j'étais parvenu à mes conclusions dès 1948 et je les ai résumées en tête de chaque chapitre de ce second roman.

Si le lecteur le permet, je vais supposer qu'il n'a pas pu, d'après ces têtes de chapitres, se faire une opinion sur ma société sans Etat. Alors je vais m'expliquer.

Afin de comprendre un tel rêve — la disparition de tout gouvernement —, nous devons avant tout examiner les gens qui nous entourent, et chercher comment ils pourraient s'intégrer, *aujourd'hui*, dans un monde sans Etats.

L'année dernière, une femme que je connais a été battue par son fils de dix-huit ans. Rien d'extraordinaire à cela, semble-t-il. Un autre garçon du même âge insulte grossièrement sa mère à longueur de journée et menace de la battre (il ne l'a pas encore fait). Il paraît que c'est courant. De nombreux amis me l'ont affirmé.

Ainsi, ce qui se passe dans l'esprit des jeunes, garçons ou filles, qui ont dix-huit ans pour la première fois, semble affecter un certain pourcentage de la population. Au début du siècle, Lénine remarqua, plein d'espoir, qu'il existait un nombre important de ces personnes *aliénées* (c'est le mot juste).

Si nous n'avions pas déjà la triste preuve du contraire, nous pourrions imaginer une future société communiste comme une espèce de coopérative paternaliste, où chacun travaille pour la communauté. Chaque semaine, l'employé touche son salaire, le dépense dans les magasins de la société, et rentre chez lui, dans l'appartement appartenant à la société.

Ce qui nous inquiète, c'est que, dans les années 30, plusieurs millions de personnes vivant dans cette « coopérative » et soupçonnées de ne pas vouloir travailler pour la corporation furent « renvoyées », en un mot mises à mort.

C'est la structure corporative russe, qui a tué un nombre incalculable d'hommes, qui doit éventuellement disparaître.

Quels changements devront se produire dans le comportement humain avant que la chose puisse arriver ?

Un soir, tout dernièrement, après avoir rendu visite à un ami, je voulus reprendre ma voiture mais quelqu'un s'était garé cn double file et, comme il y avait une voiture devant moi et une autre derrière, je me trouvais totalement bloqué. Je dus attendre une heure (non, je ne prévins pas la police, et d'ailleurs, dans une société sans État, il n'y en aurait pas) avant que la voiture qui se trouvait devant moi s'en aille, me permettant de partir à mon tour. Je laissai un billet sous l'essuie-glace du coupable, le gourmandant gentiment pour son sans-gêne. Mon ami me rapporta plus tard qu'il avait vu de sa fenêtre le conducteur de cette voiture, un très jeune garçon, arracher mon petit mot, le rouler en boule, le jeter sans le lire et démarrer tranquillement.

Est-ce que ce jeune homme, ou son homologue communiste, ferait preuve de plus d'égards dans mon Etat sans gouvernement ?

Il serait présomptueux de répondre simplement à cette question par un oui ou un non. Il est fort douteux que quiconque puisse « prouver » la moindre chose concernant un rêve aussi mystique, aussi controversé. Pourtant, un activiste m'a récemment écrit, textuellement : « Le monde doit être libéré, l'anarchie doit régner... et Huey Newton dit que si vous ne faites pas partie de la solution, vous ne faites pas partie du problème... »

Ainsi, le rêve existe dans l'esprit de ces jeunes gens incroyablement violents, justifiant en quelque sorte l'extrême intensité avec laquelle ils frappent et combattent toute société qui n'est pas encore la structure corporative simple qui (croient-ils) doit exister... jusqu'à ce que tout s'effondre.

Si vous parvenez à vous faire une idée favorable de Huey Newton, le chef des Panthères Noires, et de son comportement dans un Etat sans gouvernement, vous avez une âme plus simple et plus confiante que la mienne. Huey, dit-on, se croit prêt dans l'immédiat à toute espèce de liberté. Mais, hélas, il se trahit aux yeux d'un adepte de la sémantique générale par son attitude « noire - blanche » comme l'indique cette phrase : « ... Si vous ne faites pas partie de la solution, vous ne faites pas partie du problème. » Et cela, cher lecteur, est ce que l'on appelle en sémantique une proposition « ou bien - ou ». Pour lui, pas d'échelon de la pensée. Il sait... sans aucune preuve.

Les gens qui pensent ainsi « ou bien - ou » (tu fais ça, sinon...) ont, depuis la nuit des temps, torturé leurs semblables. Le plus grave, c'est que les spectateurs ne mettent pas en doute le bon sens ni la raison d'un Staline, d'un Hitler ou d'un Mao Tsé-toung, quand ils assassinent trente à soixante millions d'individus. Aujourd'hui encore, alors que plus personne ne peut douter de ces massacres, ces assassins trouvent des apologues.

Lors de mes conversations avec des activistes j'ai découvert que, lorsque l'on fait abstraction de tout le verbiage et de tous les sentiments exacerbés, ils n'ont qu'une seule idée : avoir le droit de faire ce qu'ils veulent.

Partant de ce concept, je vais me permettre une ou deux hypothèses folles :

Chez une personne aliénée, l'impulsion du plaisir n'a jamais été modifiée par les choses de la vie. Cette personne éprouve un besoin incoercible de satisfaction immédiate ; le principe du mâle, chez les hommes, atteint un niveau anormal. Les filles, elles, se vendent à des hommes âgés, pour le plaisir, pour satisfaire leur ego, pour porter des toilettes élégantes et conduire des voitures de luxe.

Si je propose cette analyse rapide, ce n'est pas pour persuader le lecteur que je tiens là une solution, mais pour avoir l'occasion d'indiquer un point précis, à savoir que la solution à l'aliénation en soi, et au monde qu'elle nous a contraint à créer, réside dans la compréhension du problème. Et cette idée est inspirée par la sémantique générale.

Il est permis de penser que, jusqu'à ce jour, nous avons eu des gouvernements parce que les gens sont ce qu'ils sont. Personne n'a décidé un beau matin de fonder une force de police ni de voter des lois. En étudiant l'histoire de l'homme, grâce aux cerveaux curieux des anthropologues et autres savants, on constate tristement que, il y a bien longtemps, tout groupe ethnique se protégeait de ses éléments aliénés, sinon les hommes de valeur étaient assassinés et les femmes violées. Avec le temps, le rôle protecteur fut délégué aux forces spécialement entraînées et elles finirent par avoir leur propre impact à tête d'hydre.

La question est d'autant plus confuse que, aujourd'hui, on a réellement besoin de changement. Les peuples devraient avoir leur part égale des biens de la planète. Alors comment résoudre ce problème ?

Je dirai tout de suite que, pour parvenir à l'égalité, il ne suffit pas d'une bande de jeunes gens en colère, qui se rendent ainsi vulnérables au contrôle des plus vieux qui, toujours rusés, en font leurs dupes.

Edgar Snow, dans *l'Etoile rouge sur la Chine*, rapporte que, en 1934, l'armée rebelle de Mao Tsé-toung était composée, à 70 %, de jeunes de moins de quinze ans. Qui nous fera croire que ces enfants avaient résolu le problème et estimé, en toute logique, que la solution était d'être dupé ?... Mao savait ce qu'il faisait, pour preuve le fait qu'il tenta récemment de répéter ses succès d'antan en lâchant les Gardes Rouges de treize ou quatorze ans sur ses anciens camarades, dans sa lutte pour le pouvoir ; ce fut une affaire confuse, dont nous ne comprenons guère les tenants et aboutissants, mais apparemment les enfants de Mao lui ont donné une victoire. Etaient-ils des dupes ? Certains rapports nous apprirent plus tard que leurs groupes avaient été dispersés, que les jeunes combattants se retrouvaient dans des camps de travail, et que ceux qui résistaient avaient été exécutés.

Quelles sont les chances de disparition d'une structure corporative instaurée par des assassins rusés comme Mao ? Et que peut faire le système non-A de la sémantique générale pour créer l'Etat parfait dont rêvent tous les hommes, jeunes ou vieux ?

A la première question, je répondrai que nous avons une source d'information dans le passage du temps. Dans la structure corporative soviétique, nous observons que ses séides et hommes liges mangent mieux, voyagent plus souvent, et toujours en première classe, vivent dans des quartiers plus agréables, travaillent moins péniblement et bénéficient d'une forte importance-ego. Et nous observons, de plus, que lorsqu'ils sont en place, ils votent des lois restrictives, et Ivan doit se garder de protester contre leurs privilèges... sinon il sera renvoyé selon la méthode employée durant les années 30 ou sous le régime tsariste, c'est-à-dire exilé en Sibérie, système que réprouvaient violemment les communistes, avant d'accéder au pouvoir, en disant que c'était d'une monstrueuse cruauté. Les dirigeants de la Chine de Mao bénéficient des mêmes privilèges.

Maintenant que j'ai trois fois dix-huit ans, je remarque que le bon sens n'a guère progressé depuis la dernière fois.

Il serait futile et lassant d'essayer de dresser la liste de ces manques de raison. Qu'il me soit donc permis de dire simplement que dans *les Joueurs du Ā* on a lu l'histoire la plus fantastique et « hors de ce monde » que j'aie écrite durant une vie de rêves fantastiques.

Cependant, sous la scintillante folie, on pourra découvrir une société sans Etat, et ce qu'elle nécessiterait pour pouvoir exister. Elle devrait avant tout trouver des gens qui sachent résoudre les problèmes, par profession, qui n'exigent pas d'eux-mêmes des plaisirs qu'ils dénient aux autres, et qui soient totalement *non-aliénés*.

Je crois que ces exigences fermeraient la porte à tous les activistes de ma connaissance, et excluraient les hiérarchies de tous les Etats communistes du monde.

A quel prix, cet Etat sans gouvernement ? Cher lecteur, contemplez (chaque fois qu'elle sera visible) la Vénus non aristotélicienne.

A.E. VAN VOGT (1).

(1) Cette postface a été spécialement écrite par l'auteur pour la réédition de ce roman aux Editions J'ai Lu. La traduction en a été assurée par France-Marie Watkins

SCIENCE-FICTION et FANTASTIQUE

**Dans cette série, Jacques Sadoul
édite ou réédite les meilleurs auteurs du genre :**

L'AVENTURE AUJOURD'HUI

ROMANS-TEXTE INTÉGRAL

L'AVENTURE MYSTÉRIEUSE

DOCUMENTS

J'AI LU LEUR AVENTURE

ÉDITIONS J'AI LU

31, rue de Tournon, 75006-Paris

Exclusivité de vente en librairie:
FLAMMARION

IMPRIMÉ EN FRANCE PAR BRODARD ET TAUPIN
6, place d'Alleray - Paris.
Usine de La Flèche, le 10-06-1974.
1905-5 - Dépôt légal 2ᵉ trimestre 1974.